The Values Compass

What 101 Countries Teach Us About Purpose, Life, and Leadership

by Dr. Mandeep Rai

Japanese translation rights arranged with
Mandeep Rai, c/o CURTIS BROWN GROUP LTD.
through Japan UNI Agency, Inc., Tokyo

世界を知る101の言葉

「単語ひとつ」で国際標準の教養がザックリと身につく

著 Dr.マンデ
訳 鹿田昌美

The Values Compass
What 101 Countries Teach Us About Purpose, Life, and Leadership

Dr.Mandeep Rai

飛鳥新社

愛する子ども、

ナリアンとサイヤンにこの本を捧げます。

すべての子どもが、自分の価値観の根を生やし、

永遠の風を受けて大きくはばたけますように。

あなたはすべての価値と美徳の源であり、

それらが授けられるのはあなたに恵みがあるからです

シク教の経典より

日本版の刊行に寄せて

本書は、世界のさまざまな国の価値観を伝えるガイドブックであり、哲学的で前向きで力強いメッセージが込められています。

日本という国は、国家として、社会として、際立った特徴を持っています――それは「敬意」という価値観を有していること。私には意外なことではありませんが、日本は他者と国家への敬意をDNAの一部としています。これは素晴らしいことです。私は日本で過ごした際に、この価値観が、日本の社会や文化の多くに反映されているのを目撃しました。ぜひ再び日本を訪れて少なくとも人生の一時期を日本で暮らしたいと思うのは、おそらくそれが理由です。

日本に滞在したときほど、エネルギッシュで、よどみなく、スピーディでありながらゆったりした感覚を得られたことはありません。このバランス感覚と思いやりと情け深さには、敬意が込められており、それはつまり、他の国であれば緊張や困難を生み出すかもしれない状況であっても、日本では比較的平穏を保てることを意味しています。

日本は、過去の多くの出来事において、計り知れない不確実性に直面しながら、前に進むという素晴らしい仕事を成し遂げてきました。私は一個人として、この国家と国民の営みに多大な敬意を払っています。

2021年の夏、すべての視線が日本に注がれます。今後何世代にもわたって、自分と他人に敬意を払うことを黄金律にすれば、思いやりや調和や進歩といった他の価値観が自然に生まれることを、私たちは学べる、と信じています。私たちは誰もが、敬意を自分の基本的な価値観とすることの力から学ぶことができます——そして、最高の自分が周囲の人という鏡に映し出されて、上昇の渦を巻き起こすのを見ることができるでしょう。

日本の東京オリンピックの開催中には、勝者が生まれ、ヒーローが誕生し、歴史が塗り替えられることでしょう。それは、インスピレーションを得て駆け抜ける、かけがえのない瞬間です。

日本のために特別編集された『世界を知る１０１の言葉(The Values Compass)』を楽しんでいただけましたら幸いです。この本の言葉たちが、私たちをより良い世界へと導いてくれますように。それを創るのは私たちであり、日本は、そのための歩みを日々進めています。ブラボー！

2021年5月　Dr.マンディープ・ライ

信念が変われば思考も変わる

思考が変われば言葉も変わる

言葉が変われば行動も変わる

行動が変われば習慣も変わる

習慣が変われば価値観も変わる

価値観が変われば運命も変わる

—— マハトマ・ガンジー

はじめに

● 世界は「価値観」のぶつかり合いで、できている

「あなた、そんなところに行って、誰と結婚するつもりなの？」

私の口から「オックスフォード大学」という単語が飛び出したとたん、母はケンカ腰の口調で責めました。

私は賛成されないまま受けた大学の面接試験から帰ったばかり。

励まし支えようとし、誇りにさえ思う親が多いかもしれないですが、うちの母は違いました。

母にとって、「オックスフォード」のような名前は、イギリスの支配階級の象徴です。

統治下のインド――母の故郷――を様変わりさせ、母がこんな場所でひとりぼっちでのけ者にされ、暴力的な人種的差別の犠牲になってきたのも、そのせいなのです。

母は、村で唯一無二の親友である娘が、どこか知らない場所へと去り、ドラッグにおぼれ、「セバスチャン」とかいう名前の上流階級の白人男性と結婚する未来を想像していました。

結婚……？

18歳の私には、それは、できるだけ先延ばしにしたい監獄のように思えました――自由と幸福の終わりです。

今の私がもっとも大切にしていることは、他人の期待に縛られずに、自分の人生を力強く歩むことです。

母にとっては、私がしかるべき時期にふさわしい男性と結婚する以上に重要なことはありません。

自分たちと同じシク教徒、できればパンジャブ出身で、適切な信条、身元、親子関係がある人と。

母も私も、相手が必死に望んでいたものを、もっとも恐れていました。

この時、私は人生で初めて、【価値観】の大切さを理解したように思います。

母にとっては、家族と遺産。

私は自由への欲求、探検、知識への渇望。
お互いの最善を望んでいたのに、内容が合わなかったのです。
出発点も基本前提も折り合いがつかない。
私たちの【価値観】は対立していました。

私たちは誰でも、人生でこのような瞬間を経験します。
選択肢や困難やチャンスに直面することで、自分の性格や望みや【価値観】が、おもしろいほど表面化するのです。
そのように、「自分が目指すこと」の鍵を握るのが【価値観】です。
端的にいえば、それは全人生の基盤。
私たちが下す決定、育む野心、築く人間関係は、基本的な【価値観】の表現のひとつにすぎません。
【価値観】を知り、理解すれば、自分にとって重要なことが明確になり、それに向けた意思決定を行う自信が増すでしょう。

【価値観】は、世界をどのように見るか、自分が何に視線を向けるかに影響を与えます。
あなたが人種差別や社会的不正の犠牲者なら、「平等と正義」が重要な【価値観】となり、そうでない人よりも不正に目が行く可能性が高いでしょう。
母との議論は、【価値観】を自分の基盤とすることの重要性に気づくきっかけになりました。
それから数十年が経ち、【価値観】が私たちを人として定義し、方向性を形作ることを深く理解するようになりました。
【価値観】を理解し、生き方に反映させることがきわめて重要な理由は、次の5つです。

1　価値観を知ることで、自分を理解できる。
2　価値観は、他人の理解に役立つ。
3　価値観は、自分の人生を説明してくれる。
4　価値観は、人生の羅針盤になってくれる。
5　価値観は、「同点の試合」（迷った時）に決着をつけてくれる。

私は20年のキャリアのなかで、投資銀行に始まり、ベンチャー資本、国際開発、放送ジャーナリズムへと職を変えながら、150か国ほどの国を訪れました。

ロイターとBBCワールドサービスのレポーターの仕事では、【価値観】が国と国民の生活を方向づけているさまを、つぶさに見ましたし、報道のために新しい国を訪問するたびに、同じ認識を持ちました。

どこに行っても、明らかにそこにあるのに言語化されない、文化的な暗号めいた空気が、日常生活の多くを決定づけているのです。

街頭、カフェやバー、ビジネス会議、キッチンやダイニングテーブルのまわり。

町、村、都市を歩いているだけで気づきます。

訪問する国の数が増えるにつれて、自分が目の当たりにする【価値観】への興味が高まり、【価値観】が、変化を生み出すために個人やコミュニティにどのように使われているかに強い関心を持つようになりました。

大きなきっかけは、インド北部のラダックからの報道でした。

ラダックでは、世界中の政府が問題解決に動き出すより20年も前に、使い捨てのビニール袋が禁止されました。

これを先導したのはNGOや地方自治体ではなく、「ラダックの女性同盟」というボランティアグループです。

地元の人々と観光客の両方がプラスチックゴミを増やしている問題に声を上げた「女性同盟」は、違法化に成功するとともに、布バッグを製造・販売し、地域の環境保護と保全の資金に当てました。

望む変化を手に入れ、住みたい世界を創造するためには、彼女たちのように【価値観】をしっかりと理解する必要があります――人として、コミュニティとして、組織として。【価値観】は、人生のコマを進め、夢を実現するために必要な羅針盤なのです。

● あなたの未来を変える101の言葉たち

生きた【価値観】を知るなら、世界の国々に勝る手本はない――この本の根幹にある信念です。

国を定義する【価値観】は、国の歴史、地理、宗教的地勢、伝統、人口統計など、さまざまな条件に由来します。

それは何世紀にも何千年にもわたってつくりあげられ、世代から世代へと受け継がれ、たえず進化しながら、根本的に変わることはありません。

実際に、多くの場合、危機と変化のなか、国家を維持するのに役立ったのが【価値観】でした。

国は、さまざまな政府、憲法、入植者、市民戦争、政治運動を経験します。

国境が移動し、国は地図から一掃され、次の世代に復元され、さらに変更されます。

それでも【価値観】は残り続けます。

それは国家の文化とアイデンティティの核であり、欠けることはないのです。

アメリカの「起業家精神」は、新たな土地と科学とテクノロジーの探求を保証することで何世紀にもわたって移民をひきつけてきたことに由来しています。

パキスタンの「勇気」は、血まみれの分離独立の余波を受けて、自分の居場所のために人々が戦わざるを得ない状況の産物です。

ハンガリーの「競争力」は、13世紀以降、ほぼたえ間なく国が侵略され征服されてきた歴史から生じています。

フランスの「抗議」は、2018年のジレジョン（黄色いベスト運動）と1789年のサンキュロットを結びつける伝統です。

一貫性がなく、混乱していたとしても、あらゆる国は、定義された【価値観】に基づいて進化しています。

本書は、あなたを101か国のツアーにお連れして、それぞれの国を動かしている【価値観】を「単語ひとつ」の言葉で表して、解説していきます。

私は、ここで紹介するすべての国を訪れており、そのほとんどの国で報道にたずさわりました——そのいくつかは何年も前の経験なので、その後に起こった変化に対応していない箇所もあります。

ここに書いた経験や情報は、私自身が出会った人や、私が担当した報道、友人と専門家、そして知らない人から得た知見に基づいています。

本書では、【価値観】を次の５つのグループに分類しました。

Part 1 **変化の価値観**	国家と国民がどのように変化し、 変化にどう対応したか。
Part 2 **継続性の価値観**	伝統と記憶が生き続ける。 多くは大きな困難をともなう。
Part 3 **人とのつながりの価値観**	行動や社会規範を規定するもので、 コミュニティ、企業、国で広く認識されている。
Part 4 **コミュニティの価値観**	友人、家族、隣人、見知らぬ人と 個人的な関係をつくる。
Part 5 **核となる価値観**	私たちの核となる人格や 人生における動機を定義する。

私は、ここに挙げたすべての国とすべての【価値観】に教訓があると信じています。

すべてが重要で有益ですが、選び取ることが必要です。

101のすべての【価値観】を持つ人はいません。

どの【価値観】を優先したいかは、人によって違うでしょう。

世界の【価値観】のストーリーを共有し、その「パワーと豊かな多様性」をお伝えすることで、あなた自身が自分の【価値観】を発見し、最大限に活用するきっかけになればと願っています。

どの物語からヒントを得ましたか？

どの【価値観】に憧れますか？

あなたを一番幸せにするものに関わる【価値観】は？

あなたの心に響いた、もっとも自分に関連性が高いと感じる【価値観】を心に留めてください。

【価値観】があなたの目標をつくり、決定を導いてくれます。

さあ、あなた自身を発見する旅に出発しましょう。

Part 1 変化の価値観

Part 2 | 継続性の価値観

Part 3 | 人とのつながりの価値観

Part 4 コミュニティの価値観

Part 5 核となる価値観

データ欄の見方について

China
中国

実利主義

Pragmatism

● これが中国式「降ります！」の伝え方

私は混みあったバスの後ろの座席の隅にいました。目的地が近づいているのに、そのバスは、減速する気配を見せません。次の停留所に止まってくれなければまずいことになるため、私は慌て始めました。必死になって、隣に座っている女性の腕をつかみ、窓の外を指さし、今バスを降りる必要があることを知らせました。

即座に反応が返ってきました。女性は拳をつきあげ、バスの天井を、運転手に聞こえないわけがないほどの強さで叩いたのです。そして私の手を取り、動く気配のない乗客の間をぬって前へと進み、**運転手にきつい口調で何かを言いました**。

運転手はすぐに車を停止させました。バス停ではなく、高速道路の路肩に、です。女性はひるむことなく私の手を握ったままバスのステップを下り、仕事着のスカート姿で高い防護柵を飛び越えて、3車線をまたいで停留所まで連れて行ってくれました。

目的地に私を預けると、女性はうなずき、きびすを返して速足で高速道路に戻り、帰途につくために次のバスを待ちました。

● 大切なのは「ネズミを捕まえてくれる猫」

これは、私が遭遇した、いわゆる「石頭」の中国人の実利主義の一例です。仕事を成し遂げるためにはとにかく実践する、というアプローチは、中国の政治、ビジネス文化、宗教的伝統、教育システム、そして今や世界第二位となった経済など、あちこちに見ることができます。

〈首都〉北京
〈人口〉13.9億人
〈面積〉960万㎢(日本の約25倍)
〈民族〉漢民族および55の少数民族
〈言語〉中国語(漢語)
〈GDP〉14兆8,608億ドル(日本の約3倍)
〈時差〉マイナス1時間(全土が北京時間)

018

Part 1 中国

「白猫であれ黒猫であれ、ネズミを捕まえてくれる猫が良い猫だ」

記念切手も発行された鄧小平

中国の元最高実力者で1978年から1989年まで中国共産党のリーダーであった鄧小平が好んで使った言葉です。

彼は中国経済開放の立役者で、世界的な大国の基礎を築きました。この言葉には、中国の実利主義(プラグマティズム)が顕著に表れています。手段を思い悩むことなく、目的に厳密に焦点を当てる考え方とアプローチです。

政治に関して言うと、実利主義とは、自国の最大利益を考えての行動を、外部からの懸念や抗議に邪魔させないこと。インターネットの大部分にかかる検閲や、名目上は独立している香港に対する統制など、他の多数がその行動に反対し嘆願しようが、独自の道を切り開いて自国の利益を追求し続けるのが、中国流のアプローチです。

鄧小平の有名な言葉は、長い伝統を持つ中国の政治、社会、経済、軍事的思想にしみ込んだ実利主義を踏襲しています。儒教の思想は、宗教の教えというよりも、人々が倫理的に考え、行動することを奨励する思想のシステムであり、イデオロギーよりも実利主義に重きを置いているのです。**「私は、どの道についても、前もって賛成も反対もしていない」**と孔子は書いています。

● 賛否両論の実利主義から学ぶべきこと

このアプローチは、現代中国の生活の多くの側面を物語っています。国によっては道徳的、倫理的な観点から推奨されないような慣行が、ここで

〈有名人〉ジャッキー・チェン(俳優)、チャン・ツィイー(女優)、ヤオ・ミン(バスケットボール選手)、ジャック・マー(アリババ創業者)〈ことわざ〉「水清ければ魚棲まず」…あまりに澄み切った水では魚が生きていられないように、人間も清廉潔白の度がすぎると人が離れて孤立する。〈大企業の時価総額〉アリババ7,523億ドル、テンセント6,475億ドル(参考:Amazon1兆6,590億ドル、トヨタ自動車2,067億ドル ※週刊東洋経済2020年11月21号等より)。

019

- 首都・人口・面積・民族・言語・GDPについては、外務省やJETRO等の公式HPまたは参考文献を基に編集した、2021年3月31日時点での最新情報です。
- 時差は「日本時間との差」を示しています。EUでは、サマータイムは2021年で廃止される可能性があります。
- 〈有名人・ことわざ・有名企業・文化・自然〉といった項目では、その国を代表する情報や日本でよく知られたエピソードを紹介しています。
- 〈日本〉という項目では、特筆すべき日本との関わりや交流を紹介しています。

中国
コンゴ民主共和国
キューバ
デンマーク
エストニア
フランス
ガーナ
グアテマラ
ルクセンブルク
モロッコ
ナイジェリア
ノルウェー
パキスタン
パレスチナ
ポルトガル
スコットランド
シンガポール
スロバキア
南アフリカ共和国
韓国
チュニジア
ウクライナ
アラブ首長国連邦
アメリカ

Part 1

変化の価値観

どんな人でも、人生のある時点で「いかに変化を生み出すか」という問題に取り組むことになります。
人の心を変えたい、人生の流れを変えたい。
コミュニティ、ひいては社会全体を変えたいと思うかもしれません。
変化は、大なり小なり、私たちの誰もが探し求め、対処しなければならないことなのです。

最初のパートでは、変化を生み出し、変化に対応することによって歴史をつむいできた国々をながめていきましょう。

China

中国

実利主義

Pragmatism

● これが中国式「降ります！」の伝え方

私は混みあったバスの後ろの座席の隅にいました。目的地が近づいているのに、そのバスは、減速する気配を見せません。次の停留所に止まってくれなければまずいことになるため、私は慌て始めました。必死になって、隣に座っている女性の腕をつかみ、窓の外を指さし、今バスを降りる必要があることを知らせました。

即座に反応が返ってきました。女性は拳をつきあげ、バスの天井を、運転手に聞こえないわけがないほどの強さで叩いたのです。そして私の手を取り、動く気配のない乗客の間をぬって前へと進み、**運転手にきつい口調で何かを言いました**。

運転手はすぐに車を停止させました。バス停ではなく、高速道路の路肩に、です。女性はひるむことなく私の手を握ったままバスのステップを下り、仕事着のスカート姿で高い防護柵を飛び越えて、3車線をまたいで停留所まで連れて行ってくれました。

目的地に私を預けると、女性はうなずき、きびすを返して速足で高速道路に戻り、帰途につくために次のバスを待ちました。

● 大切なのは「ネズミを捕まえてくれる猫」

これは、私が遭遇した、いわゆる「石頭」の中国人の実利主義の一例です。仕事を成し遂げるためにはとにかく実践する、というアプローチは、中国の政治、ビジネス文化、宗教的伝統、教育システム、そして今や世界第二位となった経済など、あちこちに見ることができます。

〈首都〉北京
〈人口〉13.9億人
〈面積〉960万㎢（日本の約25倍）
〈民族〉漢民族および55の少数民族
〈言語〉中国語（漢語）
〈GDP〉14兆8,608億ドル（日本の約3倍）
〈時差〉マイナス1時間（全土が北京時間）

「白猫であれ黒猫であれ、ネズミを捕まえてくれる猫が良い猫だ」

中国の元最高実力者で1978年から1989年まで中国共産党のリーダーであった鄧小平が好んで使った言葉です。

彼は中国経済開放の立役者で、世界的な大国の基礎を築きました。この言葉には、中国の実利主義（プラグマティズム）が顕著に表れています。手段を思い悩むことなく、目的に厳密に焦点を当てる考え方とアプローチです。

記念切手も発行された鄧小平

政治に関して言うと、実利主義とは、自国の最大利益を考えての行動を、外部からの懸念や抗議に邪魔させないこと。インターネットの大部分にかかる検閲や、名目上は独立している香港に対する統制など、他の多数がその行動に反対し嘆願しようが、独自の道を切り開いて自国の利益を追求し続けるのが、中国流のアプローチです。

鄧小平の有名な言葉は、長い伝統を持つ中国の政治、社会、経済、軍事的思想にしみ込んだ実利主義を踏襲しています。儒教の思想は、宗教の教えというよりも、人々が倫理的に考え、行動することを奨励する思想のシステムであり、イデオロギーよりも実利主義に重きを置いているのです。「**私は、どの道についても、前もって賛成も反対もしていない**」と孔子は書いています。

● 賛否両論の実利主義から学ぶべきこと

このアプローチは、現代中国の生活の多くの側面を物語っています。**国によっては道徳的、倫理的な観点から推奨されないような慣行が、ここで**

〈有名人〉ジャッキー・チェン（俳優）、チャン・ツィイー（女優）、ヤオ・ミン（バスケットボール選手）、ジャック・マー（アリババ創業者）〈ことわざ〉「水清ければ魚棲まず」…あまりに澄み切った水では魚が生きていられないように、人間も清廉潔白の度がすぎると人が離れて孤立する。〈大企業の時価総額〉アリババ7,523億ドル、テンセント6,475億ドル（参考:Amazon1兆6,590億ドル、トヨタ自動車2,087億ドル ※週刊東洋経済2020年11月21号等より）。

はビジネスを行う上での日常的な現実として容易に受け入れられています。

一人っ子政策の影響で過去最低の出生率が続く

ある調査から、中国企業の35%が、賄賂を払うか、または定期的な贈与を行っていることがわかりました。医療処置の前に医師に現金を支払うことも一般的でしたが、これは2014年に正式に禁じられました。

細かい手段や広範囲の影響に悩んで手をこまねくのではなく、欲望の結果を得るために最も明確な行動を迅速に取るのが、中国のやりかたです。1970年代後半の急速な人口増加に直面すると、鄧小平の政府は「一人っ子政策」を導入しました。これは2013年まで続き、多くの女児殺しを招いたと非難されました。

最近では、習近平国家主席が、中国発展のための長期計画が政治的制約を受けるのを回避するために、首相の2期制限を廃止し、無期限の統治を可能にしました。

経済発展が進み、大国となった中国（写真は上海）

現在の中国政府の政策のいくつかに強く反対する向きがあるのはもっともですが、広義での中国文化には、学ぶべき重要なことがあります。**それは、この実利主義が、変化に直面し、脅威の力によって吹き飛ばされそうになったときに、進路を外れないために役に立つということなのです。**

DR Congo
コンゴ民主共和国

可能性

Potential

● 最強の無法地帯をつくったのは誰か

私は世界のあちこちを訪れていますが、コンゴほど、周囲から強烈な反応があった国はありません。コンゴに行くことになったとき、繰り返し、こんなことを言われました。

「**行ってはいけない！　あそこは最強の無法地帯だ**。誰も守ってくれないし、何が起きても責任を負ってくれないぞ！」

国境を越えて、奇妙な光景に見舞われたとき、私は、確かにそれは正しいと感じずにはいられませんでした。裕福なコンゴ人が、まるで玉座のような金属の台座にかつがれて移動していたのです。それは、中世の宮殿のなかにいるかのような眺めでした。

ペンデ族の首長

一見すると、確かにコンゴは制御不能な印象です。人々は銃を持って歩き回り、厳格な法的処罰が期待できず、腐敗が風土病のようにはびこっています。

1994年から2003年まで続いた内戦と、その後数年間の孤立の結果、戦闘と飢えと病気によって600万人の命が奪われました。ルワンダとの東部国境では紛争が続いていて、数十人の武装民兵がいまだに活動中と目され、数百万人のコンゴ人が国内避難民となっています。

〈首都〉キンシャサ
〈人口〉8,679万人
〈面積〉234.5万㎢（日本の約6.2倍）
〈民族〉200以上の部族、大部分がバントゥー系
〈言語〉フランス語（公用語）、キスワヒリ語、リンガラ語等
〈GDP〉473.2億ドル
〈時差〉東部がマイナス7時間、西部がマイナス8時間

近年のコンゴの歴史は、国内外の支配者による冷酷な搾取を物語っています。コンゴをゴム、銅、象牙の取引を提供する事実上の奴隷国家に変えた強欲な帝国主義者、ベルギー国王・レオポルド2世。巨額の私腹を肥やし、借金まみれの国を離れた「**泥棒政治**」のザイールの2代目大統領、モブツ・セセ・セコ。現在、新たな搾取者と名指しされるのは、推定価値が**24兆ドル**にのぼると言われるコンゴの豊富な鉱物資源を開発しようとする多国籍企業です。

● コンゴに眠る「可能性」とは

複雑で紛争に満ちた現実には、もう一つのコンゴの物語、「可能性」が眠っています。コンゴ民主共和国は一人当たりのGDPで言うと世界で最も貧しい国ですが、豊富な天然資源によって、最も豊かな国になる可能性があるのです。

コンゴの電気使用率は人口の20%未満ですが、国が計画中の水力発電ダムによって、大陸全体に電力を供給できる可能性があります。

この国は現在、世界で最も「ひもじい」国の一つであり、食料供給を輸入に依存していますが、利用可能な農地を活用できれば、コンゴ民主共和国だけではなく大陸のほとんどを養える可能性もあります。

また、道路と鉄道のインフラを適切に行えば、大陸の中央部に位置するという地の利を生かして、アフリカの大部分とつながることができます。現時点では、国土面積が10分の1のイギリスよりも、道路の総距離が少ないのが現状です。

● トラウマを乗り越えて

ゆっくりとですが着実に、変化は進行しています。コンゴの投資促進機関は、この国を「多くの可能性のある土地」と説明していますが、**莫大な鉱物の富と未開発の経済能力だけではない多くの可能性が、ここにはあります。**

〈文化〉サプール…「武器を捨て、エレガントに生きる」という信条を体現する紳士たちのグループ。年中常夏の気候にもかかわらず、高級ブランドのスーツを身につけて街を闊歩する。〈ことわざ〉「チャンスは、脱いだり着たりする衣類とはちがう」…服は自在に選べるが、チャンスはコントロールできない。〈自然〉ボノボ…ヒトとDNAの98%以上が一致し、人間と最も近いサル。コンゴ民主共和国に世界で唯一生息している。

経済は、低いレベルからの成長を続けていて、外国からの投資は増加し、待ち望まれていたインフラに青信号がともりつつあります。その中心となるのが「**グランド・インガ・ダム計画**」。世界最大の水力発電所を作る、サハラ砂漠以南ではアフリカ史上最大のインフラプロジェクトです。

そして最も重要なのは、人間の可能性があることです。その可能性は、2018年にノーベル平和賞を受賞したコンゴ民主共和国の産婦人科医デニ・ムクウェゲの活動にも見て取ることができます。彼は、レイプと性的暴力の被害者の治療で世界を牽引(けんいん)する医師であり、「戦争の武器としてのレイプ」に反対する活動家です。彼のチームは4万人以上の女性を治療し、医療的、法的、心理的サポートを行っています。

コンゴは、戦争で荒廃した空腹で貧しい国ですが、喜びにあふれ、熱意と希望に満ちています。問題だらけの国でありながら、アフリカ大陸に解決策を提供できるかもしれません。

過去にこれほどのトラウマがある国は少ないですが、これほどの将来性がある国もありません。コンゴは、問題を乗り越え、その並外れた可能性に目を向けています。この国を真似ようとして、利益を得られない人など、いないはずです。

高級スーツに身を包むサプール(データ欄参照)は世界中から人気を集める

Cuba

キューバ

問題解決

Problem Solving

● 不思議の国のキューバ

往年のクラシックカーが今もストリートを走る

飛行機を降りてキューバ共和国に入ると、昔にタイムスリップしたような気分になります。通りを穏やかに走る1950年代のヴィンテージの車。食料配給帳を取り扱う色鮮やかな小さな小屋。最新のファッションブランドではなく、ハンドメイドの衣類とつぎはぎのメガネを身に着けて歩き回る人々……。

でもキューバは、時代を逆行した牧歌的な国でも、技術や進歩に乗り遅れた国でもありません。この国は「**医療の革新者**」です。肺がんの先駆的な治療で世界をリードし、母子間のHIV感染防止に成功した最初の国になりました。

また、世界トップレベルの識字率を誇り、海外でも評価の高い教育システムを備え、世界中から学生が集まります。オリンピックで最も勝ちの多い国の一つであり、過去3回の大会に出場した選手の7人に1人がメダルを獲得しました。これを上回るのはアメリカ、中国、ロシアだけです。

自宅でインターネットにアクセスできるのはわずか5%で、平均月給が25ドル、車の所有率がわずか2%という国に、なぜこのようなことが可能

〈首都〉ハバナ 〈人口〉1,148万人
〈面積〉11.0万㎢（本州の約半分）
〈民族〉ヨーロッパ系（25%）、混血（50%）、アフリカ系（25%）（推定）
〈言語〉スペイン語
〈GDP〉968.51億ドル
〈時差〉マイナス14時間（夏時間あり）

なのでしょう？

● 問題解決の精神が、すべてを解決する

カリブ海の小さな島であるキューバが、どのように地理的・政治的要因の巨大な壁にいどむのか。その答えは「resolver（スペイン語で「解決する」の意味）」、キューバ共和国が持つ「問題解決の技術」です。

キューバが直面する不足とインフラの問題を考えれば不可能なはずのことが、問題解決の精神によって可能になる。だからインターネットアクセスが悪いことで有名なこの国が、創造力豊かな経済繁栄の拠点になり、医薬品不足に頻繁に直面する医療システムのもとで、非常に低い乳幼児死亡率とすばらしい平均寿命を実現できるのです。

ソビエト連邦の崩壊後、キューバは世界貿易が80%以上急落し、経済が1991年から3年連続で10%以上縮小するという残酷な不況に見舞われました。絶望的に困難な10年間を生き延びることができたのは、問題解決の精神があったからです。財政が厳しいなか、キューバ人は、もはや使えるお金がない状況に新たな解決策を見つけるために、迅速な対応を迫られました。

レキシントン研究所のキューバ専門アナリスト、フィリップ・ピーターズは、2002年に次のように書いています。

「生徒たちはタイヤのくずと粘着テープでできた靴をはいていた。**親たちが、子どもに一日中道路で遊ぶことを許したのは、ガソリン不足で車がほとんど通らなかったからだ**。工場は閉鎖され、労働者は解雇された。農家はトラクターの代わりに馬と牛を使った」

言い換えれば、キューバ人は適応して生き残ったのです。経済を支えていた車輪は外れたかもしれません。にもかかわらずキューバは、何らかの形で前進し続ける方法を見つけたのです。

問題を解決するにせよ、理論的に制限されたものを手に入れるにせよ、

〈有名人〉アンディ・ガルシア（俳優/『ゴッドファーザーパートⅢ』『オーシャンズ11』等）、アロルディス・チャップマン（メジャーリーガー/球速の世界最速記録をもつ）〈日本〉革命の英雄チェ・ゲバラは、1959年に来日したことがある。広島で原爆の悲惨さを知り、「なぜそれほどひどい目にあったのに、アメリカに怒らないのか」と言い残した。〈文化〉モヒート…ラム酒をベースにした日本でも人気のカクテル。

キューバ人は方法を見つけます。インターネットへのアクセスに厳しい制限がある（この原稿を執筆中に解除され始めたばかり）のなら、YouTubeビデオ、スポーツのハイライト、最新の映画やテレビへのアクセスをあきらめる人もいるでしょう。

日本でも人気のモヒートはキューバ発祥

でも、キューバ人は問題を別の道から解決します。“paqueteros”（包装業者の意味）は、最も人気のあるコンテンツを選りすぐってダウンロードし、USBドライブにアップロードして、ハバナと全国各地に毎週配布します。文字通り「**人間インターネット**」——通信インフラの代わりに「手と徒歩」で配信するのです。

● キューバの底力を支えているもの

キューバ人の、問題を解決し、物ごとを最大限に活用するユニークな能力の源は何なのでしょう。キューバで1か月過ごした後、私は確信しました。**彼らが社会主義体制に暮らしているだけではなく、それを信頼しているからだ、と。**

ハバナは街中が音楽に満ちている

お金がすべてを語るわけではない社会では、尊敬とコミュニティに対する強い意識があります。庭師、医者、芸術家、商人のスキルが等しく称賛され、活気がありバランスのとれた進歩的な生活環境です。

時間はお金と同義ではないため、仕事時間は健康的に制限されます。生き生きとした自由の感覚からクリエイティブな栄養をもらうことができます（問題解決における多くの革新がその証拠です）。**音楽とダンスと芸術が、毎**

晩あふれています。私も、日中はレジデントのアーティストと仕事をし、夜はごきげんなサルサを楽しみました。

とはいえ、すべての人がそんな生活をしているわけではありません。キューバが現在直面している深刻な経済的課題と、より良い生活を求めてアメリカへの危険な亡命を試みる人が大勢いることを無視することはできません。でも、いまだに多くの人が社会主義のシステムに信頼を寄せていることを過小評価するのも、同じぐらい間違っています。人々がことをうまく運んでいるのは、このシステムのおかげだからです。

私たちは誰でも、人生のどこかで、解決策が見当たらない、もしくは解決不可能と思われる状況に直面します。キューバの問題解決の精神は、成功を阻む壁が必ずしも難攻不落ではないことを教えてくれます。まともな道が遮断されても、別の道は存在し、たとえアクセスが悪くても、必要な場所に連れて行ってくれるのです。

経済的・政治的モデルとしてはキューバに触発されないとしても、キューバの底力から学ぶことがあるはずです。問題解決の精神を持ち、失敗を選ばない、障害に阻まれない、という心構えがあれば、たいていのことは達成できるのです。

地元民も観光客も一緒になってサルサを踊る

Denmark

デンマーク

平等

Equality

● 同じ「平等」という言葉でも

デンマークは、女性である私が「見られる対象」として扱われたり、上からの態度を取られたり、脅迫を感じたりといったことが一度もなかった、世界で数少ない国の一つです。ここでは、何の心配もなく通りを歩き、職場で声を上げ、リラックスできます。

その根幹にあるのは、基本的なデンマークの価値観、すなわち「平等」の意識です。**デンマークの平等には、性別・人種・宗教に関係なく公正な待遇を与えられること以上の意味があります。それは、もっと根本的な「人々は異なるよりも似ていることを願うべき」という思想です。**多くの国で、平等が政府と企業によって義務的行為として扱われているのに対し、デンマークの平等は、深く根づいた本能なのです。

● デンマークの平等のルーツ

デンマークの平等のルーツは、デンマークの小説家アクセル・サンデモーセが1933年の風刺小説『自分の通った道を横切る逃亡者』で生み出したコンセプト「**ジャンテ・ロウ(ヤンテ村の掟)**」に見られます。サンデモーセは、架空の町ヤンテを創作し、自分が育った土地を風刺しました。

小説には、次のような掟が書かれています。

「自分のことを、特別な人間だと思ってはならない」

「自分のことを、誰かよりも優れていると思ってはならない」

「自分のことを、誰かよりも重要だと思ってはならない」

「自分のことを、誰かよりも賢いと思ってはならない」

〈首都〉コペンハーゲン
〈人口〉581万人
〈面積〉4.3万㎢(九州よりやや大きい)
〈民族〉スカンディナヴィア人
〈言語〉デンマーク語
〈GDP〉3,509億ドル
〈時差〉マイナス8時間(夏時間あり)

ジャンテ・ロウは、最初はジョークでしたが、時とともにデンマークの「平等であるべき」というこだわりの代名詞となりました。**「集団が個人に勝り、自分の能力や手柄を誇示するのは不作法である」**という原則です。

ジャンテ・ロウが文章化されたのは1930年代ですが、このアイデアの源は、さらに歴史をさかのぼります。1692年にデンマークを訪れたイギリスの外交官は、こう述べました。

「**国民の精神性がこれほど単調な均一性を持っている国を、私はほとんど知りませんでした**」

● 平等を実現する社会

凡庸を奨励するとして、ジャンテ・ロウの考え方には批判もありますが、この思想は結果的にきわめて平等な社会を作り上げました。EUによると、デンマークは男女平等の分野でトップに近く、所得の不平等はOECDの34か国の中で最も低くなっています。

この見事な数字は、男女平等と貧者・富者の平等を大切に扱うように設計された社会モデルによって支えられています。保育サービスが手頃な価格なので、両親はどちらの給料もほとんど失わずに働くことができます。男女とも育休手当はたっぷりと与えられ、親の間で分割できます。富の不平等を相殺するのが、高い所得税と相続税です。大学は全員が無償で、デンマークの高等教育は世界第3位です。

政府が寛大な権利を義務づけていることに加えて、多くの企業はさらに先を行っています。あるデンマーク企業のCEOは「会社では子どもが生まれたら両親に3ヶ月の完全な有給休暇を提供し、父親に半年の育児休暇を勧めています。皆さんが

デンマーク発のカールスバーグのビールは世界中で愛されている

〈有名企業〉レゴ(玩具メーカー)、カールスバーグ(ビールメーカー)、ロイヤルコペンハーゲン(陶磁器メーカー)〈歴史〉『マッチ売りの少女』『みにくいアヒルの子』などで知られる童話作家アンデルセンはデンマークの人。代表作の一つ『人魚姫』の像がコペンハーゲンにあり、多くの観光客が訪れる。〈地理〉フェロー諸島と世界最大の島であるグリーンランドをともに自治領として有している。

それを期待しているからです」と話してくれました。

同様の政策は、〈レゴ〉などのデンマークの有名企業にも存在します。平等の確保は企業にとって、負担ではなく、人材獲得の競争に勝つための一つの手段なのです。同じことは雇用者にも当てはまります。過度に長時間働く人は、賞賛される代わりに、人生の充実度が低くバランスの取れない人と見なされます。

南部の都市ビルンはレゴの企業城下町である(写真はレゴ・ハウス)

政府と企業のありかたを拒否する人々でさえ、平等に焦点を合わせています。1970年代に軍事兵舎の跡地に設立されたコミューン「**クリスチャニア**」では、約1000人の市民が半自治的な生活を行い、決定事項は住民会議によって定められます。

コミューンに入るときは「これよりEU圏外」と書かれた標識を通り抜けます。私はここを訪問したとき、コミューンの個性や独自の文化だけでなく、誰もが等しく扱われるべきであり、人には性別・人種・経歴に関係なく価値がある、という不動の意識を感じました。

クリスチャニアは自治を“自称”する地区で、国歌や国旗もある

● 平等を実現する社会

平等に関する見事な歴史で突出しているデンマークですが、まだ「理想郷」(ユートピア)とは言えません。男女の賃金格差は15%で、他の16のEU諸国よりも高いのです。また、産前産後の休暇手当が手厚いにもかかわらず、女性は子どもをもった結果として、長期的には依然として収入を失っていることが調査から分かっています。

デンマークがジェンダー平等に向けての勢いを失ったかもしれないという認識は、新たな展開をもたらしました。フェミニストの政党「F！」が、賃金平等と育児休暇の五分五分の分割を掲げて、支持を集め、全国的な知名度を獲得しつつあります。

デンマークは平等という価値観の象徴であるだけではなく、それが生み出す利点を実証しています。**世界基準で見ると、きわめて平等な国であるデンマークは、しばしば「世界一幸せな国」とも称されています。**

真の平等によって手に入る報酬は、女性やマイノリティが大多数の国や企業やキャリアにおいて直面する障壁が取りのぞかれることです。現在、あらゆるところで構造的不平等をなくすために多大な努力が費やされています。この必要不可欠な目標が達成できさえすれば、時間・創意工夫・感情的なエネルギーを、他のことに有益に使えるようになるでしょう。デンマークの例から、そんな将来の姿と、障壁を取りのぞく（または減らす）ことによって最終的に得られるものを垣間見ることができます。

デンマークが教えてくれるのは、平等はそれ自体が目的ではなく、それが達成可能にするもの――どこの誰に対しても―― が重要だということです。

アンデルセンにも愛された首都コペンハーゲンにある美しい港町ニューハウン

Estonia

エストニア

効率性

Efficiency

● 面倒ごとのない国

銀行口座を開く。税金の書類を提出する。病院の予約をし、処方箋をもらう。こういった手続きは非常に面倒です。時間がかかるし、いらいらの元でしょう。

でも、エストニアの人は違います。長い列を作ったり、そなえつけの鉛筆で用紙に記入したり、電話のお客様担当係とけんか腰のやりとりをしたりということはありません。そういった手続きを、すべてオンラインで、**ボタンを数回クリックするだけで終えられるからです**。

投票、銀行の手続き、ヘルスケア、さらには子どもの出生登録にいたるまで、楽々とアクセスできて、すべて完了。お役所流の面倒な手続きはなくなり、いらいらとはまったくの無縁。そんなうまい話が、エストニアにはあるのです。

● 世界最先端のデジタル国

エストニアは、世界で最も進んだデジタル社会です。効力をもつ政府と効率的な生活を促進する鍵として「デジタル化」を採用することで、世界の最先端を走っています。

1991年のソビエト連邦の崩壊と国の独立以来、この国は、「効率性」を推進するという使命を担ってきました。独立当時は、テクノロジーが非常に遅れていたため、民間の固定電話の接続に10年かかってもおかしくなかったのですが、32歳の首相の主導のもとで、世代を一つ飛び越して、当時、世に出始めたデジタルとインターネット技術に投資することができ

〈首都〉タリン
〈人口〉133万人
〈面積〉4.5万㎢（九州よりやや大きい）
〈民族〉エストニア人（69%）、ロシア人（26%）
〈言語〉エストニア語（フィン・ウゴル語派）
〈GDP〉305億ドル
〈時差〉マイナス7時間（夏時間あり）

たのです。

著者とユリ・ラタス首相(右)

私はユリ・ラタス首相(編注:原書執筆当時)に取材をし、停滞した共産主義国から、「起業家」と「テクノロジーの効率性を生活に活用したい人」の両方の拠点となるデジタル経済社会への素早い移行のプロセスについて、話を聞くことができました。

ビジネス面では、エストニアのデジタル革命によって、数々の有名なインターネット企業が誕生しています。10億ドルの評価額をヨーロッパで初めて獲得した企業〈**スカイプ**〉や海外送金サービスの〈**トランスファーワイズ**〉、〈Uber〉の競合社で配車サービスの〈**Bolt**〉(前Taxify)は、その最たる例です。**エストニアは今や、アイスランド、アイルランドを除くヨーロッパ諸国のなかで人口一人当たりの新興企業が最も多い国となりました。**

また電子国民プログラム「**e-レジデンシー**」政策によって世界中の起業家を誘致していて、誰でもエストニアに住民登録をして会社を設立でき、便利な納税・銀行・支払いシステムにアクセスできます。このメリットを享受している人は、すでに5万人を超えています!

● テクノロジーがもたらすものとは

日常生活の面では、デジタル化によって、世界の多くの国がいまだに格闘している古いシステムによる面倒な手続きを一掃することができました。1年間に自動的に入力された情報によって、ものの数分で納税申告書を提出できますし、子どもの宿題の取り組みを学校に確認することも可能です。

個人と国が隔たりなくやりとりができるのは、高度なデータ交換システムと、2000年以降に採用された、手書きの署名に代わるデジタル署名の

〈**有名人**〉カイド・ホーヴェルソン(政治家/元大相撲大関・把瑠都)〈**文化**〉タリン歴史地区…首都タリンの旧市街で、中世〜近世の建造物が多く残っている。1997年に世界遺産に登録された。〈**ことわざ**〉「一窯のパンを焼き損ねれば一週間、収穫が悪ければ一年間、不幸な結婚をすれば一生を棒に振る」…結婚は簡単に失敗ができない人生の一大事である。

おかげです。子どもが生まれると、固有のデジタル識別子が発行されます。その時点で、地球上のどの国よりも「オンライン的な人生」の始まりです。またこの国の子どもは、幼稚園からコンピュータ・サイエンスとプログラミングを学び始めます。

世界に先駆けてこの分野で頭角をあらわしたエストニアは、現在では配達ロボットなどの技術を先導すると同時に、デジタル時代の国家安全保障上の課題に目を向けています——情報・システムを、いかに敵対的なサイバー攻撃から守るか、です。

エストニアの例は、生活・キャリア・社会全体にとってのテクノロジーの「可能性と現実」のギャップを明らかにしてくれます。デジタルツールは生活と仕事のストレスを取り払ってくれますが、古いシステムや意識が、簡便性や効率性のさまたげになっているのです。

デジタルツールは、時間とコストの無駄を省き、いらいらを解消する現代の救世主であるべきです。エストニアは、デジタル化に断固たるアプローチを取ることにより、「破格の配当金」が得られることを証明しました。

人口130万人の国にこれが可能なら、あらゆるビジネスに適用できないわけがありません。**また、個人単位で考えると、デジタル生活というアプローチによって、エストニアの人々の幸せが少し増え、ストレスが減って、本当に大切なことに使える時間が増えたと言えるでしょう。**

世界最先端のデジタル国だが、首都タリンには古き街並みも多い

France
フランス
抗議
Protest

● フランスという国のモットー

ストライキほど、フランス人らしい行為はないでしょう。

フランスの国民的象徴であり、最も重要な観光名所であるエッフェル塔でさえ、対象になります。私が行こうと決めた日には、上の階が閉鎖されていました。新しい発券システムにスタッフが反対し、ストライキが行われていたのです。

抗議は迷惑だし不便かもしれませんが、どんな機能的な社会にも存在する、輝かしく美しい重要な行動でもあります。そしてフランスは、何世紀にもわたって世界にその力を示し続けていることを、正当で誇らしいことだと考えています。

抗議はフランスという国に埋め込まれた基礎であり、国家のモットーである「**リベルテ、エガリテ、フラテルニテ(自由、平等、友愛)**」を体現するものです。

フランスの象徴エッフェル塔、
著者が訪れた日には……

抗議とは「リベルテ(自由)」――自由を達成し、自分の声を届かせる自由を持つこと。抗議とは「エガリテ(平等)」――女性、労働者、すべてのマイノリティの権利がサポートされる公正な社会、人々が健全な心を持

〈首都〉パリ	〈言語〉フランス語
〈人口〉6,706万人	〈GDP〉2兆7070億ドル
〈面積〉54.4万㎢(日本の約1.4倍)	〈時差〉マイナス8時間(夏時間あり)
〈民族〉フランス人(77%)、ベルベル人(2%)	

つ平等な社会。抗議とは「フラテルニテ（友愛）」——互いに連携し、支え合うことです。

● 今も昔も抗議、抗議、抗議……

フランスは、抗議によって建国され、築き上げられた国です。1789年のフランス革命から1968年の学生蜂起（または五月革命とも呼ばれる）まで、フランスの歴史は、「労働ストライキ」と「蜂起」と「民衆の力を信じる心」によって刻まれてきました。

君主制の崩壊、教会と国家の分離、労働者と女性の権利の確立は、抗議によって実現しました。

フランスのどこに行っても、あらゆる形で抗議を目にします。私が遭遇した最も派手な抗議は、裸に黄色のベストだけを身に着けた農民の集団でした。その人たちは、私が使いたかった高速道路の出口を封鎖していました。この手のアプローチに賛同するかはともかく、無視はできません——そして多くの場合、効果があるのです。

ソルボンヌ大学元学長ジャック・ソッペルサは、この抗議の文化について、「**フランス人はヴォルテールの息子だ**」と説明しました。ヴォルテールは人権、宗教の自由、言論の自由についての主張で広く影響を与えた18世紀の哲学者・文学者です。

ヴォルテールによる異端児的で過激で権威筋を疑うアプローチは、しばしばフランス社会の特徴になっています。Uber（ウーバー）を例にとりましょう。この配車アプリは世界中で抗議を受けていますが、パリほど激しい国はありません。このサービスの到来に対して、全国タクシー組合がストライキを打ち、首都全域の道路閉鎖を引き起こして、主要な2つの空港への交通を混乱させました。タイヤが燃やされ、Uberの車が破壊され、警察は路上で催涙ガスを使いました。これだけのことが、1日の抗議で起こったのです。

〈有名人〉ジャン・レノ（俳優）、オドレイ・トトゥ（女優）、ジネディーヌ・ジダン（サッカー指導者/元サッカーフランス代表）〈日本〉Japan Expo…毎年パリ近郊やマルセイユで開催されている世界最大級の日本ポップカルチャーイベント。〈ことわざ〉「ぶどう酒は、いつも産地の香りがする」…ワインには産地の特色があるように、人はふるさとから影響を受けている。

その他のデモは数ヶ月続きました。特に、ガソリンの増税に対する蜂起として始まった**ジレ・ジョーヌ運動**は、2018年から2019年まで30週間以上連続して週末に行われました。路上での暴動と交通封鎖の事故でけが人や死者が出たことから、抗議者への非難が生まれ、これに反対する「青いベスト」や「赤いスカーフ」などの抗議団体が、暴力に抗して何千人も行進しました。これは、抗議文化の複雑さを思わせる出来事です。

抗議がこれほどまでにフランス社会に根差している理由の一つが、労働組合の力です。数の上では比較的弱い（現在のフランス人雇用者の組合加入率はわずか8%）ですが、企業の経営方針について、制度的に強力な役割を果たしています。

また、文化的な要因もあります——学生や労働者、親や年金受給者が、みずから立ち上がって通りに出ることで変化をもたらす伝統です。フランスのカレンダーで最も重要な日付である7月14日は、国の最も有名な抗議を記念する日です——王室の権力の象徴だったバスティーユ監獄の襲撃、フランス革命の始まりです。

女性の権利。雇用権。LGBTQの権利。個人的・政治的・宗教的表現の自由。**こういった権利と自由は、これまでの歴史のなかで、勝ち取られ、擁護されるべきものとして扱われて、抗議はその中核であり続けてきました**。抗議は、進歩へと導いてくれます。また、権利の侵害に対する怒りを抑圧せずに表に出すチャンスを与えてくれます。

人は誰でも、声を上げる権利を持っています。それが実際に起きたときの光景を、フランスは世界に見せてくれているのです。

2018年に起こった「黄色いベスト運動」

「働き方改革」についての2017年のデモ

Ghana

ガーナ

希望

Hope

● それでも、あきらめなかった男

なぜガーナを代表する価値観が「希望」であるのかを理解するには、ナナ・アド・ダンクワ・アクフォ＝アド大統領について知る必要があります。彼が大統領に選出された2016年は、単なる新たな始まりではなく、20年近くに及んだ選挙活動の集大成の年でした。

最初の試みは1998年、党の予備選挙に立候補して敗れました。10年後の2008年、ついに候補者となり、第一回投票で最多の票を獲得しましたが、決選投票で1%の半分以下の票差で敗北——**ガーナ史上最も僅差の選挙**でした。

その4年後、またしても僅差の落選を経験します。たいていの政治家は、一度、まして二度の要職への挑戦に失敗したら、あきらめるでしょう。でも、アクフォ＝アドはあきらめませんでした。自国と自分自身のために、成功への希望を決して捨てずに、2016年の三度目の挑戦でようやく大統領になったのです。

アクフォ＝アド大統領は就任式でこう述べました。

「**最高の日々が待ち受けている。**我々は恐ろしいほどの課題を抱えているが、同様に強みがある。ガーナ人は、常に動き続ける、探求心と希望に満ちた人々だ」

アクフォ＝アド大統領は、選出されて以来、ガーナが国としての潜在能力を発揮するという希望を叶えるための努力を続けています。私がインタビューしたとき、大統領が最も情熱的に語ったのは、若者が未来をつかみ

〈首都〉アクラ
〈人口〉3,042万人
〈面積〉23.9万㎢（本州とほぼ同じ）
〈民族〉アカン、ガ、エベ、ダゴンバ、マンプルシ他
〈言語〉英語（公用語）、各民族語
〈GDP〉669.8億ドル
〈時差〉マイナス9時間

著者とアクフォ=アド大統領（右）

とる手助けをしたい、という願いでした。

「彼らが『やれる』と思ってくれる環境を作りたい。枠にとらわれずに考え、新しいことを試し、夢をもつあらゆる理由が見えるような。人々が見た夢から結果が得られ、人々の創造が形になる可能性がある。私が構築したいと願っているのは、そんな社会だ」

紙幣に描かれたクワメ・エンクルマ

多くの点で、現大統領はガーナ初代大統領のクワメ・エンクルマに似ています。エンクルマは、サハラ以南のアフリカで最初にイギリスから独立した現代ガーナの創設者で、1957年、強力な「希望」のビジョンを胸に、初代ガーナ共和国の大統領に就任しました。

ゴールドコーストがガーナになったとき、彼はこう語りました。

「**この国の何百万人もの人々と、長と民が私の頼りだ。**この国の運命を再構築するために、私に手を貸してほしい」

〈有名人〉コフィー・アッタ・アナン（元国際連合事務総長/2001年ノーベル平和賞）〈文化〉ハイライフ…西アフリカの伝統的な音楽とジャズを融合させた音楽で、ギターバンドかダンスバンドで演奏するのが主流。さらに、ハイライフとヒップホップやレゲエを融合した「ヒップライフ」も人気。〈日本〉1928年に野口英世が亡くなったのはガーナである。1979年には野口記念医学研究所が設立された。

● 誰の心にも「希望」はある

希望は、政治家のトップが唱道するだけではなく、この国の文化に根づいています。

ガーナ人がこの価値観を受け入れていることは、ガーナのどこに行っても聞こえてくる歌“Dabi dabi ebe ye tie（いつか、いつの日か、大丈夫になる）”にも表れています。これは単なる歌詞ではなく、ほとんど国家のモットーと言ってもいいでしょう――「**未来は過去よりも良くなる**」と。

ビーズを首に巻いた女性

希望の表現は、言葉だけにとどまりません。伝統的なガーナのビーズのような視覚的なシンボルも、希望を活き活きと輝かせています。ガーナの女性たちは、結婚・多産・幸運への希望を象徴するビーズ紐を腰と手首と首に巻きます。カティ・トルダを始めとするビーズ作家が、この伝統工芸に新たな息吹を吹き込んでいます。

● 希望があるからこそ、人は帰ってくる

一時は国を離れた人たちがガーナに戻ってきたことにも希望が見られます。1990年代半ばには、ガーナの人口の10～20%が海外に住んでいましたが、今では多くが戻ってきています。この「**逆移住**」の波は、この国の巨大な可能性の実現のために能力と信念を投資しようという流れです。

首都アクラにある国立劇場

ガーナの国立劇場のエグ

ゼクティブディレクター、エイミー・フリンポンは、帰国する前はアメリカで長年働いていました。なぜ、ガーナで1年分の給料にあたる月収を稼げる安定した仕事を手放したのか――そう尋ねられることが多いという彼女は、私にこう話しました。

「『お返しがしたいから』と私は答えています。ここにいても外国にいても、多くの人がこの国を愛しています。**だから、戻ってきたら役に立ちたいのです。競うのではなくて**」

私が取材をしたミュージシャンから弁護士まで、様々な職種の人が、同じようなことを語りました。トップメディアと汚職行為防止を専門とする弁護士 コリー・ドゥオドゥは、イギリスでの仕事に加えて、ガーナに帰国して資格を取ることに決めました。両方の国で働くことで、大きな影響を世界に与えたいと考えたのです。

エイミーやコリーをはじめ、私が出会ったエンターテインメントや教育や専門職の分野の大勢の人が、ガーナのこれからの未来の姿に期待し、賛同しています――それは、1957年にエンクルマが提唱した「**世界のあらゆる国から尊敬される独立国**」です。

動き続けることで、ガーナは、世界に一つの手本を見せてくれます。希望に頼らずして、人生やキャリアや組織が成功することがあるでしょうか。明日のほうが良くなり、障害は克服でき、不可能は達成できる。そんな「希望」がなければ、朗報は訪れません。

クワメ・エンクルマ国立公園

希望は私たちに活力を与え、前進させてくれます。ガーナは、心に希望を持って生きることの本当の意味を教えてくれるのです。

Guatemala
グアテマラ

正義

Justice

● 悲しき内戦が生んだ国家の信念

グアテマラでは36年間、内戦が続いていました。そして1996年の平和条約の調印以来、グアテマラは「正義」を求め続け——たとえ不完全であっても——それを手に入れた先駆者的な存在になりました。

内戦では、20万人以上が殺され、50万人以上が家を追われ、何百もの村が破壊されました。死者のほとんどは土着のマヤ系民族であるイシル族でした。イシル族に対する軍隊による残虐行為は、後にジェノサイド（大量虐殺）と認定されました。

グアテマラの正義のための戦いは、「起こった残虐行為は、けっして繰り返されることが許されてはならない」という原則に根ざしています。 『**Nunca Más（ヌンカ・マス）**』（「**二度と決して**」の意味）——生存者の記憶を記録した報告書のタイトルの通りです。これは国のカトリック教会が率いるプロジェクトです。報告書には、法制度と宗教指導者、人権団体、地域活動家の共同協力によって、被害者の記憶——6500件の個人の証言と、5万5000人を超える被害者の経歴——が記録され、賠償請求が行われています。

● 「正義」は遅々として実現せず

もう一つの大きな変化は、1996年の平和条約の一部として設立された歴史解明委員会（CEH）でした。これは、国家は紛争中に罪を犯した人々を調査して責任を追及し、恩赦を与えるべきではないと勧告する組織です。

〈首都〉グアテマラシティー〈人口〉1,660万人
〈面積〉10.9万㎢（北海道と四国を合わせたくらい）
〈言語〉スペイン語（公用語）、その他に22のマヤ系言語等
〈民族〉マヤ系先住民（41.7％）、メスティソ（欧州系と先住民の混血）・欧州系（56％）、その他（ガリフナ族、シンカ族等）（2.3％）
〈GDP〉766.9億ドル〈時差〉マイナス15時間

しかし、成果は遅々としています。内戦時代の指導者エフリン・リオス・モントには当初、ジェノサイドと人道に対する罪で、禁固80年の刑が言い渡されました。自国の裁判所によりジェノサイドの有罪判決を受けた最初の国家元首です。しかし、わずか数日後に判決が打ち消され、彼は2018年、再審のさなかに自宅で死亡しました。

軍事諜報部長のロドリゲス・サンチェスの裁判では、100人以上の目撃者が証言して 一年以上にわたって審理が続けられました。ところが裁判所は、軍がグアテマラの先住民に犯した行為を認めたものの、サンチェスには、ジェノサイドに対する刑事責任を問わない判決が下されました。イシル族は、国と軍の手による残虐行為の公式な認識を勝ち取ったものの、軍の高官が責任を逃れるさまを見る羽目になったのです。

● それでも「正義」は国民の心に燃ゆる

グアテマラの政治情勢だけではなく、文化やコミュニティのあちこちで、正義を目にすることができます。

私が1か月間、アティトラン湖を見下ろす学校に住み、スペイン語を学

世界一美しい湖の一つ、アティトラン湖

〈文化〉グアテマラコーヒー…特産であるコーヒーは日本でも人気が高い。日本はアメリカに次ぐ輸入国である。〈自然〉ケツァール…「世界一美しい鳥」。羽や頭は濃緑で、腹は真紅、オスは長い尾羽をもつ。グアテマラの国鳥で、通貨の単位にも「ケツァール」が使われる。〈日本〉作曲家ホルヘ・サルミエントスが1989年に広島を訪れ、核兵器のない平和な世界を願って「ヒロシマのピカ」を作曲した。

んでいたときに、話をした地元の人たちは、正義と、それを求める願いについて、しょっちゅう話題にしていました。

多くの人が、この湖に状況を重ね合わせていました。静かな湖面は、深い痛みや忍耐や静けさそのものであり、それは、長い年月を経て、いまだに正義を求め続ける原動力なのです。「制度的な腐敗と、暴力的で組織的な犯罪が、正義の探求をさまたげている」と嘆く人もいました。

現在、被害者家族への国の賠償、土地の返還、イシル族についての包括的な教育活動を求めて、さらなる追求が続けられています。

一つの方法で正義が見つからなければ、別の道から見つかります。グアテマラ人は、記憶の収集や生存者への支援を行うなかで、**司法だけでは解決しないことを知っています**。重要なのは、このような活動を結集させて変化をもたらし、残虐行為の記憶から意味のある何かをもたらすことです。

真の正義は、過去の犯罪を検証することであり、未来を形作ることに役立つべきでもあります。後ろしか見ない正義よりも、改善し、変化した世界に向かって積極的に前を向く正義にこそ、はるかに大きな価値があるのです。

グアテマラの国鳥、「世界一美しい鳥」ケツァール（データ欄参照）

Luxenboug

ルクセンブルク

適応力

Adaptability

● ドイツ語、フランス語、ベルギー語……この国はいったいどこ？

中心街のショッピングストリート

普通は、買い物をするために店に入ったら、どの言語で話しかければよいか、わかります。でも、ルクセンブルクでは違います。まるでゲームでもしているみたいに、顧客と店員が、お互いの出方を待ちながら、使える言語から1つ選んで、会話のトーンを設定します。

これがルクセンブルク人の適応力です。**多言語で、多数の国籍と文化が混在しているこの国ならではの価値観です。**

ルクセンブルク人は、幼い頃から適応力を身に着けます。すべての子どもがルクセンブルク語（実際の言語ですが、書き言葉よりも会話で使われる）、ドイツ語、フランス語、英語を確実に習得できる教育システムなのです。フランス語が最も一般的で、状況に合わせて他の言語に切り替えるのが通例

〈首都〉ルクセンブルク
〈人口〉62万6108人
〈面積〉2,586㎢（神奈川県と同じくらい）
〈民族〉ルクセンブルク人（68%）
〈言語〉ルクセンブルク語、フランス語、ドイツ語
〈GDP〉752億ドル
〈時差〉マイナス8時間（夏時間あり）

です。

多言語で多様性のある社会に生きるルクセンブルク人が、目の前のものに適応することに慣れているのは、近隣の大国間を行き来してきた長い歴史を持ち、現在は**170を超える国籍**の多数の移民が暮らしているから。訪れた地域や、あるいは入ったレストランによっては、ほんの数メートル違うだけで、ドイツからフランス、ベルギーへと移動しているように感じることもあります。

● EU最小にして、最大の経済大国に

何世紀にもわたり、ブルゴーニュ、ハプスブルク、オランダ、ナポレオン、ドイツの統治に適応したルクセンブルクは、経済に対しても適応力を発揮して、外国投資を促進してきました。税環境の良さから、EUの最小加盟国にもかかわらず、主要な金融の中心地の一つになり、26か国141の銀行が拠点を置いています。

ルクセンブルクにある欧州投資銀行(EIB)

またルクセンブルクの経済は、天然資源や自国の産業よりも、海外からの投資によって繁栄している金融セクターを維持することを大切にしているため、グローバルな競争力を維持するために、法律や税金規制の枠組みを定期的に見直すという適応力も必要です。**世界中の投資を誘致する能力のおかげで、ルクセンブルクは1人あたりのGDPにおいて世界で最も裕福な国の一つとなり、EU諸国のなかで最も豊かな国となりました。**

〈有名企業〉税率が低い"タックスヘイブン"として知られ、Apple、Amazon、Skypeなどの企業が本社や本部オフィスなどを設立している。日本企業でも楽天の欧州本社などがある。〈生活〉ルクセンブルクは、2019年に世界で初めて公共交通機関を無料にした。〈文化〉中世から近世にかけての要塞や建造物が残るルクセンブルク旧市街地は1994年に世界遺産に登録されている。

この経済モデルにより、ルクセンブルクは移民を広く受け入れています。2011年から2016年までの人口増加の80%は外国人の定住によるもので、とりわけEU諸国、なかでも多いのがフランス、イタリア、ポルトガルです。全人口のほぼ半数が海外からの移住者で、さらに35万人が毎日仕事にやってきます。

また、適応力は一方通行ではありません。ルクセンブルクに長期にわたって住み、仕事をする人には、地元の文化や言語をより身近に知る機会が与えられます。これを促進するのが、政府による「**歓迎と統合の契約**」、すなわち外国人受け入れサービス、通称CAI契約です。これは2年以上ルクセンブルクに滞在する人に任意で提供され、無料の言語トレーニング、ルクセンブルクの文化についての研修に加えて、いくつかの地方選挙の投票権が与えられます。また外国人労働者が母国語を学ぶために200時間の休暇を取る権利もあります。

●「適応する」ということの本当の意味

ルクセンブルクは、独特の国の文化と言語を保とうとする「人種のるつぼ」です。そしてこの国は、適応力があるからといって、最も守りたいものを手放す必要はないことを教えてくれます。

国家のモットー「**我々は今ある状態を保ちたい**」は、幾度もの外国からの侵略と支配を生き抜いてきた強靭な国民的アイデンティティを表しています。**適応することは、すべてを変えることではありません。他人のニーズを満たすために、自分の主義やアイデンティティを放棄しなくてよいのです。**

現在、教育・政府・大衆文化においてルクセンブルク語を一般化する動きが高まっていますが、正式な公用語としてフランス語やドイツ語の代わりになるかどうかは議会への嘆願書で討議されました。重要なのは、この動きが価値観や信条を反映する形での変化への「適応」であることです。

未来に備えることは、過去に自分たちを定義したものを忘れることではありません。進化し、成長し、学ぶこと、そして自分のアイデンティティを知り、変化に柔軟に対応する力を持っていることなのです。

Morocco

モロッコ

妥協

Compromise

● 3つの世界の混迷の歴史が「妥協」を生んだ

モロッコ国王のハサン2世は、かつて自分の国を、アフリカに根があり、ヨーロッパ全体に枝が広がった一本の木に例えました。アフリカ、アラブ、ヨーロッパの影響を折衷して組み合わせることによって形作られた歴史と、政治的・宗教的・社会的妥協に今や慣れ親しんでいる国を表すのにぴったりの絵図です。

19世紀以来、モロッコは頻繁(ひんぱん)に妥協の源と対象になってきました。1905年、この国はヨーロッパの帝国勢力間の争いの中心となり、モロッコを1912年にフランスとスペインの保護領に分割することで事態は終結し、この協定は1956年の独立まで続きました。

それ以来、モロッコは5つの憲法に承諾し、最も新しい憲法改正は2011年、「アラブの春」の間に起こった抗議の余波でしたが、リビアからエジプト、チュニジアに至る近隣諸国とは違い、モロッコの現状の立憲君主制を覆すには至りませんでした。

君主制の存続は「**妥協を受け入れる意欲**」の結果だと、多くの人が評価しています。2011年の抗議運動を受けた国王モハメッド6世は、ただちに譲歩という形で応じました。首相を選ぶ権利を君主から国民に移し、選挙で選ばれたリーダーを首相として正式に承認することを決定したのです。

この変化によって、役人の汚職の調査が容易になるなど、議会の権限が強化され、人権・女性権・宗教的権利への取り組みが強化されました。

〈首都〉ラバト
〈人口〉3,603万人
〈面積〉44.6万㎢(日本の約1.2倍、西サハラ除く)
〈民族〉アラブ人(65%)、ベルベル人(30%)
〈言語〉アラビア語(公用語)、ベルベル語(公用語)、フランス語
〈GDP〉1,118.5億ドル
〈時差〉マイナス8時間(ラマダン期間はマイナス9時間)

妥協の精神のもとで、主要なモロッコの政党すべてが新しい憲法を承認し、圧倒的な支持を得て国民投票で可決されました。改革が、抗議者のすべての要求を実現したとは言えなくても、これによって実現可能な妥協への第一歩とみなされる一連の方策が承認されたのです。

●「妥協」の努力が、多様性を生み出す

「**中間地点を見つける**」という選択は、モロッコの長い妥協の歴史の中では急進的な流れではありません。1999年に即位した現国王モハメッド6世の時代に、元政治囚に賠償を与える決定が下され、父親の治世にさかのぼって人権侵害を調査する和解委員会が設立されました。

聴聞会がテレビで生中継され、約1万人の犠牲者の家族に賠償金が与えられました。すべては、抗議の暴力的な弾圧と政治的敵対者の投獄で有名だった父親ハサン2世の時代から先に進むための試みです。

国王はまた、モロッコの家族法の改正にも乗り出し、女性に結婚から家族に至る平等な権利と、離婚後の財産管理の権限を与えています。

政治以外にも、妥協はあらゆるものに見られます。ベルベル人、スペイン系クリスチャンとユダヤ人、サハラ以南のアフリカ人など、さまざまなグループの人々がモロッコ人として共存し、互いの文化と宗教的慣習を認め合っていますし、買い物の際のやりとりにも妥協が見られます。

イスラム教徒以外の人口が減少したにもかかわらず、国は積極的に宗教の多様性を尊重しています。現在ではユダヤ人コミュニティはイスラエル国家が設立された当時の25万人から激減しましたが、シナゴーグとユダヤ人墓地が維持され、修復され、イスラム教徒とユダヤ人の音楽文化の共有

北部の都市フェズのユダヤ人墓地

〈有名人〉ジャン・レノ（俳優/現国籍はフランスだが、出生はモロッコ）〈地理〉ジブラルタル海峡…ヨーロッパとアフリカを隔てる海峡。幅は最短のところで14kmで、対岸の大陸が目の当たりにできる。〈文化〉『カサブランカ』…1942年公開のアメリカ映画で、翌年にアカデミー賞3部門を受賞した世界的名作。第2次世界大戦中のモロッコの都市カサブランカ（当時はフランス領）を舞台にしたラブロマンス。

を祝う毎年恒例のお祭りが開催されます。

またモロッコは、ユダヤ博物館を持つ唯一のアラブの国です。建築にも、競合する視覚的要素の妥協が反映されていて、アラブ、アフリカ、ヨーロッパすべての影響が表され、色と創造性が美しく混合されています。幅広い文化を活用して、大胆な表現をし、独特の雰囲気を作り出しているのです。

● 日常に見られる「妥協」の知恵

そして、妥協が常に陳列されている日常生活の光景といえば、モロッコでおそらく最も有名な場所、マラケシュのスーク（市場）です。迷路のような市場は、訪れると圧倒される（そして、間違いなく迷子になる）ことで知られていますが、この喧騒と色彩のなかにも、妥協の精神が息づいています。

スークでの買い物には価格交渉がつきものですが、目的は、どちらかの側が最高の価格を「勝ち取る」ことではなく、全員が納得できる合意を得ることなのです。

マラケシュのジャマ・エル・フナ市場

効果的に妥協する技の背景にあるのが「**望むものすべてを手に入れることはできず、常にあらゆる種類の交渉や議論に加担しなければならない**」という認識です。

モロッコの例は、変化は必ずしも迅速でなくても、革命ではなく進化によって得られると教えてくれます。妥協によって漸進的に進める変化の道は、人気や流行りではないかもしれません。でも、多くの状況において最も効果的なのです。

大切なのは、誰もが利益を得られ、現実的で公平かつ合理的な決定を、いかに下すかということ。進歩したいのであれば、モロッコ人のようにふるまう準備をして、妥協しましょう。

Nigeria

ナイジェリア

駆動力

Drive

● 自立へと駆り立てられる国

おそらく、どこの国の誰に尋ねても相手のことがよくわかる質問は、「来年が去年よりも良くなると期待していますか？」というものです。これは、その人の生活や、抱く希望や育む夢の核心に迫る質問です。

私がラゴスの市場トレーダーにこの質問を投げかけると、すぐさま反応が返ってきました。

「**はい、間違いなく。私は、今年はもっとうまくやれると思います**」

国民全体を団結させ、活気づけるのは、この内なる「駆動力」です。この国では、怠慢や自己満足には遭遇しません。**稼ぎ続け、達成を続け、山に登り続けるように駆り立てられるのが、ナイジェリア人なのです。**

こういった駆動力は、国家もインフラも信頼できない国では必要です。

かつて首都だったラゴスの大渋滞

〈首都〉アブジャ〈人口〉2億96万人	〈言語〉英語（公用語）、各民族語（ハウサ語、ヨルバ語、イボ語等）
〈面積〉92.4万km²（日本の約2.5倍）	〈GDP〉4,481億ドル
〈民族〉ハウサ、ヨルバ、イボ等（民族数は250以上と推定）	〈時差〉マイナス8時間

電気が1日数時間使えれば幸運で、しょっちゅうガソリンが不足し、ブロードバンドは不安定で高価です。ATMの前を通ったら、次にいつチャンスがあるかわからないので、全額下ろしたい衝動にかられますが、引き出し額は厳しく制限されています。頼りになるセーフティネットはありません。

ナイジェリアでは、個人が自分の「統治者」で「政府」であり、独自のサポートネットワークです。たとえば、メディア起業家で映画製作者のジェイソン・ニョクは、最近まで自作映画のハードドライブを飛行機でロンドンまで運んでアップロードしていました。インターネット接続が遅すぎたからです。

ラゴスは人口1000万人にもおよぶとされる大都市

370もの異なる民族グループを持つ国では、「違う」という感覚は、集合的なコミュニティである感覚と同じくらい強いと言えるでしょう。この文化と現実の両方が、人々を自立へと駆り立てます――自分の中にある駆動力を見つけるか、群衆から大きく後れを取るかのどちらかです。

● どこに行っても「啓発」のメッセージ

「あなたにはできる」というメッセージは、どこを向いても見つかります。やる気を高める本を多数そろえる露店から、支配的なペンテコステ派教会の繁栄の福音に至るまで、ラゴスは**「自己啓発における世界の首都」**かもしれません。

数千人を収容できる「勝者のチャペル」などの名前を持つ教会では、大富豪の牧師が、教義ではなく手っ取り早く金持ちになる方法について説教を行い、仕事に関しては、多くの人は正規雇用ではなく、片手間で商品を売買したり、タクシーを運転したり、電話を修理したりしています。

〈ことわざ〉「ニジェール川でさえ、島をよけながら流れなくてはならない」…アフリカ大陸3番目の長さをほこる大河でも島を避けるように、人生にも決して避けられないことがある。〈文化〉スーパーイーグルス…サッカー・ナイジェリア代表の愛称。1996年のアトランタ五輪では金メダルを獲得した。〈有名企業〉ヤバコンバレー…ラゴスのヤバ地区にあるIT業界の中心地。GoogleとFacebookがそろって進出した。

ラゴスの大聖堂

あちこちにロールモデルがあり、駆動力と自立から利益を得るためのテンプレートを提供してくれます。5000ドルのローンを数十億ドルの産業ビジネスに変えたアリコ・ダンゴートから、中古の〈ノキア2690〉でプログラミングを学び、西海岸の企業の立ち上げの職を得た10代のエルヴィス・チデラまで、成功の物語はどこにでも転がっています。

ナイジェリア文化の大きな特徴である、スピーディかつ猛烈で、無駄がなく粗雑なアプローチを物語るのが、ナイジェリアの映画産業「**ノリウッド**」です。ノリウッドはGDPの2%以上を占める活況で、製作本数は世界第2位です。最初のヒット作、1992年の「Living in Bondage」は、感動的なホームビデオで、主に露店で販売され、VHSで100万部以上を売り上げました。

現在のノリウッド映画は7～10日で制作され、通常の予算は約1万ドル。ハリウッド映画が数百万ドルの予算で1年かけて作り上げられるのとは大違いです。

ナイジェリアの有名な俳優オモトラ・エケインデが語ってくれたように、ノリウッドが成功する理由は、すべてが市民ベースであるからです。ナイジェリアの多くのことがそうであるように、政府の介入がなくても、支持する人々の意欲によって成功しているのです。

● たとえ不自由な環境でなかったとしても

ラゴスで過ごした時間は、驚きの連続でした。**西側経済の懸命に工夫を凝らした起業家精神についてよく語られますが、ごくありふれたナイジェ**

アフリカ大陸3番目の長さをほこるニジェール川

リア人が前進するために必要な気力や苦労とは比べものになりません。

駆動力はモチベーションを高め、ときには危険を引き起こします――踏み込んではいけない領域はないという感覚におちいるのです。一部の農村部では、AK47を装備した武装警備員を連れていかない限り、友人たちは私を旅行させてくれませんでした。

使えない電気や落ち続けるインターネットを補うために駆動力に頼るわけではないとしても、私たちは皆、駆動力を糧に、やる気や挑む気持ちや発想力を保っています。自分のやり方で成功したいという気持ちに駆り立てられない限り、望むものは手に入らないのです。

だからといって、みんなにハイタッチをして回ったり、オフィスの壁に感動的なポスターを貼ったりする必要はありません。内なる炎を燃やし続けること、自分で薪をくべ続けることが大切なのです。

今度、仕事や私生活で何かの問題や障害に遭遇したら、手を止めて考えてみましょう。あなたを妨げているのは、本当に外部からの障害物ですか？

それとも本当は、自分自身や、自分の態度ではないでしょうか？

ラゴス・ラグーンの夜景

Norway
ノルウェー

外交

Diplomacy

● 幸福で、美しく、すべてをもった国は平和の調停者

ノルウェーという国は、すべてを持っているように見えます。再分配に焦点を当てた社会による、巨大な富。君主制の伝統に寄り添う進歩的な政府。公式に世界で最も幸福な国の一つと認められていることに加えて、世界有数の美しい国です。

この国は、多くの善良かつ公正な行いを支持していますが、おそらく最も注目すべきは、ノルウェーが外交の才を使って平和を追求していることです。

戦争状態にある国が紛争を終わらせるための仲介者を探すとき、間違いなくノルウェーに助けを求めます。過去30年にわたって、この国は**世界で最もすぐれた平和調停者**としての地位を確立しています。紛争状況においての外交手腕は比類がなく、コロンビア、グアテマラ、スリランカ、ブータン、アフガニスタン、ミャンマー、マリ、南スーダンなど、多様な紛争地域で平和に向けた交渉を行っています。

氷河の浸食で生まれたフィヨルドの絶景も有名である

〈首都〉オスロ
〈人口〉533万人
〈面積〉38.6万㎢（日本とほぼ同じ）
〈民族〉ノルウェー人（89.4%）
〈言語〉ノルウェー語
〈GDP〉3,988億ドル
〈時差〉マイナス8時間（夏時間あり）

● 始まりはオスロ合意から

ノルウェー外交が、これほどの規模の紛争解決において中心的な役割を果たすようになったのは、1993年のオスロ合意が始まりです。イスラエルとパレスチナ解放機構（PLO）の間の合意であるオスロ合意は、中東和平のための枠組み（現時点までに未遂行）を作り上げました。

合意はホワイトハウスで調印され、当時のビル・クリントン米大統領がPLOのヤセル・アラファト議長とイスラエルのイツハク・ラビン首相との握手を見守りましたが、ほとんどの交渉事はノルウェーで行われ、ノルウェーの労働組合の研究財団FAFO財団によって、秘密裏に調整されていました。FAFOが、ヨルダン川西岸地区の生活条件に関する研究プロジェクトを装い、交渉のホスト役を務めたのです。

以来、ノルウェーは多くの紛争地帯の仲介者となっています。**多国間の影響をともなう複雑な交渉では、結果に既得権益を持たない比較的小規模で独立した国のほうが、大きな影響力と交渉力が利益相反をともなう大国よりも、正直な仲介人になれるのです。**

ノルウェーは1996年にグアテマラの内戦を終わらせる合意の取りつけに手を貸し、2012年には半世紀以上にわたる紛争が続いていたコロンビア政府とFARCの反政府勢力間の停戦の仲介役を務めました。

2018年、国連が「**外交における最も割の合わない仕事の一つ**」と言われるシリアの新しい特使を探していたとき、あてにしたのはノルウェー人でした。オスロの交渉にまでさかのぼる経験を持つ外交官のガイア・ペターゼンです。2014年以降、NATOの事務総長はノルウェーの元首相イェンス・ストルテンベルグが務めています。

● 平和の使者が世界に果たす役割

「独立」がノルウェーの外交的成功の礎石の一つだとしたら、もう一つ

〈文化〉エドゥアルド・ムンクはノルウェーの人。オスロのムンク美術館や国立美術館で《叫び》などの作品が見られる。〈自然〉フィヨルド…氷河の浸食で生まれた複雑な地形の湾や入り江。自然の織り成す絶景が見られる。〈生活〉SKAM（スカム）…国営放送NRKが制作した、若者の実態と社会問題を生々しく描いたテレビドラマ。ドラマが実際のSNSと連動して進行していく斬新な手法が特徴で、国外でも大人気となった。

は「富」です。1人当たりのGDPによって、世界で最も裕福な10か国に数えられ、その富は、国際開発と外交目的の財源として定期的に寄付されています。ノルウェーは、国民所得の1%以上を海外開発に投入しているわずか3国のうちの一つです。シリアの内戦により何百万人もの市民が難民になると、ノルウェーは人口1人あたり240ドルの援助を約束しました。ドイツは32ドル、英国は24ドル、米国は16ドルです。

ノルウェーの外交的評判をさらに高めているのが、オスロで毎年授与される**ノーベル平和賞**です。世界中で賞賛されている平和賞は、5つのノーベル賞のうち**唯一、スウェーデン以外で開催されています**。

アルフレッド・ノーベルは、ノルウェーを選んだ理由を明言していませんが、彼が亡くなった当時、ノルウェーは母国スウェーデンに政治統合されていました。ノーベル委員会は、1890年代の平和解決に関するノルウェー議会の功績に関連があることを示唆しています。

ノーベル平和賞の影響力は絶大で、他が真似しようとしてもはるかに及びません。ノルウェーに備わっている外交手腕は、世界的平和賞の故郷という地位を不動のものにしています。この国には、平和と外交の問題において、他のどの国も並ぶことができない高潔さがあります。

ノルウェーが教えてくれるのは、複雑な状況を扱い、一見妥協できないことを和解させようとするとき、変化を起こすために、部屋で一番大きくて力強い声を出す必要はないということです。

外交の目的が何であれ、独立し、謙虚で、他の人がしない分野に積極的に関わることで、多くのものが得られるのです。

オスロのノーベル平和センター

Pakistan

パキスタン

勇気

Courage

● 先祖の土地への旅

パキスタンは、母方の祖父母の故郷であり、私があやうく入国できないところだった、世界で唯一の国です。ビザは次々に拒否され、地方自治体への連絡によって、ようやく許可が下りました。

祖母のモヒンデル・カウル〈Mohinder Kaur〉が70年前の分離独立の際に移動した道をたどりながら、ワガ国境（インドとの国境）を徒歩で越えて、祖父母の村にたどりつくことができました——シャーコットの近くにあるシャンカール94村です。

さらに私は、祖父母の知り合いだという102歳の男性を探し当て、実家やかつて学校があった畑、以前はグルドワラ（シク教の礼拝所）が建っていた牛舎を見せてもらいました。

シク教の創始者グル・ナーナクの生家があり、多くのシク教徒がルーツをもつこの国で、シク教を信仰する人は今や少数派になりました。

パキスタンには、かつて600以上あったグルドワラがわずか13しかありません。かつて隆盛を

シク教徒の礼拝所グルドワラ

〈首都〉イスラマバード〈人口〉2億777万人	〈言語〉ウルドゥー語（国語）、英語（公用語）
〈面積〉79.6万㎢（日本の約2倍）	〈GDP〉3,145億ドル
〈民族〉パンジャブ人、シンド人、パシュトゥーン人、バローチ人	〈時差〉マイナス4時間

誇った宗教人口は現在わずか数万人で、残った教徒たちは弾圧や裁判なしの投獄の憂き目に遭ってきました。シク教徒は事業をたたみ、子どもを学校から退学させざるを得ませんでした。シク教徒が世界中のどこで礼拝するときにも祈りの最後に呼びかけられる、ラホールに残された数少ないグルドワラの一つは500年前に建てられましたが、現在ショッピングセンターとして売却されています。

● 勇気は進歩を勝ち取る原動力

これは、シク教徒だけの経験ではありません。パキスタンは、分離独立のなかで生じた厳しい宗教的戦いの深い傷跡をいまだ抱えている国です。さまざまな信仰を持つ一般のパキスタン人は、収入や子どもの教育、さらには命をつなぐだけでも、苦難を強いられています。

そんな困難に直面しても、パキスタン人はへこたれません。国民性の特徴である「勇気」が、抗議活動やキャンペーン活動から、政府の穴を埋めるための市民主導のサービスの確立に至るまで、ありとあらゆる場面で示されています。**まさにこの勇気によって、進歩を勝ち取り、新しい権利が与えられたのです。**

パシュトゥーン族はその代表例と言えるでしょう。パキスタン独立から最初の70年間、市民権を否定され、植民地時代の法律の対象となったアフガニスタンに起源をもつ少数グループです。パシュトゥーン族は、数万人を集めた画期的な一連の抗議（パシュトゥーン保護運動）から数か月後の2018年11月に、ようやく平等な権利を与えられました。これらの抗議は、長年にわたる軍隊による厳しい処遇や、多数のパシュトゥーン指導者の拘留、言論統制をものともしない、勇気ある行動のあらわれです。

パシュトゥーン族は自分の権利を擁護する勇気だけではなく、長年にわたって数々の抗議活動を叩いてきたパキスタンの強力な軍隊に向き合う勇気も持っていました。そして意図的に、この国家権力の象徴と衝突する

〈有名人〉マララ・ユスフザイは、女子教育を禁ずるイスラム主義組織タリバンに批判の声をあげたところ、スクールバスで通学途中に銃撃された。2014年に史上最年少の17歳でノーベル平和賞を受賞した。〈自然〉K2…世界で2番目に高い山で、登頂はエベレストより難しいともいわれる。〈文化〉パキスタンのマンゴーは英国王室も御用達で「世界一美味しいマンゴー」といわれる。近年、日本でも流通するようになった。

コースを選んだうえで、勝利を収めたのです。

民族や宗教以外の少数派も、社会的潮流との戦いに勇気をもって取り組んでいます。殺人や暴力にひんぱんに直面するパキスタンのトランスジェンダーのコミュニティもまた、政治的進歩のために戦って勝利しました。議会はトランスジェンダーの権利保護を認めた**トランスジェンダー法**を成立させ、これにより、人々が性別を選択し、それを公文書で認識することが可能になったうえ、学校での差別への対策も取られることになりました。

現在、パキスタンの選挙では、トランスジェンダーの立候補者が頻繁(ひんぱん)に登場します。その一人、13歳で家族に追放されたナヤブ・アリは、かつて性的暴行を受け、元ボーイフレンドに酸をかけられたことがありました。

勇気は、教育から健康までの分野でのボランティア主導の活動の力を信じるパキスタン人の特徴でもあります。最も有名なのが「**ファーザー・テレサ**」として知られる故アブドゥル・サッタル・イーディです。彼の経験から、パキスタンでのこの種の仕事にはリスクが伴い、相当の勇気が必要なことがわかります。

社会起業家である彼は、全国に多数の病院を設立し、ボランティアを乗せた1200台の救急車を備えましたが、イスラム教徒の標的となり、病院の強奪や、ボランティアと救急車への襲撃に見舞われました。それでもイーディは、88歳で亡くなるまで、カラチの裏通りを発祥とするパキスタン最大の医療サービスの慈善事業を続けたのです。

● 勇気の物語は続いていく

パキスタンが教えてくれる勇気とは、個人的な興味よりも自分の信念を優先する意志です。そして、問題が発生したときに無視したり、他の誰かの行動に期待したりしないこと——みずから関与する勇気です。

サイエダ・アンファス・アリ・シャー・ザイーディは、自分の事業を売却して、カラチの公共の地下道で授業を行うストリートチルドレン向けの学校ネットワーク「フットパス・スクール（Footpath School）」を設立しました。

パキスタンでは就学年齢の子どもの60%が教育を受けていません。政府の反対に直面しながらも、学校は存続し、1日に何百人もの子どもたちが学んでいます。姉妹のアスマ・ジャハンギールとヒナ・ジラニの姉妹は、1980年に国内初の女性経営の法律事務所を設立し、後に先駆的な人権団体の一つを立ち上げました。

国連はマララの勇気を称えて、彼女の誕生日7月12日を「マララの日」に制定した

マララ・ユスフザイは、教育を受ける権利を求めて声を上げたために銃で撃たれました。故ベナジル・ブットは、イスラム教徒が多数を占める国家の初の女性指導者であり、自身の政治的信念のために立ち上がり、暗殺されました。

パキスタンには、このような勇気の物語があふれています。逆境を乗り越え、より良い公平な国を築くために役に立とうとする人々の物語です。変化を起こすには敵対的と言える環境のなかで、前進しようとする多くのパキスタン人が危険な道を歩んでいます。

彼らが教えてくれるのは、変化と正義を「望む」だけでは十分ではないことです。あらゆる種類の妨害を前にして、要求し、達成するには、「勇気」が必要なのです。

パキスタンはマンゴーの生産でも有名

世界で2番目に高い山K2（データ欄参照）

Palestine

パレスチナ

教育

Education

● 世界最高の教師の哲学

2016年に教育界のノーベル賞と称される、賞金100万ドルの「**グローバルティーチャー賞**」が授与されたのは、フィンランドの世界的に有名な学校制度の代表者でも、シンガポールのトップクラスの学校教師でも、シリコンバレーのハイテクの小学校の先生でもありませんでした。勝者はパレスチナ難民キャンプで育った女性教師です。**ハナーン・フルーブ**は、暴力を受けて心的外傷を負ったヨルダン西岸地区の子どもたちに関わる独自のアプローチが認められ、8000人の候補者から選出されました。教室は、危険が多く不安定な外の世界から生徒たちを守る避難所になっています。

ラマッラーに近い彼女の学校では、6歳から10歳までの子どもたちが学び、ゲーム遊びを中心に、クラスの合唱から風船を使って算数を解くことまで、さまざまな方法の授業が行われています。

このメソッドを開発したきっかけは、車に乗ったフルーブの家族が検問所でイスラエル兵士に撃たれたことでした。残された彼女は、わが子の心的外傷後遺症に対処するのに苦労したのです。

「子どもたちは、環境に深く影響を受けています。私は、学習に安全な環境を提供したい。**広範囲の環境に影響を与えることはできなくても、子ども達に影響を与えることはできる。**それが私の哲学です」

● 学ぶことに、何の意味があるのか

以来フルーブは、パレスチナの教育を代表する人物として、世界的に名を知られることになりました。教育は、パレスチナ人の生活に欠くことが

〈自治政府所在地〉ラマッラ（西岸地区）
〈人口〉497万人 ※パレスチナ難民数は629万人
〈面積〉6,020㎢（西岸地区5,655㎢/三重県と同程度、ガザ地区365㎢/福岡市よりやや広い）
〈民族〉アラブ人
〈言語〉アラビア語
〈GDP〉147.5億ドル
〈時差〉マイナス7時間（夏時間あり）

新型コロナウイルス対策のマスクをする女子児童

図工の授業を受ける小学生

できない大切な伝統です。不安定な現在と不確実な未来を抱え、避難し離散したとき、自分たちの歴史と文化、伝統とアイデンティティを次世代につなげるために確実な唯一の方法を、パレスチナ人は知っています——教育を受けることです。これは、歴史的なパレスチナの土地にイスラエル国が設立されて以来の真実なのです。

ほとんどすべてを失いながら、子どもたちを教育して人生で最高のチャンスを与える能力だけは、奪われなかったのです。**教育は、生き残り、反撃する方法として尊重されています。それは未来に続く鍵であり、過去を明らかにして現在を理解するための手段なのです。**

● 現実は厳しい、それでも教育を守る

教育を受けたパレスチナ人に話をきくと、学位を取得するために、自身と家族が相当の犠牲を払った、という答えがしばしば返ってきます。両親が、二度と会えないかもしれないと知りながら、海外に送り出してくれた。大学のそばにいるためだけに、家族全員で狭い部屋に住み、夜勤に出る。ほんの数年で取れるはずの学位取得に、さまざまな事情に苦労して10年近くかかった。学校が爆撃されて教室が失われたので、自宅にただちに仮設教室をこしらえた（ガザの690校のおよそ180校が、2014年の夏にイスラエルの爆撃により被害を受け、約50万人の子どもの教育に悪影響がありました。教育インフラも外国の援助に大きく依存しており、政治情勢の変化に左右されます）。

〈歴史〉ヤーセル・アラファートは1993年のパレスチナ暫定自治合意（オスロ合意）をイスラエルと交わし、翌年にノーベル平和賞を受賞した。しかし後年、イスラエルが強硬路線に転換し、現在もパレスチナ問題は未解決である。**〈都市〉**ベツレヘム…西岸地区に位置し、ダビデ、イエス・キリストが生まれた町。**〈文化〉**女性の手仕事によるクロスステッチの刺繍が伝統として受け継がれ、日本でも販売されている。

不足と課題の多さにもかかわらず、パレスチナ人は世界で最も教育水準が高いことが、さまざまなデータに示されています。ガザとヨルダン川西岸地区は、アラブ諸国全体で最も高い識字率96.9%を誇っていて、15歳以上の成人の非識字率は1997年の13.9%から2013年にわずか3.7%にまで減りました。さらに、1993年から2011年の間に高等教育への生徒の入学率は940%増加し、**ガザの一人あたりの博士号の数は、ほぼ世界一です**。

友人のナディーン・ハッサシアン

そのため、教育はパレスチナの最も重要な「輸出品」の一つになりました。私が中東で出会った多くの人々は、パレスチナ人によって教育を受けており、パレスチナ人教師は、中東をはじめ世界中で唯一無二の評判をもち、あてにされています。パレスチナ人教師の授業を聴講すれば、純粋な情熱と並外れた知識が体感できます。LSE（ロンドン・スクール・オブ・エコノミクス）で発言する友人のナディーン・ハッサシアンには圧倒されました。21歳にして、世界の指導者のほとんどをしのぐほどの確信と明快さを持ち合わせていました。

教育の質と普及率にもかかわらず、多くのパレスチナ人にとって、卒業後の見通しが暗いのが現実です。ガザでは、2017年には、卒業生の男性のほぼ38%、女性の72%が職についていません。特にガザでは、エジプト側とイスラエル側の両方で国境がほぼ封鎖されているため、若くて教育水準の高いパレスチナ人の雇用機会が大きく制限されています。

この厳しい現実が、ますます教育の重要性を高めています。パレスチナ人は、世界の他の地域に住む私たちが当然と考える本質的な権利の多くを否定されているかもしれません。でも自分自身と子どもたちが可能な限り最高の教育を受ける権利だけは奪われません。**学ぶ権利――情報、伝統、専門知識を共有すること――は、敬意を払われるべき神聖な権利です。**何が奪われようとも、教育だけは手放してはいけないのです。

Portugal
ポルトガル
探検
Exploration

● かつて大海を制した西の果ての小国

ポルトガルは海に面したヨーロッパ最西端の国です。何世紀にもわたって、「探検」への欲求がこの国のキーワードとなってきました。はじまりは15世紀です。この時代、ポルトガルは、西欧諸国の海洋探検の先駆者という地位を急速に定着させました。ヨーロッパの大航海時代に、新しい技術を次々に開発し、数々の未開拓の地域を目指したのです。喜望峰に最初に到達し、海路でインドにたどり着き、**のちにヨーロッパ人として初めてブラジルと日本を発見しました**。

1519年、ポルトガルの探検家**フェルディナンド・マゼラン**は、地球を一周する世界初の航海を指揮しました。彼は、「新世界」を発見したポルトガル人として、ヴァスコ・ダ・ガマや、クリストファー・コロンブス（諸説あり、生まれはイタリアのジェノヴァといわれているがリスボンに移住したと記録されている）と一緒に名前があげられる探検家の一人です。

ヨーロッパの隅にある小さな国が、どのようにして制海権で世界をリードし、新しい商業動脈を開くだけの力を持ったのでしょうか。大西洋とインド洋を陸路で結ぶという一般的な理論をくつがえし、最終的にアフリカ沿岸と南アジアへの海上交易ルートを確立することに尽力したのはなぜなのでしょう？

ポルトガルの探検の動機は、商業から宗教まで複数ありましたが、その基盤となったのは、間違いなくこの国のユニークな地理でした。歴史家ダニエル・J・ブーアスティンはこう書いています。

「ポルトガル人は［...中略...］　ヨーロッパ文明の中心から離れて、自然

〈首都〉リスボン	〈言語〉ポルトガル語
〈人口〉1,029万人	〈GDP〉2,364億ドル
〈面積〉9.2万㎢（日本の約4分の1）	〈時差〉マイナス9時間（夏時間あり）
〈民族〉ポルトガル人	

リスボンの「発見のモニュメント」には約30名の航海士たちの像が刻まれている。
先頭はエンリケ航海王子である

に外側を向いており、**西側は未知の海に向かい、南側もまた、ヨーロッパ人にとって未知の大陸に向かっていた**」

未開拓の世界とは陸路では遠く離れているものの、海岸沿いの立地が良いため、海上探検の可能性に巨額の投資が行われました。ジョアン1世の三男であるエンリケ航海王子は、のちにポルトガルの覇権を確実にしたさまざまな才能やアイデアをまとめ、サグレスの「王子の村」に、地理と航海術と地図作成技術の指導者を集めた学校を設立しました。

そこで生み出された最も重要な製品が「**キャラベル**」です。三角形の帆を備えた軽量の船で、よりコンパクトで風をうまく利用できるように設計されており、先駆的な発明であると広く認められています。

● 大航海時代が終わっても、探検は続く

〈有名人〉クリスティアーノ・ロナウド(サッカー選手)、ジョゼ・モウリーニョ(サッカー指導者)、サルヴァドール・ソブラル(歌手)〈文化〉コンフェイト…日本の金平糖のルーツである砂糖菓子。金平糖よりもやや大きく飴に近い。〈歴史〉リスボン地震…1755年に発生した大震災で、地震と津波によって6万人を超える死者を出した。当時の思想に大きな影響を与え、地震学の始まりといわれている震災である。

1999年に**マカオ**が返還されたことで、ポルトガルはかつての植民地の最後の一つを失いましたが、探検の精神はいまだに消えていません。アンゴラからモザンビーク、ブラジルまで、新しい世代の求職者たちが、南ヨーロッパの経済停滞から逃れ、雇用を求めて、かつての植民地に戻ってきています。

国内で生まれて海外に住む比率が、ポルトガルの14%よりも高いのは、アイルランドとニュージーランドだけです。約100万人のポルトガル人がフランスに住んでおり、その数は首都リスボン在住者の2倍です。世界最大規模の雇用主であるイギリスの国民健康サービス（NHS）では、ポルトガル国籍の数は203か国の労働者の中で6番目の多さです。

現在、ポルトガル語は世界で6番目に多く話される言語です。インドの旧ゴアをはじめとするキリスト教化した大規模集落もまた、かつて広大な帝国として世界を席巻したポルトガルのもう一つの遺産なのです。

地理的条件と野心と必要性が相まって、ポルトガルは何世紀にもわたってヨーロッパ随一の探検家であり続けてきました。新しいものを探し、世界初を作り出してきたポルトガルの歴史が教えてくれるのは、発見し、進歩するためには「探検」が不可欠だということです。

探検は、国と同じく、個人の生活、キャリア、ビジネスにおいても、大切な基本です。私たちは誰もが、知識と経験の視野を広げる必要があります。私生活とキャリアの両方の「探検家」になることで、野心が研ぎ澄まされ、新鮮な気持ちを保つことができます。そうすることで、自分の限界を取り払って成長し、学び、改善できるのです。

探検する意志と勇気がなければ、何ごとも成功しません。ポルトガルは、冒険に満ち充実した自分になるための道を示してくれるのです。

ポルトガル南部のラゴスにあるカミーロ・ビーチの朝焼け

Scotland

スコットランド

影響力

Influence

● それは島の一部の小さな国から

「**我々は、文明のすべてのアイデアで、スコットランドに頼っている**」

フランスの哲学者ヴォルテールがそう述べた18世紀以来、世界は確かに、スコットランドのアイデアと発明に多大な影響を受けてきました。電話を取り、テレビの電源を入れ、舗装された道路を走るとき、スコットランドの現代の世界への影響力を大いに感じることでしょう。

哲学から革新、現代経済学に至るまで、舞台を設定したのはスコットランド人であり、そのことが彼ら自身の発展に影響を与えました。アダム・スミスによる『**国富論**』、ジェームズ・ワットの**蒸気機関**、カークパトリック・マクミランの**自転車**など、スコットランドが切り拓いてきた数々の功績を、私たちは当たり前に受け止め、まさかそれが、島の一部である小さな国から来たとは思ってもみません。

発明だけではありません。機関や国全体にまで、スコットランドの印がついていますし、スコットランドにルーツを持つ人が多い国では、あちこちにその影響を見ることができます。

スコットランドの人口は545万人ですが、アメリカでは600万人以上、カナダでは470万人、オーストラリアでは170万人、アルゼンチンでは10万人、チリでは8万人がスコットランド系です。

イギリス帝国の拡大と支配において卓越した役割を持ち、スコットランドの長老派宣教師の伝道が広範囲にわたったことで、18世紀から19世紀にかけてスコットランド文化と影響が世界中に飛び地的に伝播しました。

〈首都〉エディンバラ
〈人口〉545万人（英国全体の約8.4%）
〈面積〉7.8万㎢（北海道と同じくらい）
〈民族〉スコットランド人（スコッツ）
〈言語〉英語、ゲール語
〈GDP〉2兆7436億ドル（イギリス全体）
〈時差〉マイナス9時間（夏時間あり）

当時は世界で2番目の中央銀行だったイングランド銀行を設立したのはスコットランド人のウィリアム・パターソンです。

スコットランド人の発想は、アメリカの創造と発展の礎にもなっています。独立宣言には複数のスコットランド人の署名があり、米国憲法の立案者、なかでもトーマス・ジェファーソンは、スコットランド啓蒙主義に影響を受けていることで知られています。

● あなたも目にするスコットランドの影響力

スコットランドの影響は、独特の歴史によるものだけではありません。身近にも、目に見える形で存在します。たとえば、高等教育へのアクセスを民主化する上で重要な役割を果たしてきた英国のオープン大学は、スコットランドの政治家ジェニー・リーによって設立されました。世界最大級の芸術祭の数々は、毎年エディンバラで開催されます。

ハリウッドに目を向けると、1960年代と70年代に活躍したショーン・コネリーから現在のユアン・マクレガーとジェラルド・バトラーまで、スコットランド人の俳優にはビッグスターが勢ぞろいしています。

世界最高級のレストランには、スコットランド産のサーモンと**シングルモルトウイスキー**——スコットランドだけではなく、英国全体で最大の食材と飲料の輸出品——をそろえている店もあるでしょう。

アメリカ大統領——おそらく世界で最も影響力のある人物——でさえ、一部をスコットランド人の石工が設計し建設したホワイトハウスに住み、業務をこなしているのです。

世界に誇る名産品であるスコッチウイスキー

〈有名人〉トニー・ブレア(元イギリス首相)、スーザン・ボイル(歌手)、アレックス・ファーガソン(元サッカー指導者)
〈文化〉スコッチウイスキー…世界5大ウイスキーに数えられる名産品。NHK連続テレビ小説「マッサン」でも取り上げられた。〈都市〉エディンバラには中世の建造物が多く残り、世界遺産に指定されている。また大ベストセラー『ハリー・ポッター』誕生の地で、劇中のモデルにもなっている。

● 独立をめぐって

2014年、スコットランドが英国内に留まるか、完全に独立した国になるかを決定する住民投票が行われたとき、未来についての議論が白熱しました。一部の人々は、独立は束縛からの脱却であり、スコットランドの可能性を最大限に引き出すきっかけだと考えました。一方で、スコットランドが既存の連合の下で成功し、とりわけイングランドとの経済的なつながりによって利益を得て、歴史上に影響力を及ぼしてきたことを過小評価しないよう警告する声も上がりました。結局、独立は否決されました。

スコットランドの作家、歴史学者のウィリアム・ダリンプルは、当時このように書き記しています。

「私たちは300年間、非常に効率的に英国を運営してきた。**今止める理由は、私には見えない**」

スコットランドの将来はまだ不確実で、独立の可能性はなくなったわけではありません。いずれにしても、スコットランドの影響を、引き続きあちらこちらで感じることは間違いなさそうです。

新しい市場に会社を構築する、新製品を発売するなど、キャリアの面でいかにインパクトを与えるかを悩んでいる人に、スコットランドは「サイズとパワーは比例しない」という手本を示してくれます。

本当に遠くまで届いて、変化に影響を与えるのは、発想の力です。小さく、無名で、主流でないところから始めたとしても、世界を変えられないわけではないのです。

「ネッシー」で知られるネス湖を一望できる
アーカート城

映画『ハリー・ポッター』にも登場した
グレンフィナン高架橋

Singapore

シンガポール

秩序

Order

● この落ち着かなさはどこから来ているのか？

シンガポールに滞在して数日後、気がつけば私はカオスを切望していました——整然としすぎて落ち着かないのです。

この反応を不思議に思う人は、この国が、ガムをかむのを法律で禁じていることを思い出してください。横断歩道のない場所で道路を渡るのも、公衆トイレで水を流さないのも法律違反。秩序、規則、規制が日常生活のあらゆる面を網羅し、あちこちで目を光らせています。

自転車での観光も人気

国内最大のモスク「サンタルモスク」

シンガポールはあらゆる意味で、圧倒的な秩序感覚に支配された国です。しばしば「**ファイン・カントリー**」と呼ばれるのは、優良な国という意味だけではなく、公共の乗り物で特定の食品（ドリアンフルーツ）を食べることから、車の往来の近くで凧揚げをすることまで、あらゆることに「**罰金**（ファイン）」が課せられるからです。

法令に記載されていない常識化したルールもあります。ラッシュアワーの間は、街の公共交通機関では1秒たりともぐずぐずしない。エレベータ

〈首都〉シンガポール（国全体がひとつの都市）	〈言語〉マレー語（国語・公用語）、ほか英語・中国語・タミール語が公用語
〈人口〉564万人（うちシンガポール人・永住者は399万人）	〈GDP〉3,597億3,600万ドル
〈面積〉720㎢（東京23区と同程度）	〈時差〉マイナス1時間
〈民族〉中華系74%、マレー系14%、インド系9%	

のドアが閉じると、すべての会話を切り上げる。夕食に招待されたら、手土産は食べ物以外にする（食べ物の差し入れは、ホストの食事の準備が足りないという解釈につながるため）。

●「秩序」がもたらしている国際的な成果

さすが、シンガポールが「**世界で最も細心の注意を払って計画された都市**」「**企業のように運営されている国**」と表現されるだけのことはあります。

どちらの表現も、創始者であり長年の統治者であったリー・クアン・ユーの秩序あるビジョンの証です。彼は、沼地にすぎなかったこの地を発展させ、世界有数の先進的な経済大国へと導きました。

国父リー・クアン・ユーは2015年に亡くなった

過去10年の間、シンガポールは「世界で最も健康な国（ただし近年はこの分野で苦戦中）」「ビジネスを行うのに最適な場所」「食料や住居を買うのに苦労していると報告する人が最も少ない場所」という評価を受けてきました。

また、国際的な教育評価ランキングでは常にトップクラスの成績で、2016年にはPISAで1位を獲得しています。何もないところから出発し、多くの天然資源を持たない小さな都市国家であるシンガポールは、**慎重に計画された「秩序」を使って並はずれたビジョンを実現し、さまざまなことが達成できるという究極の見本です。**

● 緻密な努力が「秩序」を生み出す

〈**有名人**〉ジェット・リー（俳優）、ジョセフ・スクーリング（競泳選手/2016年リオ五輪・金メダリスト）〈**生活**〉シングリッシュ…中国語やマレー語の影響を受けたシンガポール英語。発音になまりがあったり、文法を無視して簡略化したりするのが特徴。〈**文化**〉シンガポールスリング…ラッフルズ・ホテルで生まれたといわれる100年以上の歴史があるカクテル。鮮やかなピンク色が特徴で、女性でも飲みやすい。

シンガポールは水不足の国ですが、効果的な政策を掲げることで、現在では**水保全と管理の世界的リーダー**と見なされるまでになりました。最大限の努力によって、利用可能な雨水をすべて集め、水を大規模にリサイクル・再生するためのインフラを創成し、汚染されていた河川をきれいにするための大プロジェクトを実施しています。

都市国家の制限と制約を管理するという秩序づけられたアプローチは、住宅政策にもおよんでいます。シンガポール人の約80%は、政府が提供する公団住宅に住み、周囲には学校から店舗までさまざまな設備が組み込まれて、独立したコミュニティが形成されています。また、民族を確実に混合させ、単一民族コミュニティが発展するのを避けるための配分調整が行われます。

禁止、割り当て、規制を、誰もが楽しめるとは限りません。でも、シンガポールは、ルールブックを使うことが、求める成果を得るために重要であることを教えてくれます。

シンガポールの公共政策のありかたは、私たちが仕事や人生で目標達成を求めるときにも使えます。規則や手順にいらだつことがあっても、秩序が果たす役割は重要なのです。

成功は偶然には起こりません。シンガポールが示すように、整然とした方法で注意深く計画されてこそ成功が手に入るのです。今日のビジネスの世界では、クリエイティブであることや、規則破り、分裂や崩壊が称賛されることがあります。でもその中心に秩序がないと、何の価値もありません。秩序がなければ、達成はないのです。

超高層ビルと自然が融合した中心地区のマリーナベイ

Slovakia

スロバキア

インパクト

Impact

● バタフライエフェクトの国

スロバキア政府は、国を海外の観光客や投資家に宣伝するシンボルを探していたとき、「**蝶**」を選びました。羽ばたく昆虫が、ついには世界の裏側にまで嵐を引き起こすように、「**小さな大国**」であるスロバキアが、並はずれたインパクトを与える能力をイメージしたのです。

スロバキアは、ヨーロッパの中心に位置し、はるかに大きな隣国に四方を囲まれながら、その重量を上回る「パンチ力」を誇っています。世界に変化をもたらしたいと願うだけではなく、それを実現できることを誇りに思っている国です。スロバキアとスロバキア人は、いかにインパクトを与え、前向きな変化の力になれるかという問題に、熱心に取り組んでいます。

「**グッドアイデア、スロバキア**」は、この国のプロモーションに使われているスローガンです。スロバキアは間違いなく、世界有数の革新的な企業や商業的なアイデアが進化を続ける場所です。

たとえば、スロバキアを拠点とする自動車ベンチャー企業の〈エアロモービル〉社は、最先端の「**空飛ぶ車**」を開発し、中距離フライトに相当する距離を移動できる乗り物をつくりだしました。

他の先駆的なビジネスモデルに「**Ecocapsule (エコカプセル)**」があります。これは、太陽光と風力のハイブリッドで完全に電力をまかなえるミニチュア住宅です。こういったものは、単なる自己満足的なアイデアではありません。「人口が増加する未来の世界の交通手段は？」「地球からなくな

〈首都〉ブラチスラバ
〈人口〉545万人
〈面積〉4.9万㎢(日本の約7分の1)
〈民族〉スロバキア人80.7%、ハンガリー人8.5%等
〈言語〉スロバキア語
〈GDP〉1,054億ドル
〈時差〉マイナス8時間(夏時間あり)

りつつあるエネルギー源への依存をどのように減らすことができるか？」といった、世界が直面している重大な問題への取り組みなのです。

● インパクトの源を探ってみると

スロバキアの「インパクトを残したい」という願望は、「**自分のことは自分でする**」という自立の価値観に根差しています。それは、自身の運命を自分でコントロールしたいという願望でもあります。〈エアロモービル〉社の創設者シュテファン・クラインが語ったのは、共産主義のチェコスロバキアで暮らした子ども時代に、空飛ぶ車をつくりたいと夢見たことでした。「鉄のカーテン」を超えてオーストリアまで飛びたい、と。

国立公園ハイ・タトラ

スロバキアの環境には、独特のものがあります。ヨーロッパの中央に位置し、美しい自然に囲まれているために、周囲の世界とつながり、貢献したいと思うようになるのかもしれません。**自分自身と隣人、さらには世界中にインパクトを与えたい、と**。

スロバキア人は、道を切り開く勇気がなくてはインパクトを与えられないと知っています。エレナ・マリツコバは上級外交官です。素晴らしい肩書ですが、そこに至るまでの道のりは、「却下」の連続でした。大学には「女は国際関係を勉強できない」と告げられ、外務省には「あなたのポストは絶対にない」と断られ、アナウンサーと外国人編集者として別のキャリアを築いて、20年後に人生の夢をかなえることができたのです。

現在は、自分の立場を活用して、世界で活躍するスロバキア人を支援し、注目してもらえるように尽力しています。その取り組みの一環とし

〈歴史〉元はチェコスロバキアとして独立した国だったが、連邦制を経て、1993年にチェコ共和国とスロバキア共和国に分かれた。〈文化〉カヌー競技の強豪国として知られ、2016年リオ五輪で銅メダルを獲得した羽根田卓也選手もスロバキアで修練に励んだ。〈自然〉ドブシンスカ洞窟…25万年以上前の氷河期より形成された全長1.2km超、深さ112mのヨーロッパ最大級の氷洞。世界遺産にも指定されている。

て、産業、科学、芸術に国際的な影響を与えたスロバキア人を年に一度表彰する「Goodwill Envoy（親善使節）」賞の創設にたずさわりました。

● 自問してみよう、インパクトの種はあなたの中に

インパクトを与えたいという願望は、スロバキアのリーダーの選択にも反映されています。

2014年には、政治が未経験で無所属の候補者アンドレイ・キスカを大統領に選出しました。キスカは、スロバキア最大の慈善団体の一つで、病気の子どもを持つ家庭の医療費を支援する〈良き天使〉の創設者として名を知られた人物でした。2006年の設立以来、3400万ユーロ以上を分配しており、キスカは大統領に就任してからも毎月の給与を寄付し続けていました。

2019年には、ズザナ・チャプトバが**スロバキア初の女性大統領**に就任しました。

スロバキア人は、地元での慈善活動や、海外で先導的役割を果たすことによって、周囲の人々や世界にインパクトを与えようとします。**ほとんどの人は、功績を残すことを義務のように感じていて、その価値観は世代から世代へと受け継がれています。**

「自分の才能、リソース、時間を最大限に活用している？」

「人々を助け、コミュニティが直面する問題の解決に貢献するために、自分にもっとできることは？」

ぜひ、そう自問してみてください。スロバキアのレンズを通してインパクトを与える方法をさがせば、たとえ小さな方法であっても、自分にもっとできることが見つかるはずです。

「ひっくり返ったテーブル」の愛称をもつブラチスラバ城

South Africa

南アフリカ共和国

赦（ゆる）し

Forgiveness

● アパルトヘイトの傷跡を癒すために

ネルソン・マンデラは、かつてこう言いました。

「美しい南アフリカに夢があるなら、その目標につながる道もあります。**これらの道の2つを『善』と『赦し』と名づけることができるでしょう**」

ネルソン・マンデラ

近現代史において、「赦し」に関わった世界的な人物を一人挙げるとしたら、それは**ネルソン・マンデラ**です。

1994年から彼が率いた国民統合政府（GNU）と、**アパルトヘイト政策**のもとで犯された惨事に公正な裁きを行うために創設した数々の機関は、内部紛争と暴力と宗派主義の余波にいかに対処するかを諸外国に示す手本となりました。

英『エコノミスト』紙は1997年に、「赦しこそ彼の政府の中心的な存在であり、真実和解委員会という形で制度化されている」と、過去40年間の犯罪を明らかにするために設立された真実和解委員会について言及しました。議長の**デズモンド・ツツ**の言葉を借りれば、「**国民の癒し、和解、赦しのための培養室**」です。聴聞会の模様は全国放映され、2万人を超える

〈首都〉プレトリア 〈人口〉5,778万人	〈言語〉英語、アフリカーンス語、バンツー諸語の合計11が公用語
〈面積〉122万㎢（日本の約3.2倍）	〈GDP〉3,663億ドル
〈民族〉黒人（79%）、白人（9.6%）、カラード（混血）（8.9%）、アジア系（2.5%）	〈時差〉マイナス7時間

犠牲者と7000人以上の加害者の証言が集められました。

アパルトヘイト博物館のエントランスは、人種別の出入り口を再現している

広く賞賛されたのは、委員会が賠償と恩赦の両方を付与する権限を持ち、犠牲者主導でありながら暴力や報復なしにアパルトヘイト犯罪者を処遇する点でした。

南アフリカの作家シソンケ・ムシマンはこう書き記しています。

「善良なアパルトヘイトの犠牲者は叫びはしても、あえて毒づきませんでした。悲しみの醜い一面——報復と喪失によるニヒリズム——は、新生南アフリカには居場所がない。ここは、荒れた怒りの岩の上ではなく、恵み深い寛容と赦しの原則のもとに設立された国なのです」

● 不平等が続く現実に「赦し」を問い直す

今、ほぼ四半世紀が経過し、多くの人が、この政策の有効性に疑念を抱いています。議長を務めたツツ大司教自身も、委員会の調査結果と勧告が順守されなかったことを厳しく批判しています。

著者とデズモンド・ツツ大司教（左）

2014年に、ツツはこう書きました。

「人権侵害の被害者に対する賠償の支払いが遅滞しており、限定的であることは、委員会が構築しようとした尊厳をむしばんでいる。政府が恩赦を申請しなかった人々を起訴しな

〈有名人〉シャリーズ・セロン（女優）、キャスター・セメンヤ（陸上競技選手）〈文化〉ラグビーの強豪国として知られる。アパルトヘイト撤廃後の1995年には、ワールドカップの開催国となり、決勝でニュージーランドを破って優勝を果たした。『インビクタス 負けざる者たち』として映画化もされた。〈ことわざ〉「恨みの念とは、自分で毒を飲んでおきながら、これで敵を殺せると期待するようなものだ」…人種の壁に挑み続けたネルソン・マンデラの言葉。

かった事実は、せっかく正直に申請した人々の努力を損なってしまった。過去に恩恵を受けた人々が未来に貢献するための手段として提案された一度限りの富裕税の法案は、実現しなかった」

名実ともに**世界で最も不平等な国**であり、子どもたちが屋外の汲み取り便所（2018年現在、全国の4500を超える学校で使われている）に落ちて溺れる事故も発生しています。

また、アパルトヘイトの廃止後に、白人所有の土地の10%しか南アフリカの黒人に再分配されておらず、人種問題に加えて、学費、土地改革、学校制度の質といった問題にも不安が高まっています。黒人居住区を訪ね、高い壁があり番犬と使用人がいる白人の住宅街と比べるだけで、現代でも南アフリカでは人種が運命を決定づけることが見て取れるでしょう。

これらの課題は、赦しのプロセスに新しい視点をもたらします。アパルトヘイト後の国家で育った人々は、もっと深い部分での社会的、経済的な変革を求めています――表層的ではなく、構造的な変化を。

貧しい地域（左）と豊かな都市（右）の経済格差が大きい

● 団結と肯定は南アフリカに平穏をもたらすか

マンデラ時代の赦しの時間は終わったかもしれませんが、まだ道半ばであり、一件落着していません。

「南アフリカでは、赦しのプロセスの一部が切り捨てられてしまったようです」

ツツ大司教の娘であり、このテーマで父と共著を記したムポ・ツツはこう語っています。

「経済的には南アフリカの現実はほとんど変わっておらず、一部の人たちは『私たちを許してくれたのだから、今は何も変えずに一緒に日没を見に行こう』という考えに満足しています。それでは赦しのプロセスは完結しません。完全な赦しとは、前と後で関係が変わることであり、それはまだ実現していないのです」

Ubuntu（ウブントゥ）は、「**他者への思いやり**」という意味です。南アフリカの一部の地域では、誰かが間違いをおかすと、村の中心部に連れて行かれ、丸2日間、仲間の集団に囲まれて、その人が行ったすべての善を語るという習慣があります。人の心根を信じるため、人類は善であり、間違いは助けを求める叫びと見なされるのです。コミュニティはこの儀式で団結して、その人が自分の本質を取り戻すように促します。団結と肯定は、恥と罰を与えるよりも、行動を変える力があるという考え方です。

アパルトヘイト廃止直後の南アフリカは、「赦しの力」を世に示していましたが、近年、その限界と複雑さが明らかになってきました。赦しは面倒で長期的なプロセスであり、単純な定義と厳格な条件では解決できないのです。

南アフリカが教えてくれるのは、赦しが本当に完結するためには、不正行為の根源が謝罪されるというだけではなく、**有意義に変更されて、過去が未来にくりかえされない保証が必要だ**、ということです。

雄大なケープタウンの空撮

South Korea
韓国

ダイナミズム
Dynamism

● データから見る、どれだけ急いでいる国なのか

「**パリパリ（빨리빨리）**」——**急げ！**　この1フレーズだけで、韓国の文化を要約することができます。韓国では、誰ひとり、何一つ静止していません。一日を支配するのは「ダイナミズム」。曲がり角の先を急ぐ必要性を加速させるのが、取り残されることへの恐怖です。

この状況を可視化したい人のためにお伝えしますと、平均的な韓国の人が1分間にのぼる階段の数は56段。ちなみに日本では35段、イギリスでは29段、アメリカでは25段です。

この国はインターネットの速度が世界最速であり、10 Gbps接続への移行の先駆者です。

あるマッチング会社によると、最初のデートから結婚までの平均期間は、わずか10ヶ月あまり。

リラックスタイムさえ「急いで」取ります。韓国では「昼寝カフェ」が増えていて、1時間単位の支払いで、昼休みやその他の貴重なダウンタイムの間にベッドで休むことができます。ここでのトレンドは「**ファスト・ヒーリング（素早い癒し）**」です。

国民はほとんど仕事の手を止めないので、国際基準で見ると、ほとんど眠っていません。OECDによると、韓国人は年間平均2069時間も働いています。比較すると、日本の労働時間は平均1713時間、オーストラリアで1669時間、ドイツで1363時間です。2014年にOECDが18か国の睡眠習慣を調査したとき、韓国が最下位だったのは驚くことではありません。

〈首都〉ソウル
〈人口〉5,178万人
〈面積〉10万㎢（日本の約4分の1）
〈民族〉韓民族
〈言語〉韓国語
〈GDP〉1兆6,463億ドル
〈時差〉時差なし

一晩の平均睡眠時間が最も多い3か国——フランスの530分、アメリカの518分、スペインの514分——と比べると、たった469分しか目を閉じていないのです。

● ダイナミズムがすべてを加速させる

ダイナミズムとは、今持っているものに満足しないこと、そして、常に今日を通り越して、未来が何をもたらすのかに思いをはせることを意味します。

根本にあるのは、不安感です——人生があるべき形に進んでいない、周りの人のほうが成功している、といった。韓国人が、常に次の転職先を模索し、家庭生活をはるか先まで計画しているのはそのためです。20代のカップルが3人目の子どもをいかに養育するかについて話し合うのは、めずらしいことではありません。

同様の傾向から、韓国人が最新ファッションや新しいテクノロジーを好むことも説明できます。韓国は、〈サムスン〉や〈LG〉などのハイテク企業の本拠地として有名で、ソウルは世界で最も技術革新の進んだ都市の一つと見なされています。

大手企業の集まるソウル江南広場

西洋のファストファッションは、数週間でコンセプトを変えるかもしれませんが、韓国ではその日のうちに変えるかもしれません。ダイナミズムは、K-POPの世界的なブームにも拍車をかけ、世界中の若者のファンを集めています。

ダイナミックな環境は、実用的な環境でもあります。デザインを最小限

〈有名人〉ポン・ジュノ（映画監督）、BTS（歌手）、ソン・フンミン（サッカー選手）、パク・シネ（女優）〈有名企業〉サムスングループ…世界最大級の家電・電子製品メーカーのサムスン電子を中核とする財閥。〈文化〉韓国では新暦を採用しているが、年中行事では旧暦を重視する。正月は1月から1か月ほど後（毎年日づけが異なる）の旧正月「ソルラル」の前後1日を含めた3日間が祝日である。

に抑えることで、効率が上がります。こういった細部へのこだわりは、本当にありがたく感じられます。

● 急速な発展を支えたダイナミズム

日本の占領（1945年に終了）と1950年代初頭の朝鮮戦争を経て、世界で最も貧しい国の一つと言われた国にとって、それは著しい変化でした。1960年代初頭、韓国の貿易高は年間わずか3300万ドルで、平均寿命は55歳、高等教育を受けた人口はたった9%でした。それが2015年までに、貿易は960億ドルを突破し、平均寿命は27年延び、大学進学人口は全体の70%を超えたのです。

このような並外れた加速は、ダイナミズムを中核とする文化がなければ可能だったでしょうか？

韓国のパク・チョンヒ大統領は、1964年にドイツで演説した際、家族の生活を良くするためにヨーロッパに出稼ぎに来た韓国人鉱山労働者たちに、こう言いました。

「私たちは今、試練の時を経験していますが、子孫に貧困を残すべきではありません。**今経験していることを次世代が経験しないように、韓国の貧困を終わらせるために自分の役割を果たすべきなのです**」

これといった天然資源のない国である韓国は、将来を見据えた、高性能な、世界をリードする国になりました。その背景には、人々の決意とダイナミズムがあります。ダイナミズムによって、韓国は世界で最も貧しい国から、最も豊かな国の一つになったのです。

夢を叶えるためには、ダイナミックな内なる動力が必要です。ダイナミックであるということは、現状を決して受け入れず、現状に落ち着かず、常に自分を改善する方法を見つけようとすることです。

ダイナミズムは、自己満足の真逆です。エネルギーに満ちていることは、最も成功した人や企業に共通する特徴であり、進歩して先を行くことを切望する意志でもあります。人生にダイナミズムがあれば、先を考え、今後の流れを問うことを決して止めません。常にやることがあり先に進もうとするから、立ち止まらないのです。

Tunisia

チュニジア

穏健

Moderation

● 「アラブの春」をもたらした国

「**アラブの春**」を燃え上がらせた最初の火花は、エジプトやシリア、リビア、レバノンはなく、革命にあまり関係のない国チュニジアではじけました。それは大規模な抗議ではなく、モハメド・ブアジジという露天商の一人の青年が発端でした。

彼は、地方自治体の役人に賄賂を払うことを拒否したことで暴行を受け、野菜と秤を没収されました。品物の返還を求めて追い返された後に、ガソリンを持って市の建物に戻り、自分の体に火をつけて、数週間後にやけどのために病院で亡くなりました。彼の自殺が、23年間続いたチュニジアの大統領の座を奪うことになる抗議行動に火をつけ、**アラブ世界全体**

首都チュニス近郊にあるシディ・ブ・サイドの美しい街並み

〈首都〉チュニス
〈人口〉1,169万人
〈面積〉16.4万㎢(日本の約5分の2)
〈民族〉アラブ人(98%)、その他(2%)
〈言語〉アラビア語(公用語)、フランス語
〈GDP〉373.9億ドル
〈時差〉マイナス8時間

に連鎖反応を引き起こしたのです。

チュニジアはアラブの春に火をつけたかもしれませんが、その後の対応については、政治的、宗教的、社会的構造に節度をもっている国として、近隣諸国とは一線を画しています。**2011年に激震が走ったすべての国のうち、チュニジアだけが、独裁と宗教的過激主義を寄せつけない民主的政府の構築に成功しました。**

また、1950年代以来初めて、国際選挙監視団によって自由かつ公正であると判断された二度の選挙が行われ、2014年には、選挙人名簿上のすべての女性の機会平等を保障する新憲法が承認されました。

2011年以来、チュニジアは世俗主義派とイスラム系の政党を統一する連立政権によって統治されてきました。困難な始まりでしたが、穏健なアプローチにより、政治的な安定が確保されたのです。

● 穏健の国の日常と政治

チュニジアを際立たせる「穏健」の源にあるのが、宗教に対する比較的寛容な態度です。イスラムの国でありながら、そう感じさせない部分があるのです。

たとえば、人々がテラスに座って堂々と飲酒をしているのを見て驚いたことがあります。また、私はイスラム教徒以外には閉鎖されているチュニスのメディナのモスクに入ることを許されました。

チュニスのモスクに入ることを許された著者

ほとんどのアラブ諸国が、政治への宗教と軍事的関与を強化する一方で、革命後のチュニジアは、両方の影響を最小限に抑えるための懸命な働きかけを行ってきました。イスラム教徒のナフダ党は穏健派を公言しており、2016年に一部の支持者の反対にもかかわらず、正式に政治活動と宗

〈歴史〉カルタゴ…紀元前にチュニス湖東岸に存在した都市。北アフリカ沿岸に勢力を拡大し、およそ1世紀にわたってローマと覇権を争った。一時は名将ハンニバルがローマを追い詰めるが、最後はローマに破れて征服された。〈都市〉シディ・ブ・サイド…街並みが白と青(チュニジアンブルー)で統一された、観光客にも人気の街。〈自然〉北は地中海が広がるチュニジアだが、南部はサハラ砂漠に面している。

教活動を分離しました。ナフダ党は、非宗教化を広く期待されている国のイスラム色を強めたいという疑念を払拭する努力を重ねてきました。

それでも、チュニジアの民主主義の進化には、政治運動の内部紛争から、異なる政党があまりにも似すぎて国民を代表できていないという非難に至るまで、さまざまな課題もあります。

政治的コンセンサスが穏健すぎて、低成長と高インフレに苦しむ経済を上向け、肥大化した公共部門を抑制するのに必要な大胆な改革が実行できないのではという声が上がっています。とはいえ、これらは民主的な枠組みの中で起こっている問題と意見の相違であり、チュニジアから一歩出ると存在する独裁や神権政治、戒厳令への厳しい対抗策なのです。

● 穏健がもたらす進歩に目を向けて

穏健な傾向は、「アラブの春」以後に新しくあらわれたものではなく、チュニジアの歴史のなかに長く息づいてきました。女性の平等については、以前から近隣諸国とは一線を画しており、平等な離婚権などの権利については、1956年の独立後の改革にまでさかのぼります。

伝統的なムスリム女性の装い

近年では、暴力（チュニジアの女性の半分以上が経験している）から女性を保護し、相続の平等な権利を制定する画期的な法律が可決されました。

こういった（相対的に見て）進歩的な政策は、チュニジアの政治に女性が重要な役割を果たしていることにもあらわれています。2018年5月の選挙の時点で、地方自治体の代表者の47%が女性であり、首都チュニスはベールを着用しないスアド・アブデラヒムを初の女性市長に選出しました。

これは偶然の出来事ではなく、何十年も前から活動してきたアラハーム・ベルハッジをはじめとする活動家たちの功績の産物です。キャリアの場で女性が果たす役割は、チュニジアの穏健な文化と社会の基盤の一つになっています。

穏健は、生活のあらゆる面に見られます。この国では、甘いものが甘すぎず、色がカラフルすぎず、建築が派手ではありません。

チュニジアは、多くの事柄に穏健に対応することで、この地域にはまれな政治的安定と社会問題に対する進歩的な姿勢を実現したと言えるでしょう。

この国が教えてくれるのは、個人、組織、そして実に国全体にとって、穏健であることが功を奏するということ。**自分の意見や信念をほどほどにすることで、他人の意見や信念を理解し、すべての人の意見を聞くための余地を増やすのです。**

自分の野心を薄めることに反発を覚えるかもしれませんが、自分のことばかり考えるのをやめて、より大きな全体像に目が行くようになります。声の大きな人が勝つ世の中では、穏健な道を選ぶのは当然とはいかないかもしれません。しかし、チュニジアが示すように、一番大きな声で叫ぶ人が、一番遠くまで行けるとは限らないのです。

白と青のコントラストが美しいチュニジアの風景

Ukraine

ウクライナ

自由

Freedom

● 革命の炎は静かに燃えていた――ウクライナ騒乱

2014年の冬にウクライナの革命が始まったとき、私はその中心地だったキエフから約500 km離れたチェルニウツィーにいました。

2014年の反政権デモ

革命を、内側から目撃するのは不思議なものです。人々が大通りを闊歩し、大人数で集まることだけが革命のすべてではありません。それは、話すときや計画を立てるときの人々の静かな強さをたたえた表情にも――たとえ大通りに人がいなくても、気候条件が厳しくても、少人数の集会であっても――見て取ることができました。

機動隊と衝突したデモ隊

一見、革命が始まっていることに気づかないかもしれません。人里離れた場所で、天気が悪かったので主要道路を使って街に行くことは難しく、すべてが封鎖されているような感覚でした。

外は凍てつく雪が舞う厳しい寒さでしたが、私が出会った人々の中には、静かな炎が燃えていました。狭苦しいカフェでは、人々がテレビで最

〈首都〉キエフ〈人口〉4,205万人（クリミアを除く）
〈面積〉60.4万㎢（日本の約1.6倍）
〈言語〉ウクライナ語（国家語）、その他ロシア語等
〈GDP〉1,308億ドル
〈民族〉ウクライナ人（77.8%）、ロシア人（17.3%）、ベラルーシ人（0.6%）、モルドバ人、クリミア・タタール人、ユダヤ人等
〈時差〉マイナス7時間（夏時間あり）

新の出来事を熱心に追い、肩を寄せ合って、何が起こっているのか、誰がキエフに行くのか、次に何ができるのかを話し合っていました。それが、たとえ何百マイルも離れた場所で起きている出来事であっても、リアルタイムで体験しているという奇妙な感覚でした。

私が目の当たりにしていたのは、スピーチや大規模な集会ではなく、「自由」というただ一つの目的のために結集した人々の、小さな集まりです。

「**私たちは、何をすべきかを指図されたくない**」

一人が私に訴えました。

「陰でこそこそ行動するロシアの大統領はいらない。ポーランドの大統領やアメリカの大統領もごめんだ。私たちを放っておいてほしい。**誰もウクライナに介入するな。私たちだけで大丈夫だから**」

● 自由のない国

これまでの歴史を踏まえると、ウクライナ人ほど自由を求めて戦うことに慣れている人は、ほとんどいないことでしょう。

オレクサンドル・ダニリュック元財務大臣は、私にこう語りました。

「私たちは何世紀もの間、自由のために戦ってきた。それは私たちの遺伝子に組み込まれていて、私たちが前進する原動力でもある。私たちは自分を信じているし、自由を望み、強くなりたい、自分を誇りに思いたい、と願っている。ウクライナ人を見てほしい。**過去100年間で、どれほどが自由のために犠牲になったかを**」

これほど自由を求めているにもかかわらず、ウクライナに自由が欠如していることを、多くの指標が示しています。米ヘリテージ財団の「自由指数」によると、ウクライナは、ビジネスと雇用の自由から、政府の整合性、財産権、司法の有効性までを考慮した場合、ヨーロッパ諸国のなかでもっ

〈有名人〉ミラ・ジョヴォヴィッチ（女優）、アンドリー・シェフチェンコ（サッカー指導者/元サッカーウクライナ代表）〈地理〉ルーマニアとの国境に近いラヒウという町の近くには地理的に「ヨーロッパの中心」を示すモニュメントがある。（本当に中心とみなすかは諸説あり）〈文化〉ボルシチ…ビーツ（砂糖大根）の赤色が特徴のスープ料理。ロシア料理としても知られるがウクライナが発祥で、本家本元である。

とも自由度が低い国です。ランク付けされた180カ国のうち、149カ国はウクライナよりも全体的な自由度が高いと評価されています。

この「自由の欠如」こそが、ウクライナ人がそれを求めて激しく戦う理由を説明しています。1990年からウクライナの首席ラビをつとめるヤーコフ・ドフ・ブライフは、私にこう話しました。

「これはウクライナ人独特の考え方だ。長年にわたって迫害され、服従し、一部の人には当たり前である独立を手に入れられなかったからだ。だから、自由を切望し、自由を尊重する」

● 真の独立、真の自由を人々は求める

2014年の革命は、ヴィクトル・ヤヌコーヴィチの政府を倒すことには成功したかもしれませんが、人々が何よりも望んでいる真の独立は、まだもたらされていないのです。

友人のエルミラは、私にこう語ってくれました。

「大統領の力は弱く、今は立ち往生しており、権力を握るためにできることを約束したので、私たちはまだ自由ではない。私たちにとって『自由』とは自分が望むときにやりたいことができることではなく、**自分の生き方を実践する自由を持つことです。**私たちが望むのは、自由と、公正に選出された政治家たちです。そして、私たちの国が奪われないことを」

ウクライナ騒乱を経て、2019年5月まで
大統領を務めたペトロ・ポロシェンコ

真の自由が欠如しているからこそ、「自由」がウクライナのアイデンティティの中心になっています。**普段の生活に当たり前に存在する自由は、奪われて初めてありがたみがわかるものです。**

抑圧から自由になるための模索と戦いほど、人々を奮い立たせるものはありません。自由は、ウクライナの価値である以上に、国家の使命なのです。

UAE

アラブ首長国連邦

ビジョン

Vision

● 私がUAEに行ったわけ

2007年に、私はいくつかの仕事のオファーを断って、アブダビに移ることを選びました。結婚したばかりで、夫のギャビンはまだロンドンで働いていたのですが、私にとっては簡単な決断でした。UAE(アラブ首長国連邦)がもつ「ビジョン」のパワーと独自性、そして、この国で私が果たせる役割を考えると、他のことはすべて色あせて見えたのです。

シク教徒である私は、誤解され差別されている人々のために立ち上がるという彼らのビジョンに惹かれました。UAEでの生活が始まると、私をアブダビへと引きつけたビジョンが、ここで出会うほぼすべての人にも行きわたっていることがわかりました。ここでは、誰もが自分の広大な計画を実行中でした。未来のビジョンの構築と創造に取り組むこの国の縮図といえるでしょう。

政府のビジョンは明確でした。多くは世界のメディアによって、この国の宗教の評判が傷つけられてしまった世の中に、UAEという国とこの国にとってのイスラム教が何に根ざしているかを伝えることです。

私は〈twofour54〉(首長国の座標にちなんで名づけられたメディアゾーン)の2番目の従業員となり、MENA(中東と北アフリカを合わせた市場)初のメディアベンチャー・キャピタルファンドである〈Ibtkar〉の立ち上げに関わりました。

このようなビジョンは、1971年に誕生したばかりの若い国の礎となっています。当時はほとんど砂漠でしたが、今では世界で最も繁栄し、将来

〈首都〉アブダビ
〈人口〉977万人
〈面積〉8.4万㎢(北海道と同じくらい)
〈民族〉アラブ人
〈言語〉アラビア語
〈GDP〉4,211億ドル
〈時差〉マイナス5時間

を見据えた経済大国の一つです。この地域の豊かな天然資源は、繁栄を説明するのに役立ちますが、この国は自然の恵みだけではなく、インフラとイノベーション、市民に提供される豊富なサービスを持ち合わせています。

● UAEがもっている最も貴重な資源

アラブ首長国連邦は、膨大な量の石油の上に成り立っているだけではありません。もっと根本的に言うと、この国の最も貴重な資源は、統治者と国民のビジョンです。

この国の建国者である**シェイク・ザイード**（ザーイド・ビン=スルターン・アール=ナヒヤーン）は、ヨーロッパで過ごした頃に、UAEに対するビジョンについて多大な影響を受け、自分が見た学校と病院のクオリティを、新しい国にもたらすことを使命としました。

アブダビの象徴でもある
シェイク・ザイード・グランド・モスク

後に彼はこう語っています。

「**私たちの土地が現代の世界に追いつくことを夢見ていた**」

つまりUAEが建国された時点で、明確なビジョンがすでに整っていたのです。彼はこうも言っています。

「すべての青写真が準備されていた。できたばかりの発想ではなく、長年の考えをそのまま実行に移すことだった」

そもそもUAEを建国するには相当のビジョンが必要でした。一つの国旗の下に7つの独立した首長国連邦を統合し、以前は存在しなかった新しいアイデンティティと集合的な使命を創り上げたのです。

アラブ首長国連邦の最初の32年間大統領をつとめたシェイク・ザイード

〈地理〉七つの首長国による連邦制国家。そのうちアブダビ首長国が国土の約80%を占める。〈都市〉ドバイ…中東屈指の金融センターであり、また世界的な観光地として知られる。日本人向けの観光情報も充実している。〈文化〉競馬の国際G1「ドバイワールドカップ」やゴルフの「ドバイ・デザート・クラシック」をはじめ、スポーツや文化の国際的なイベントを招致している。

のビジョンは、後継者たちによってさらに前進を続けています。この国は、どのように成長し、新しい技術を活用し、国民に最高の生活を提供するかという「計画」に基づいて構築され続けています。

● ビジョンの国を見渡せば

ドバイのブルジュ・ハリファ

アラブ首長国連邦のどの方向を見ても、ビジョンが見られます。たとえば、世界一高い超高層ビル「**ブルジュ・ハリファ**」、世界地図を模したドバイの人工島群、木の形に設計された人工島「**パーム・ジュメイラ**」といった、高層ビルや大開発の数々です。

ビジョンは、アラブ首長国連邦の社会システムにも表れています。たとえば、市民が世界中のどこでも勉学する資金を提供する教育システムと、幸福、寛容、人工知能に専念する省庁がある政府です。また、大臣の3分の1は女性です。

この国には、より良く、より持続可能な未来への希望を見ることができます。その象徴となるのが「**マスダール・シティ**」の創設です。完成すれば、再生可能エネルギーのみで動く世界初の都市になります。

この国では、「不可能なことは何もない」という考え方が何よりも優勢です。砂漠から未来の都市が浮上するのを見てきた「ビジョン」は、次に来るものに向けて進歩を続けています。

ビジョンは、世界の偉大な発明や主要な企業、重要な社会運動の原動力です。ビジョンはまた、人生で何をしていようと、すべての人を駆り立てる力です。ビジョンがビジネスを立ち上げ、キャリアを築き、家族を作ります。こういったあらゆるものに、ビジョンが必要です。

ビジョンがなければ、いくら労力を注いでも、先行きを見るのは困難です。私たちは皆、人生にビジョンを必要としています――結果にどんな姿を望むのかがわかれば、始めることがずっと簡単になるはずです。

USA

アメリカ

起業家精神

Entrepreneurship

● アメリカ合衆国を「アメリカ」にしたもの

誰もが知っているように、アメリカは革命によって設立された国家であり、決して後退しないことを誇りに思っています。最強にして最大の、経済的、文化的、軍事的な支配力を有する国です。

では、アメリカを「アメリカにした」のは何でしょう?

野心、進歩、愛国心、成功は、この国をあらわすのにおなじみのキーワードですが、この広大で突出した国を他と区別する価値観を、一つ挙げるとしたら何でしょうか?

ハーバード・ビジネス・スクールの学長であるニティン・ノーリア教授の見解では、アメリカの「秘密の材料」は、「成功への探求」だけではありません。彼によると、アメリカ人が「変化と方向転換」の能力に長けていることが、決定的な特徴なのです。

「アメリカは他のどの国よりも経済的成功を重視し、お金を求めることに冷酷だと言う人もいます。しかし、もっと詳しく観察すると、この国を経済大国たらしめるのは、実験、変化、革新、機会への飽くなき欲求なのでしょう」

言い換えれば、それは「起業家精神」、つまり個人の成功と集団的進歩を求めて、新しいものを追求するこ

ニューヨークの摩天楼

〈首都〉ワシントンD.C. 〈人口〉3億3006万人	〈GDP〉18兆4,226億ドル
〈面積〉962.8万㎢(日本の約25倍)	〈時差〉本土は4つのタイムゾーン
〈民族〉白人(80%)、アフリカ系(13%)	(マイナス14〜17時間)ほかにアラスカ、
〈言語〉主として英語(法律上の定めはない)	ハワイにそれぞれタイムゾーンがある

と。物を作り、アイデアを開拓し、これまで不可能だったことを達成したいという欲望なのです。

アメリカでは、失敗したビジネスや成功しなかったアイデアについての後悔はありません。常に次へと進みます。新しいチャンス、より大きく、より良く、よりスマートなものへと。ノーリア教授はこう述べています。

「**アメリカの究極の個性は、変化することに感傷的にならないことだ**」

● 起業家精神は独立以来、植え込まれてきた

変化によって失うものより得られるものの方が多いという考え方は、アメリカ独立戦争以来、そしてイギリス支配からの離脱以来、この国に植え込まれてきました。それはアメリカの精神の基本であり、政治、企業、文化に反映されています。

起業家精神あふれる文化の基本となるのは、「成功より失敗から得られる教訓の方が多い」というアメリカの信念です――失敗した人は「敗者」ではなく「学習者」なのです。一連のベンチャーが失敗しても、落伍者ではありません。それは勇気を持って踏み出した人であり、再び挑戦するための価値のある経験を持っている人なのです。

少なくともビジネスにおいてアメリカ人は、以前に欠けていたものや間違っていたことに気づいて認め、次は確実に行う能力に長けています。

この考え方はつまり、アメリカでは、状況的な必要に応じて、変化とギアシフトを追求できる文化が根付いているということです。企業は急速に変化するテクノロジー環境に適応することが必要なので、起業家の間では、柔軟な方向転換がますます一般的になっています。企業がみずから組織を混乱させてでも、既存のビジネスモデルに取って代わる製品を開発し、新しいビジネスモデルのスペースを作るために古いビジネスモデルを取り払わなければならない世の中なのです。

こういった態度こそが、アメリカを「**リスクを取る国**」の代表格、国家

〈有名企業の時価総額〉Apple…2兆3030億ドル、Microsoft…1兆7010億ドル、Amazon…1兆6590億ドル（2021年4月21日ニューズウィークより）〈ことわざ〉Time is money.「時は金なり」は、建国の父の一人であるベンジャミン・フランクリンの言葉といわれている。〈文化〉アメリカンフットボールの優勝決定戦「スーパーボウル」は全米視聴率が40%を超え、およそ1億人が視聴する一大スポーツイベントである。

に歌われる「**勇者の故郷**」にしているのです。

世界経済フォーラムによると、米国はスイスに次ぐ世界で最も革新的な経済国です。まだ比較的若い国であり、若い企業が繁栄している国では、「後悔しない考え方」とは、大胆であることを意味します。座ったまま「失うかもしれないもの」について考えるのはやめて、勝てるチャンスに意識を集中して、そのために何を変える必要があるかを決めるのです。

● 変化の激しいこれからの時代に

富の集中や医療制度のあり方に見られるように、アメリカのシステムを、弱肉強食が激しすぎると評価する人もいるでしょう。その問題点があるにもかかわらず、やはりアメリカは、ビジネスや芸術や専門分野で大きな成功を目指す人にとって魅力的です。アメリカン・ドリームは近年、多少の変色を見せていたとしても、大部分の理想と魅力は残っています。

「アメリカの世紀」と呼ばれた数十年を超えても、アメリカは前を向き、次の動きに備えています。基本的に起業家精神を持った国家であり、**誰でも成功するチャンスがあるのです。**

アメリカン・ドリームの象徴ハリウッド

自分の人生で成功したいなら、起業家精神を発揮する能力が必要です。キャリアの糸口をつかむために進路変更をするにせよ、個人や職業上の危機に対応するにせよ、行く先には挑戦とチャンスが待っています。成功するかどうかは、変化する状況下でどれだけ効果的に成長できるかにかかっています。

とりわけ、世界のスピードが加速し、キャリアの信頼性が低下し、新しいスキルが常に必要とされる世の中では、今後ますます、成功するためには起業家としての能力が求められます。それは、予期せぬ状況に適応して、その中で富を得る能力です。私たちは皆、これまでアメリカがそうしてきたように、変化に慣れる必要があるのです。

Part 2 継続性の価値観

- アルメニア
- オーストリア
- ベラルーシ
- ボリビア
- コスタリカ
- エクアドル
- ジョージア
- ドイツ
- アイルランド共和国
- イタリア
- ネパール
- ニカラグア
- パラグアイ
- ポーランド
- スイス
- ウガンダ
- ウズベキスタン
- ベトナム

人は誰でも、個人として、家族、コミュニティ、国として、受け継いできたものから多くの影響を受け、形づくられています。
伝統、言語、文化、信念、コミュニティ――一人の人生以上に継続されてきたものが、人となりを作っているのです。
絶え間なく変化を続けるこの世界で、「継続性」は、人々にルーツを与え、長老の知恵を吹き込み、過去と現在を結びつけてくれます。

何世紀にもわたってアイデンティティと記憶が生き続けている国々へと、今からご案内しましょう。

Armenia

アルメニア

サバイバル

Survival

● あるアルメニア人女性の話

アルメニアという国を理解するには、国境を越えたその先を観察する必要があります。世界最大規模の海外移住によって、人口が3分の1に減少しているからです。

私のアルメニア人との印象的な出会いの場は、トルコでした。その女性は、10歳のときに故郷から引き離されて、二度と戻らなかったおばあちゃんです。イスラム教徒の名前を与えられ、クルド人と結婚し、イスラム教徒のトルコ人として家庭を築きました。

でも、アルメニア人の又姪（甥の娘）と一緒に会いに行くと、言葉、思い出、アルメニアの名前など、すべての記憶が女性の心によみがえってきました。アルメニア風に飾られた実家の小さなサイドテーブルや、刺繍された布までも。人生のほとんどを別の国で過ごし、別の名前で異なる文化のなかで家庭を持っていたにもかかわらず、彼女は、アルメニア人でいることを止めていなかったのです。

● たとえその地が奪われていたとしても

面積が3万平方キロメートル未満、人口が300万人をわずかに超えるこの国は、かつては、カスピ海から地中海まで、現代のトルコ、シリア、イラクの大部分にまたがる大帝国でした。

アルメニアは**世界最古の文明の一つ**であり、何らかの形で2600年にわたり存在していたと考えられています。ここにアルメニアの価値観「サバイバル」の本質があります——国、文化、ランドマーク、集団的アイデン

〈首都〉エレバン 〈人口〉290万人
〈面積〉3.0万㎢（九州よりやや小さい）
〈言語〉アルメニア語（公用語）
〈GDP〉137億ドル
〈民族〉アルメニア系（98.1%）、ヤズィディ系（1.1%）、ロシア系（0.3%）、アッシリア系（0.1%）、クルド系（0.1%）、その他（0.3%）
〈時差〉マイナス5時間

ティティを破壊しようとする数々の力に耐え、自身や自国を破壊させない能力です。

他に類をみないほど、耐え抜こうとする本能が強く、その根源にあるのは、奪われた居場所に国民全体が強い愛着を持っていることです。

10世紀に創設されたハフパット修道院は世界遺産に指定されている

アララト山は、国家を代表するシンボルですが、現在ではトルコの国境内にあります。でも、アルメニア人は忘れるどころか、社会全体でこの山を記念しており、子どもやレストランの名前、さらには国の有名なサッカーチームの名前に使っています。

アララト山とコール・ビラップ教会

どの家庭でも、アララト山の写真を額に入れて飾っています。**失うという事実に直面するとき、アルメニア人は、形を残すだけではなく、「記憶とアイデンティティ」をしっかりと保存することを決意するのです。**

● ジェノサイドをめぐって

アルメニア人が何よりも強く願っているのは、国民に対して行われた恐ろしい犯罪を世界に認識してもらうことです。1915年から1918年の間に、最大150万人のアルメニア人がオスマン帝国によって虐殺されましたが、トルコは依然としてジェノサイド（大量虐殺）と認めることを拒否しています。国民が大量に殺され、歴史のある土地や史跡を失い、国家が分散したことにより、アルメニアは、過去を振り返り、記憶に刻み、認識して記念する必要性から逃れることができないのです。

〈文化〉アルメニア語はインド・ヨーロッパ語族に属する言語で、独立した一語派をなす。表記にはアルファベットではなくアルメニア文字を使う。〈生活〉アルメニアではザリガニが食されており、スーパーや市場で簡単に手に入れることができる。〈自然〉アララト山…古来よりアルメニア民族のシンボルとなってきた山で、ノアの箱舟が流れ着いたともいわれる。現在はトルコ領だが、今もアルメニア人の愛着は深い。

1世紀以上が過ぎた今も、認定をめぐる闘いは続いています。この殺人をジェノサイドと正式に認定する国は約30か国にとどまり、イギリス、オーストラリアは認めていません。トルコとの外交的緊張を回避したいために、一部の国がジェノサイドを正式に認めないことは、アルメニア人に痛みを与え続けることになります。そういった国に移住したアルメニア人にとっては、なおのことです。

認定をめぐる闘いが、人の命を奪い続けています。2007年、トルコのアルメニア人キリスト教徒向けの新聞を編集する、ジェノサイドについての記事を多数執筆していたアルメニア系トルコ人ジャーナリスト、フラント・ディンクは、イスタンブールの路上で暗殺されました。

● アルメニアのサバイバルは続いていく

奪われた歴史を持つからといって、アルメニアは「犠牲者の国」にはなろうとしません。友人のアルパインはこう言いました。

「私たちが仲間とアイデンティティを大切にすることが、存在感を強めることにつながります。**文化、食べ物、言葉、歌——そういったものを存続させるのです**」

数多くのユニークな特性を持つインドヨーロッパ言語として分類されているアルメニア語も、その重要な一部です。住民や国民、私が出会ったトルコのおばあちゃん、アルパイン、キム・カーダシアンといった大勢の**ディアスポラ（本土から去ったアルメニア人）**から受けた強い印象は、アルメニアを破壊できても、アルメニア人は破壊できないということです。

このサバイバルの意識こそが、苦難に直面しても、アルメニアのディアスポラが繁栄する理由の1つです。自分が生き残り、周囲の人が生き残るために、この情熱の炎を燃やすことで、生き残りを成功へと変えるのです。

成長する以外の選択肢を自分に与えないことで、あと1マイル、次の1マイルを生き延びるだけの力とスタミナを得られます。サバイバルだけに意識を集中すると、暗黒の時期を乗り切れるだけの人生の意味が見えてくるのです。

Austria

オーストリア

伝統

Tradition

● 物語の世界は今、目の前に

私は目まいを感じました。妊娠がわかったばかりでしたが、それだけが理由ではありません。ジェーン・オースティンの小説に出てくるダーシー氏によく似た紳士に、ウィーンのボールルームでターンをかけられたのです。

フェルステル宮殿のボールルーム

ウィーンの冬の舞踏会は、優雅で、古めかしく、魔法のようなイベントです。豪華なセッティングから、洗練されたオーケストラ、ダンスの動きまで、世代を超えて磨かれ、受け継がれてきました。

こういったイベントへの出席は、単にフォーマルダンスの夕べに参加することではありません。2世紀をさかのぼる伝統に足を踏み入れ、何世代も前の男女とまったく同じようなドレスを着て、踊りを披露することなのです。時代劇から抜け出たように見えるのは、それが理由です。**オーストリアでは伝統が生き続けているだけではなく、空前の人気を誇っています。**

年始からの3か月間は、ウィーンの冬の舞踏会シーズンで、約450もの舞踏会が開催されます。そのほとんどは、コーヒーハウスから菓子店まで、伝統的なオーストリア産業のギルドによって組織されています。

あちらこちらで人々が衣装を買い、ダンサーが練習し、ベートーベンと

〈首都〉ウィーン

〈人口〉880万人

〈面積〉8.4万㎢（北海道とほぼ同じ）

〈民族〉主としてゲルマン民族

〈言語〉ドイツ語

〈GDP〉3,976億ユーロ

〈時差〉マイナス8時間（夏時間あり）

モーツァルトをリハーサルするオーケストラの音色が、首都ウィーンの石畳の通りを流れています。

● たとえば舞踏会と、コーヒーと

オーストリアの舞踏会は、1814年、**ナポレオン戦争の終結を交渉したウィーン会議の間に始まりました。**毎年恒例のウィーンオペラ座舞踏会では、幕開けと共に正式にデビュタントが紹介されますが、これは、他の貴族社会では先細りになって久しい伝統です――伝統と歴史を重んじるイギリスでさえ、1958年を最後に、宮廷舞踏会は行われていないのです。ウィーンのすべての舞踏会の中心には、最も古い社交ダンスであるワルツと、オーストリア人が子どものときから学び始める「伝統」があります。

オーストリアでは、踊りだけではなく、飲食にも伝統を感じることができます。冬の舞踏会よりも歴史が古い文化の一つが、「**カフェハウス(Kaffeehaus)**」です。

多くのヨーロッパ諸国がコーヒー文化で知られていますが、オーストリアのコーヒーへの愛着は独特で、際立っています。ウィーンに初めてコーヒーハウスができたのは1683年、撤退するトルコ軍が残したコーヒー豆を使ったと言われています。以来ここは、芸術家や作家、政治家、知識人が仕事をしたり、ゴシップに花を咲かせたり、陰謀を企てたり、観察をしたりする場所になってきました。

コーヒーハウスは、フロイトからトロツキーまで、多くの著名人の憩いの場であり、偉大な文学や音楽、先駆的なサッカー戦術まで、あらゆるものの発祥の地として知られています。

カフェ・コルプの店内

1824年創業のカフェ・フラウエンフーバー(Café　Frauenhuber)では、か

〈有名人〉アーノルド・シュワルツェネッガー(俳優)〈有名企業〉1987年にオーストリアの企業Red Bull GmbHがエナジードリンク「レッドブル」の販売を開始。現在では世界で大人気の飲料となった。〈文化〉シューベルト、ヨハン・シュトラウスを輩出し、モーツァルト、ベートーベンらが活躍したウィーンは「音楽の都」といわれる。世界的名門ウィーン・フィルハーモニー管弦楽団は定期的に来日している。

つてモーツァルトとベートーベンがピアノ演奏で客を楽しませていた空間で、当時と同じモーニングコーヒーを飲むことができます。カフェ・コルプ（Café Korb）のメニューを試してみるのもいいでしょう。1904年に、かのオーストリアの皇帝フランツ・ヨーゼフ1世が創業し、ノーベル賞受賞者たちがよく立ち寄ることで知られる店です。

あなたが求めているものがケーキであれ、会話であれ、創造的なインスピレーションであれ、300年前と変わらず、ウィーンではあなたに合ったコーヒーハウスが見つかることでしょう。

● 過去と、現在と、未来をつなぐもの

伝統は、オーストリアにただ存在するのではなく、現代の解釈のなかで大切にされています。2016年の調査では、オーストリア人の90%が、伝統を保護し、生かし続けることが大切だと回答しました。

古くからの慣習に愛着を持つのは、近年の歴史に関係しているかもしれません。とりわけ、第二次世界大戦の複雑な遺産と、ナチズムの戦争犯罪とジェノサイドへのオーストラリアの関わりが曖昧になってきたことが影を落としています（何十年もの間、オーストリアはナチズムの犠牲者であり貢献者ではないという見方が圧倒的だった。ドイツとは異なり、1990年代までホロコーストへの関与を認めず、ホロコースト記念碑がようやく完成したのは2000年だった）。

2018年の時点で、オーストリアのユダヤ人から盗まれた推定15億ドルの財産に対する賠償の確保の手続きがまだ進行中です。そんな最近の歴史に向き合うよりも、オーストリア・ハンガリー時代の伝統に立ち返るほうが、気持ちの上で楽なのかもしれません。

オーストリアの伝統愛の源が複雑であったとしても、伝統の重要性は明らかです。**伝統は、宗教、コミュニティ、家族のいずれにとっても、自分が何者かを理解するアイデンティティの基礎です。**

伝統は、過去・現在・未来の連続性をつくり、昔の人と私たちを結びつけ、遺産として受け継ぐものを与えてくれます。変化する世界のなかで、伝統は貴重な連続性と、基盤となる根本的な価値観を教えてくれるのです。

Belarus

ベラルーシ

安定性

Stability

● 琥珀の中に保存されたミニ・ソ連

ベラルーシは、現代ヨーロッパの国の様相を呈しながら、大部分は依然として、あるジャーナリストの言葉を借りると「**琥珀の中に保存されたミニ・ソ連のように**」運営されています。この国を統べるのは、1994年以来変わらず、「ヨーロッパ最後の独裁者」と呼ばれるアレクサンドル・ルカシェンコ大統領です。

レーニン像が見守るミンスクの独立広場

ここにいると、巧妙なトリックに煙に巻かれている気分になることがあります。誰も歩いていない大通りに、誰も宿泊していない旧ソ連時代の巨大なホテル。実際には民主的ではない民主主義と、成長しつつも実質的に停滞している経済……。

これを進歩の欠如とみなす人もいますが、多くのベラルーシ人にとっては、これは歓迎すべき「安定性」です。旧ソ連後の時代のほぼすべてにおいて、結果的に経済が安定し、生活水準がゆっくりと上昇しているからで

〈首都〉ミンスク〈人口〉940万人
〈面積〉20.8万㎢(日本の約半分)
〈民族〉ベラルーシ人(83.7%)、ロシア人(8.3%)、ポーランド人(3.1%)、ウクライナ人(1.7%)
〈言語〉ベラルーシ語、ロシア語がともに公用語
〈GDP〉596億ドル
〈時差〉マイナス6時間

す。2014年に近隣国ウクライナを襲った革命（P88参照）は、ルカシェンコ大統領にとって大きな脅威だったかもしれませんが、調査によると、ベラルーシ人の60%が政治的および経済的な軸足を、引き続きロシア（輸出貿易の40%以上を占めている）に置くことを望んでいます。

ルカシェンコ大統領のもと、ベラルーシは東と西をそれぞれ競わせることで、ロシアからの支援を得ながらも、アメリカ合衆国とEUからの経済制裁を制限することができたのです。

● 安定のための強力な国家と国民の関係

「安定性」は現代のベラルーシの中軸であり、国際的な場でも使われるキーワードです。ベラルーシは、独自の路線で強い国家と政府を貫こうとしています。

ベラルーシのヴラジーミル・マケイ外相は、国連総会でこう述べました。

「強力な国家だけが、国民の安全と幸福を確保できると確信しています。**世界の安定に……本当に関心があるなら、我々は、国家を弱めてはならない。国家が強くなるのを助けるべきなのです**」

ベラルーシは、ほとんどの面で、国民が中立に生きる国です。比較的安全で平和であることの見返りに、統制に服して、政治的・経済的自由の制限を受け入れています。抗議は厳しく規制されており、たとえば短命だったベラルーシ人民共和国の1918年の独立を記念する「自由の記念日」（3月25日）にまつわる催しは、全面的に禁じられています。

首都ミンスク

この安定性と中立性

〈歴史〉1986年のウクライナ・チェルノブイリ原発事故の際、汚染物質の半分以上がベラルーシに降り注ぎ、大きな被害を与えた。〈生活〉一人当たりのじゃがいも消費量が世界一の国で、「ドラニキ」というじゃがいものパンケーキが国民食である。〈自然〉ビャウォヴィエジャの森…ポーランドとの国境にまたがる「ヨーロッパ最後の原生林」。ヨーロッパバイソンの生息地としても知られ、世界遺産に登録されている。

は、国家が圧倒的な力を持つ権力集中型のシステムによって維持されています。ベラルーシ人の大多数は、政府または国有企業に勤めており、毎年契約に署名しなければなりません。

国が失業者を「社会の寄生虫」と呼び、一時的に税金を導入したことさえありましたが、めずらしく起こった抗議行動によって、すぐに撤回されました。多くの労働者は国から与えられる給料を増やそうと努力はするものの、起業家精神は薄く、安全を取って不必要なリスクを冒さないという国の方針に追従しています。

● 欧米諸国には不可解に映るかもしれないが

政治の面では、議会選挙は政府の方向性にほとんど影響を与えない代表者を選出するために行われ、大統領選挙は自由で公正とは言えません。

ルカシェンコ政権は、支持するエリート層と依存する労働者を従えることで、自らを政治・経済の安全を与え、安定を支える要と位置づけることに成功してきました。変化の激しい世界のなかで、ベラルーシは潮流に合わせることを拒否する独自の立場を守っています。

ベラルーシの政治モデルは、西洋人には不可解に映るかもしれません。進歩の追求よりも安定性の維持に重きを置くことは、西洋的なやり方への価値ある反論ともいえるでしょう。

変化はしばしば求められますが、常に有益であるとは限りません。人生においては、同じ状態で維持するほうが良いものもあるかもしれません。今必要なのはわずかな安定性、という場合もあるのです。

2020年8月、ルカシェンコ大統領の6選に対して、大規模な抗議が発生

ルカシェンコ政権は抗議活動者を拘束するなど、強硬姿勢を貫いた

Bolivia

ボリビア

ルーツ

Rootedness

● 悪魔のかかしに考えたこと

「エルティオ」という
鉱山の守り神

ボリビアの錫、銅、銀の鉱山に足を踏み入れると、この国独特の「かかし」に遭遇します。それは悪魔の服を着せられた土嚢で、足元に労働者たちが食べ物と飲み物とお金を捧げて、幸運を祈るのです。

実際に鉱山を下りていくと、その理由がわかります。すぐに光がとだえて、酸素が足りなくなり、呼吸が苦しくなります。こんな閉ざされた厳しい空間では、日常的に神様に頼りたくなるのはもっともでしょう。

ボリビアの鉱山を訪れることで、この国の精神にしみ込んだ国民文化が少し理解できたような気がしました。**それは、豊富な鉱物資源を持つボリビアの経済に深くかかわっていると同時に、過去と先住民の文化に根ざしているのです。**

ボリビアは「ルーツ」が重要な国です。現在と未来への希望を伝え教えてくれるのが、過去です。

山と砂漠と熱帯雨林が特徴的なこの国を統治してきた名だたる古代文明のシンボルや遺跡が、いたるところに歴史の面影を残しています。国土は、まるで虹のようです――赤い土、緑のラグーン、色とりどりの間欠泉。

〈首都〉ラパス(憲法上の首都はスクレ)
〈人口〉1,151万人
〈面積〉110万㎢(日本の約3倍)
〈民族〉先住民41%、非先住民59%
〈言語〉スペイン語及びケチュア語、アイマラ語など先住民言語36言語
〈GDP〉389億ドル
〈時差〉マイナス13時間

そして、先住民の人々（一般人口の62%を占め、世界最大の密度）が権勢をふるい、石油とガスの探査が貴重な土地を破壊する恐れがある場合は、交通を封鎖して輸送を止めます。

● 先住民の文化と誇りを守り続けて

先住民族の誇りは、2006年にボリビア史上初の先住民出身大統領として、エボ・モラレスが選出されて以来、高まりを見せてきました。伝統衣装をこよなく愛するモラレスは、ボリビアの先住民を偏見から守るために反差別法を可決し、さらには2009年、37の異なる先住民の権利と言語を認める新憲法の承認によって、「**ボリビア多民族国**」と国名を改めました。（編注：2019年11月、モラレス大統領は事実上のクーデターによりメキシコに亡命、のちに後継者が大統領に就任したことで帰国した）

先住民のアイマラ族とケチュア族の女性は、受け継がれてきた伝統を、独特の「チョラ（chola）ファッション」という目に見える形で表現しています。布地を幾重にもかさねた鮮やかな色のスカートとポンチョに、どこにでもある山高帽をかぶります。

先住民族の文化は、ボリビアのファッションだけでなく、建築にも表現されることが増えてきました。近年は、先住民の衣装と同じくらいカラフルな建物が登場しています。新アンデス建築と呼ばれる独特の建築は、大都市エル・アルトに多く見られます。インカの寺院から、水、風、山などの自然界のモチーフまで、アイマラ族のシンボルがふんだんに使われています。

エル・アルトのユニークな建物

「ラスベガスのように見えるかもしれませんが、すべてコロンビア以前のルーツから生まれたものです」

〈日本〉第2次世界大戦で戦地となった沖縄にいち早く救援活動を行ったのは、ボリビアに渡った日本人移民だった。農地を失った沖縄の戦災民に移住を呼びかけ、移住地コロニア・オキナワを開拓した。〈自然〉ウユニ塩原（塩湖）…純白の絶景で知られる広大な塩の大地。面積は約11,000㎢に及ぶ。〈都市〉ポトシ…世界で最も標高の高い町の一つで、かつては銀鉱山で栄えた歴史から世界遺産に指定されている。

そう語るのは、新アンデス建築のトップクリエイターのフレディ・ママニです。**ボリビア人は、裕福になるにつれてルーツから遠ざかるのではなく、ルーツを積極的に受け入れ、古代のシンボルや概念に新しい命を吹き込むのです。**

アイマラ族の伝統に根ざす慣習が、ボリビアの暦では重要視されています。1月に始まり1か月続くアラシタス祭では、翌年の希望を表すミニチュアを購入し（家を買いたい場合は「道具」、赤ちゃんを授かりたい場合は「ベビーベッド」、繁盛したいなら「請求書」）、神に祈願すると、本物が手に入ると言われています。

2月には、数万人のミュージシャンとフォークダンサーが参加する先住民の伝統を称える「**カーニバル・デ・オルロ**」があります。

先住民のもう一つの重要な行事が、太陽を祝福する「冬至祭」です。6月21日は南半球の冬至であり、ボリビアの正月にあたります。人々は、手をかざして初日の出の光を受け止めて、アルタタインティ（父の太陽）を称えます。

カーニバル・デ・オルロ

● ルーツを受け止めることの大切さ

私たちは、個人や家族、コミュニティや組織の「ルーツ」を大切にするべきです。自分がどこから来たのか。どんな場所で、どんな経験を通じて、文化と家族の歴史が形作られたのか。自分の祖先を知り、過去につながる長老の知恵に耳を傾けることなく、自分自身を本当に理解することはできません。

組織や機関にも同じことが当てはまります。事業の目的を忘れてしまったために、ビジネスが道に迷うことは、めずらしくありません。次の一歩を探すにあたっては、人生であれ、ビジネスであれ、始点を知ることが、行先を知るのと同じぐらい重要なのです。

Costa Rica

コスタリカ

平和

Peace

● ピュア・ライフという言葉に込められた幸せ

コスタリカ人は、ふつう、挨拶のときに「こんにちは」と「さようなら」を使いません。標準的な挨拶は「プラビダ（pura vide）」です。文字通りに翻訳すると「**純粋な生活（ピュア・ライフ）**」ですが、これは「**中央アメリカで最も幸せな国**」の生活を象徴する深い言葉です。ここはあらゆる意味で、中央アメリカで最も「平和」な国と言えるでしょう。

「プラビダ」は、健康的な生活、ポジティブな姿勢、幸福感と満足感といった、様々な意味を持つ言葉であり、挨拶であると同時に意志表明でもあります。この国を一度も訪れたことがない人には、少し鼻につくかもしれません。だって、「自分は幸せです、みんなも幸せであるべきです」と他人に言われながら暮らしたい人なんて、いますか？

でも、コスタリカに足を踏み入れると、「プラビダ」がここの生活そのものであることが理解できるでしょう。この国には、ビーチや森、火山、蝶の養殖場に至るまで、楽園さながらの景色が広がっています。

コルコバド国立公園

カリブ海沿岸と中央アメリカの熱帯雨林をあわせもつこの国では、ある日は木のてっぺんにジップ

〈首都〉サンホセ〈人口〉499万人	〈民族〉ヨーロッパ系及び先住民との混血が多数、中南米系、アフリカ系、ユダヤ系、中国系、先住民系
〈面積〉5.1万㎢（九州と四国を合わせたくらい）	
〈言語〉スペイン語	
〈GDP〉601億ドル	〈時差〉マイナス15時間

ラインを張り、次の日に火山の頂上に登り、コウモリの洞窟に降りたり、森林浴を楽しんだりすることができます。こんな緑豊かな環境なので、地球の香り、光景、音に、心が自然と開かれます。

雄大なアレナル火山国立公園

人々や環境や文化がここまで平和的であると、幸福感に満たされます。人は皆、自然と「プラビダ」が象徴する「満足した状態」に落ち着きます。こんな場所は、よそにはありません。

● 常備軍をもたない国

通常のルールが適用されない感覚は、国政にも反映されています。

たとえば、コスタリカには常備軍がありません。防衛予算を、医療、教育、社会保障にあてるために、1948年に廃止されました。多くの国家、少なくとも紛争が起きている地域からすれば、世間知らずな捨て身の行為に映るかもしれませんし、実際にそうです。でも、コスタリカでは、この政策こそが、教育と医療サービスの充実に貢献し、コスタリカを「世界平和度指数」による中央アメリカで最も平和な国にしているのです。

軍隊の放棄だけが、コスタリカが平和を追求する手段ではありません。1980年にロドリゴ・カラソ＝オディオ大統領は、国連平和大学の拠点となる土地を寄付しました。

2001年にコスタリカは、イギリスとともに国際平和デーの設立に関する決議を提案し、現在では毎年9月21日に定められています。1997年には、すべての学校で紛争解決の指導を義務付ける法律を可決しました。

〈自然〉コスタリカには地球上の全動植物種の約4%が生息するといわれる。豊かな自然環境は映画『ジュラシック・パーク』の舞台にもなった。〈日本〉中米で初めて日本方式の地上デジタル放送の採用を決定し、日本の専門家も地デジ移行支援を行った。〈文化〉コスタリカ国立劇場…首都サンホセの中心であり、国民に愛される劇場。ヨーロッパ様式の美しい建築や装飾を楽しみながら、オペラや演劇を鑑賞できる。

● 自然との共存も平和の一つ

地球の自然生態系の多くは、人間と気候からの猛攻撃にさらされていますが、コスタリカでは、近年脅威にさらされている熱帯雨林にも平和を宣言しています。この国は、1940年代には国土の75%が森林で覆われていましたが、1983年までにわずか26%に減少しました。

この傾向を覆すための植林作業によって、現在50%を超えるまでに復活させることができ、政府は2021年までに70%に到達することを目標に掲げています。

そんな支えを得るコスタリカは**地球上で最も生物多様性に富んだ国**の一つであり、50万種を超える生物が生息し、固有の種も存在します。

コスタリカはクリーンエネルギーについても素晴らしい数字を出していて、2016年には電力需要の98%以上を再生可能エネルギー源（主に風力、水力発電、地熱発電）によって供給しています。

コスタリカで人気のトゥーカン（上）とナマケモノ（下）

コスタリカは、国家として、平和で持続可能な解決策が、意義深い変化と際立った生活の質を提供できることを証明してみせました。この国は、いくつかの指標によって、地球上で最も幸せな国に選ばれています。

この国に課題がないわけではなく、とりわけ貧困と所得の不平等に関しては問題を抱えています。しかし全体として、コスタリカは、「平和」が単なる理想主義的なビジョンではなく、実用的で長期にわたって続く現実になり得ることを教えてくれています。

Ecuador

エクアドル

自然

Nature

● 母なる大地への宣言

グループの一人から次の人へと、純粋で濃厚な、極上の味の生チョコが手渡されます。一人がひとかけらずつ取り、半分くらいが食べられたところで、次に受け取った人が、残りを土に埋めてしまいます。

「残りはあなたに捧げます、パチャママ」

グループリーダーはこう宣言します。

心を動かされるような自然に対する深い敬意。それはエクアドルの生活、政治、経済に本質的に備わっている概念です。自然への敬意は、憲法にもこのように明記されています。

「これにより、人民の共存の新しい形態を、**多様性と自然との調和**の中で築き、良い生き方を実現することを定める」

この条文の存在そのものが、世界の大部分で一般的な社会経済モデルから逸脱しています。国を挙げて、他の何にも優先して**「自然」(パチャママ、母なる大地)**を尊重するのですから。

● 自然との共生を誓う憲法

これが「**ブエン・ビビール(buen vivir)**」の概念です。直訳すると「**良い生活**」ですが、ここでの焦点は個人ではありません。社会の中、そしてさらに重要なのが自然環境の中での個人の在り方についてです。

エクアドルの観点では「良い生活」とは、人々が自分の努力によって繁栄することではなく、他者や周囲の世界と敬意をもって交流することです。経済発展は、コミュニティ全体のニーズと環境を尊重しないかぎり、

〈首都〉キト〈人口〉1,708万人
〈面積〉25.6万㎢(本州と九州を合わせたくらい)
〈言語〉スペイン語、ケチュア語、シュアール語等
〈GDP〉1,084億ドル
〈民族〉欧州系・先住民混血(72%)、先住民(7%)、アフリカ系・アフリカ系との混血(7%)、欧州系(6%)
〈時差〉マイナス14時間、ガラパゴス諸島はマイナス15時間

良いとは見なされません。その考え方は、世界の大部分で実践されている自由市場資本主義への直接の非難にほかなりません。

エクアドルの自然への敬意は単なる善意ではなく、法的、そして憲法上の効力を持つものです。2008年に制定された**新憲法は、世界で初めて、自然に権利を付与した内容**でした。

「その存在および、生活環境、構造、機能、進化過程の保全と再生を完全に尊重される権利がある」

また憲法は、国に、自然を保護し、種や生態系に損害を与える活動を制限する権限を与えています。

● 驚異の生態系、ガラパゴス諸島を守る国

この国の信念が目に見えて明らかな場所といえば、自然の驚異の代名詞、**ガラパゴス諸島**です。ここでは、シュモクザメが泳ぎ、イグアナがはい回り、アオアシカツオドリがよたよたと歩き、アホウドリがヒナにエサを与え、フラミンゴが踊り、サボテンが幅をきかせています。自然の素晴らしさを、多種多様な色鮮やかな生きものによって体験するのに、ここよりも最適な場所はないでしょう。

島特有の進化を遂げた
ウミイグアナ（上）とゾウガメ（下）

ガラパゴス諸島で出会う動物や鳥の大部分は、地球上の他のどこにも見当たりません。そのため、過度に開発された観光テーマパークになってもおかしくないのですが、開発がほとんど行われないのは、エクアドルには、少人数の人を裕福にするために自然環境を変える意志がないからです。この

〈地理〉エクアドルとは「赤道」という意味で、キトは「世界で最も赤道に近い首都」である。〈歴史〉1978年に世界で初めて世界遺産が登録されたのは12か所で、そのうち2つがエクアドル。独特の自然環境が残るガラパゴス諸島と、南米最古の修道院など歴史的建造物が残るキト市街である。〈文化〉バナナの輸出量が世界一で、日本でも人気である。またバラの産地としても有名で、こちらも重要な輸出品である。

国は、それよりも重要な目的——世界で最もユニークで多様性のある生物たちを生息させ、空気に酸素を供給し、水を育むこと——を果たしています。エクアドル人でさえ、ガラパゴス諸島の出身でなければ、ここに住んだり家を建てたりすることができないのです。

● 経済と自然、そして人間の生き方を問い直す

とはいえ、エクアドルの自然と「ブエン・ビビール（良い生活）」に対する取り組みは、いくつかの壁に直面しています。原因は、国の経済的なニーズです。この紛争を鮮明に表すのが、北東部にあるヤスニ生物圏保護区の例です。ヤスニ国立公園には世界の両生類と爬虫類の約3分の1が生息していますが、地下には約8億5000万バレルの石油が眠っています。

エクアドル政府は2007～2013年に、莫大な収入の損失を避けつつ、石油を手付かずのままにするための資金を国際社会に募る先駆的な計画を実行しました。しかし寄付は実現せず、石油の採掘が始まっています。これは国にとって不本意な決断であり、今も代替手段を模索しています。

エクアドルと「ブエン・ビビール」は、（住民だけではなく）「生息地」を優先する新しい社会経済モデルへの道を示しています。

エクアドルが自然に敬意を払うことは、環境保護主義の新しい形だけではなく、「より良い生き方」を大切にすることにつながります。留学や仕事のために海外に出ていた私のエクアドル人の友人たちは、生活の質がそちらのほうが良いという理由で、全員が国に戻りました。彼らは、「繁栄」に奉仕するよりも屋外で自然の中で過ごすほうが重要だと考える環境で、生きるために働いています（その逆ではなく）。

数多くの研究からも、自然や外で過ごす時間が健康と心の状態に好影響を与えることがわかっています。画面の前を離れて外の世界に出たほうが、私たちは元気になり、幸せを感じます。

エクアドルが教えてくれるのは、自然を尊重することが、環境だけでなく、私たち人間にとっても良いということです。大地の母パチャママに敬意を払うことで、私たちも同じ恩恵を受けることができるのです。

Georgia

ジョージア

認める

Recognition

● 乾杯、乾杯、乾杯！……乾杯、乾杯！

「……では、大切なことに乾杯しましょう……ジョージアに！」

夜のこの時点までに、すでに多くの乾杯を済ませました。でも、まだまだ乾杯が続きます。ジョージアでは、乾杯は1回では絶対に終わりません。**家族や友人と一緒に「スプラ（宴会）」をすると、食事をするだけではなく、テーブルに集った人たちを「認め合う」という伝統に出会うのです。**

乾杯の音頭を取るのは「**タマダ**」と呼ばれる進行役です。特別な機会の食事では、タマダを他から雇います。多くの場合は、家族やグループの年長者が引き受けます。私が参加したスプラは、トビリシ郊外の広々としたレストランで家族と友人が集い、おじがタマダの役割を引き受けました。

「タマダ」の席

食事が運ばれる前、そして幾度となく乾杯することになるグラスに最初の一杯が満たされる前に、タマダは、テーブルに集ったひとりひとりに挨拶し、紹介を行います。そして最初にホストがタマダに乾杯します。

その後、乾杯が本格的に始まります。イベントの中心とは言いませんが、食事よりも乾杯のほうに熱が入ります。

まずは、集まりに敬意を表し、集まった理由に乾杯。

〈首都〉トビリシ〈人口〉400万人
〈面積〉7.0万㎢（日本の約5分の1）
〈言語〉ジョージア語（公用語）
〈GDP〉177.4億ドル
〈民族〉ジョージア系（86.8%）、アゼルバイジャン系（6.2%）、アルメニア系（4.5%）、ロシア系（0.7%）、オセチア系（0.4%）
〈時差〉マイナス5時間

2回目は、ホストの家族に感謝し、懐の深さを認めます。

3回目は、両親、夫と妻、パートナーへの乾杯。

4回目は、祖先、子孫、もうこの世にいない人に乾杯し、過去と現在と未来の架け橋をつくります。

5回目は、ジョージアの国そのものに。

6回目は、共有できる思い出に。当時はほろ苦く思えても、今では懐かしく思い出すことができることについて。

7回目は最も重要で、出席している一人ひとりへの乾杯です。それぞれの人となりや活躍を祝福するのです。

その後、テーブルに着席した全員に、タマダに応答する時間が与えられ、順番に乾杯を返します。ご想像のとおり、派手な乾杯が続くうちに、他の人よりも目立とうとして、みんなが、よりおもしろく仰々しい感謝を捧げようとします。こんな乾杯は、よその国では見たことがありません。会がお開きになる前に帰りたいなら、タマダと交渉する必要があります。タマダはきっと、あともう1回だけ乾杯に参加してほしいと懇願するでしょう。先祖のために、子どもたちのために、ジョージアのために！

● 乾杯が終わったら

ジョージアは、小さいながら**戦略的に重要な国**です。アジアとヨーロッパにはさまれた立地のため、隣接する超大国による争奪戦が、国の歴史の一部になってきました。そんなジョージアの国民は、波乱にとんだ歴史を確認するのが大好きで、そのことが彼らのユニークな個性になっています。

スプラの乾杯がついに尽きると、民謡の歌が始まります。あらゆるものとあらゆる人に乾杯があるように、ジョージアの民謡は、癒し、仕事、結婚、旅行、ダンスなど、思いつく限りのすべての事柄を題材にしています。 神、祖国、平和、愛、長寿、友情に敬意を表した歌を、3000年前に

〈有名人〉黒海太（元大相撲力士/史上初のヨーロッパ出身力士）、栃ノ心剛史（大相撲力士）〈文化〉ジョージアは質の高いワインで有名。その歴史は8000年におよび、「ワイン発祥の地」とも言われる。世界最古のクヴェベリ製法は2013年に世界無形文化遺産に登録された。〈生活〉シュクメルリ…鶏肉をクリームソースで煮込み、ニンニクをきかせたジョージア料理。近年、日本でも人気である。

さかのぼる伝統だと考える人もいます。ジョージアの言語は、音楽と同じぐらい古くて独特であり、ユニークな**33文字のアルファベット**は、ユネスコの無形文化遺産として認められています。

● たくましい小国に根付いた精神

自分たちよりもはるかに大きな勢力に囲まれたジョージア人は、強い印象を残す能力を楽しんでいます。人口わずか400万人の国ですが、影響力が大きいおかげで、サイズの3倍から4倍にも感じることができます。

ロシアでは、有名な医師や芸術家、ミュージシャン、作家であるジョージア人をテレビでたくさん見かけます。彼らからは、積極的にお互いの強みや功績や能力を認め合っているという印象を非常に強く感じます。**つまり、相手の素晴らしい部分を認め、自分の中の素晴らしさを見出すのに役立てること――それはまさしく、能力のあるチームを成功させるために必要な精神です。**

いい親、教師、ビジネスリーダーになりたいなら、健康的な人生観が必要です。自尊心を持つ。他者に敬意を払う。そして、自分にできないことにしがみつくのをやめて、できることや得意なことに集中することです。

ジョージアはワインの名産地で、クヴェベリという土器を使った製法でも有名である

Germany

ドイツ

内省

Introspection

● 足元にはいつも向き合うべき過去がある

ドイツの町や都市の通りを歩くときには、ちょっと下を見てください。かなりの確率で、**シュトーパーシュタイン(「つまずきの石」)**に出会うはずです。歩道の玉石の代わりに埋め込まれた真鍮製のプレートに、名前、生年月日、死亡した日付と場所が刻まれています。次の目的地へと急いでいると、気づかずに踏んでいるかもしれません。

シュトーパーシュタイン（つまずきの石）

ナチスによって殺害された人々を記念する金色のプレートは、ベルリンの芸術家グンター・デムニッヒがヨーロッパに広めたプロジェクトで、現時点でおよそ6万個が存在しています。

「つまずきの石」はどの地域でも人気があるわけではなく、ミュンヘンでは設置が禁じられています。でも、これが国の構造の一部になりつつあることは、「内省」を大切にする、という現代ドイツの基本的な考え方の表れでもあります。

ナチスの過去に折り合いをつけ、戦争のトラウマを抱えながら新しい国家を構築するにあたって、振り返って考えることが重要視されているのです。この考え方はドイツ語では「Vergangenheitsbewältigung」、大まかに訳すと「**過去を克服する**」です。

〈首都〉ベルリン 〈人口〉8,319万人
〈面積〉35.7万km²（日本とほぼ同じくらい）
〈民族〉ゲルマン系を主体とするドイツ民族
（在留外国人数約1100万人）
〈言語〉ドイツ語
〈GDP〉3兆8,620億ドル
〈時差〉マイナス8時間（夏時間あり）

困難な問題に対して、「回避」ではなく「取り組む」。起こったことについて言い訳をしたり避けたりするのではなく、暴露し、疑問を投げかけ、そこから何が学べるかを問うことです。

「歴史」の石をしょっちゅう踏む環境にいれば、歴史から逃れることはできません。ドイツという国は、恐怖を吸いこんで過去から教訓を引き出すために、「振り返る」ことを美徳としています。

私が初めてこの国を訪れ、ドイツ人の友人に何を見るべきかとたずねると、まず連れて行かれたのは、ホロコーストの記念碑と博物館でした。

施設を訪ねた私は、そこから呼び起こされる記憶と恐怖に心を打たれただけではなく、友人がこれまで他にも多くの知り合いをここに連れてきたこと、そして幾度となく国の記憶の傷に直面してきたことに、深い感銘を受けました。

虐殺されたユダヤ人犠牲者のための「ホロコースト記念碑」には2,711基の石碑が並ぶ

● ジレンマと相対するという困難な選択

「内省」は、ナチスの過去だけではなく、40年以上にわたり1989年まで続いた旧東ドイツの警察国家に対しても行われています。

「シュタージ」と呼ばれた旧東ドイツの秘密警察機関による監視対象者のファイルは、現在では閲覧が可能で、自分とその家族がどのようにスパイされたかを知りたいドイツ人にとって貴重な情報源になっています。多くの場合、記録を復元するために裁断されたり破かれたりした数百万もの紙片をつなぎ合わせることになり、政府と歴史家が多大な努力を払いました。

内省は、過去に起こった現実に折り合いをつけるだけではなく、そこから生じる疑問を受け入れるための、唯一の方法です。

〈有名企業〉フォルクスワーゲン、ダイムラー(「メルセデス・ベンツ」を所有)、BMWなど世界的自動車メーカーがそろう。〈文化〉世界有数のサッカー強豪国であり、西ドイツ時代を含めると2018年までに開催された21回のワールドカップで優勝4回、準優勝4回、3位4回という驚異的な成績を誇っている。〈ことわざ〉「人間は、何を滑稽だと思うかということによって、何よりもよくその性格を示す」…ドイツの文豪ゲーテの言葉。

なぜ人々はナチスの虐殺とシュタージの監視に協力したのか？

他に選択肢はなかったのか？

違う未来はなかったのか、再び起こるのを阻止するためにはいったい何ができるのか？

他の国々は、記録を一掃する準備を整えていましたが、ドイツは、困難な――ある意味不可能な――過去のジレンマに取り組むという選択をしたのです。

● 現在のドイツは再び選択の時を迎えている

極右政党であるAfD（「ドイツのための選択肢」）の出現により、「ドイツの過去を思い出す」という問題が、政治的課題の最前線へと戻ってきました。この党は、一部では、ドイツの歴史に対する謝罪をやめるよう要求する流れを代弁しています。

多くのドイツ人にとって不穏当な政党ですが、その内部でさえ、このような見解は論争を巻き起こします。党幹部のビョルン・ヘッケは、ベルリンにあるホロコースト記念碑を「首都の真ん中に設置された恥ずべき記念碑」と批判する演説を行い、AfDの執行委員会から非難を受けました。抗議者たちは、報復として、ヘッケの家の外に記念碑の小さなレプリカを設置しました。

ドイツでは、過去と、その記憶のありかたについての「内省」が続いています。困難な歴史に向き合う勇気からは、重要な教訓を学ぶことができるでしょう。起きたことを忘れようとしても、何も得られないのです。

カーペットの下に隠したものが、そのまま永遠に残ることはありません。**何もなかったように振る舞うよりも、過去を振り返り、過去に向き合い、過去について話せるほうが、必ず良い方向へと向かいます。**内省をすることで、歴史の教訓を使って、より良い未来を形作ることができるのです。

ベルリンのブランデンブルク門

Republic of Ireland

アイルランド共和国

ストーリーテリング

Storytelling

● 不思議の石がもたらす贈り物は……

多くの国に、支えやひらめきを求めて訪れる記念碑や遺跡があります。アイルランドには不思議な「石」があり、年間に何十万という人がそれを求めて訪れます。

この石にあおむけに寝転んでキスをすると、「ギャブの贈り物」が得られ、話し上手になれるという言い伝えがあるのです。雄弁になる、お世辞がうまくなる、話の脚色がうまくなる、作り話がうまくなる……。これが、コーク州南西部のブラーニー城の中にある「**ブラーニーストーン**」です。

ブラーニーストーンに
キスしようとすると、このようになる

起源については謎めいており、聖書の預言者エレミアや14世紀のスコットランド王ロバート1世など、さまざまな人物に由来していると言われています。

この石が象徴するのは、**弁舌の才**というアイルランドの国民的な特徴です。アイルランドとその移民たちは——パブにいる男性はもちろん、世界的に有名な作家のジェームズ・ジョイス、サミュエル・ベケット、そして現代のサリー・ルーニーに至るまで——弁が立つことで世界中に

ダブリン、テンプル・バーにある
ジェームズ・ジョイスの像

〈首都〉ダブリン
〈人口〉492万人
〈面積〉7.0万㎢（北海道の約80%）
〈民族〉アイルランド系（87%）
〈言語〉アイルランド語（ゲール語）、英語
〈GDP〉3,849億ドル
〈時差〉マイナス9時間（夏時間あり）

知られています。

● もう一つの真実は口から生まれる

アイルランド人が語ると、物語が単なる物語では終わらずに、まるで生き物のように変化します。語るたびに話が大きくなり、文脈や聞き手や語り手に応じて細部が変わります。

真実はもちろん大切ですが、はるかに重要なのは、それを「**記憶に残る物語**」にするために、引きのばしたりひねりを加えたり盛り上げたりする能力です。「語る」という観点から言うと、「お世辞やおべっか」は単なる虚偽ではなく、むしろ、幾度となく改作され翻案されたために原作からかなりの距離ができてしまった「もう一つの真実」なのです。

それは誤解を招くためではなく、楽しませるための工夫であり、話を重ねるたびに尾ひれが増えていきます。

● どうしてアイルランドという国は物語を語るのか

ストーリーテリング（物語形式で語ること）は、アイルランド人が過去の痛みと誇りの両方を自分らしく語る方法です。

数千年にもおよぶ誇り高い歴史の中には、19世紀半ばの大飢饉や20世紀の北アイルランド問題といった国民的な痛みも抱えています。物語を語ることで過去が記憶に刻まれ、過去を生かし続けることで、命ある記憶が次世代へ受け継がれます。

物語は、家族やコミュニティ、社会全体に消えることのない痕跡を残した出来事の、まだ癒えていない傷を和らげてくれるのです。

ストーリーテリングを通して、アイルランドが経験してきた悲喜こもごもの出来事を、暗さの中にユーモアを交えて語ることができます。

物語を語ることは、アイルランドの近年の過去を表現するための大切な窓口であると同時に、古代の伝統や文化につながる手段でもあります。

〈有名人〉コリン・ファレル（俳優）、シアーシャ・ローナン（女優）、U2（ロックバンド）、エンヤ（歌手）〈文化〉ハロウィンの発祥はアイルランドで、ケルト人の祭り「サウェン」が起源といわれる。〈生活〉隣のスコットランドと並びウイスキーの名産地である。また日本でも人気のギネスビールはアイルランドのもの。ダブリンのテンプルバーエリアに並ぶアイリッシュパブで、これらの美酒を楽しむことができる。

アイルランドの語り部である「**シャナキー**」（「**古い伝承の担い手**」という意味）は、千年以上にわたって世代を超えて受け継がれてきた歴史や法や慣習の口承伝統を今も生かしています。ケルトの民間伝承と歴史の大部分は、書き言葉ではなく、物語として口伝えに後継者へと受け渡されてきました。物語はまた、何世紀にもわたって、この島に到着した多くの異なる国籍と文化を結びつけた手段でもあります。

アイルランドの友人や親戚が集団に話をするのを聞いたことがある人なら、この伝統の持つ力や、その重要性に気づくことでしょう。ストーリーテリングには、一時的な娯楽や面白い逸話以上の価値があります。それは人々をつなぎ、共有された過去を（1週間前であれ、数世紀前であれ）家族や友人やコミュニティを結びつけるストーリーへと変えることです。

物語は人と人とを結びつけ、感覚を魅了し、何かを信じる心を生み出します。すべての人、すべての組織、すべての国にはそれぞれの物語があります。自分の物語を掘り下げると、それが世界の中の自分の居場所の中核なのだと気づかされることでしょう。

自分の物語を（アイルランド人の半分でも）雄弁に伝えることが大切なのです。

レイン湖畔にたたずむロス城

Itary

イタリア

気にかける

Care

● 過保護なマンマとファッションセンス

コロッセオとピサの斜塔に続いて、「**過保護な母親**」は、おそらくイタリアで最も有名な国民的シンボルです。イタリアの「マンマ」が、子どもたち（特に息子）を通常の範囲を越えて気にかける、というのは、単なるうわさではありません。

ある調査によると、イタリア人男性の3分の1が毎日母親に会っています。また、両親と同居している30歳以上の成人の数は、イタリアが最も多いそうです。

「ケア（気にかける）」は、イタリアの大切な価値観として、生活のあらゆる面に表れています——服のこだわり、何をいつ食べるか、運転する車まで。イタリアは、外部からは、ときに雑然とした印象を受けるかもしれませんが、実は入念さを大切にします。自分の見た目や他人からの視線、人と出会うときの態度を気にかける。日常生活にある小さいけれど大切なたくさんの慣習をきっちりと守る。そういったことが、重要なのです。

「ケア」は、朝起きたときから始まります。イタリア人には、一番近くにあるTシャツをとりあえず着る、という選択肢はありません。色、生地、アクセサリーの組み合わせを慎重に考えます。

ミラノの中心街にはイタリア発祥の
プラダ本店もある

〈首都〉ローマ	〈言語〉イタリア語、地域によってドイツ語、フランス語等少数言語
〈人口〉6,046万人	
〈面積〉30.1万㎢（日本の約5分の4）	〈GDP〉2兆15億ドル
〈民族〉イタリア人（96%）	〈時差〉マイナス8時間（夏時間あり）

この靴にはこのベルト？　色は？

さすが、イタリア人が**ファッションセンスの良さ**で世界的に有名なだけのことはあります。自分の見た目に一生懸命になるのは、通勤や外出の洋服に限られたことではありません。街角の小さな店にちょっと買い物に行ったり、ゴミを出したりするだけでも、最低限、シンプルなワンピースを着て口紅をつけます。

● イタリア料理は極上の楽しみ、そして喧嘩の火種

同じことは、イタリア文化のもう一つの要である「食べ物と飲み物」にも当てはまります。

ここイタリアは、食文化に誇りをもって当然の国です。だから、段ボール製のカップに入ったコーヒーをすすったり、ポリスチレン製のトレイに載ったテイクアウトの食事をフォークで食べたりしません。食事と水分補給には、たっぷりと時間をかけて、こだわります。

イタリア人は、朝の通勤ラッシュの途中にコーヒーを飲んだりはしません。カフェのバーで陶器に入ったコーヒーを受け取り、立ち飲みします。いつもの習慣を、最大限のクオリティで体験するために、丁寧に時間をかけて楽しむのです。

朝早くからコーヒーショップは
地元民で賑わっている

もちろん、イタリア人は食べる場所と時間だけではなく、何を食べるかについても、こだわります。自分の皿に何が載っているかを気にかけ、季節外れの食材や地元の伝統料理ではないものは出しません。最高のトマトソースや完璧なカルボナーラの作り方についての議論に強くこだわり、話が広がって白熱することもしばしばです。

〈有名企業〉フランスと並んで有名ファッションブランドが生まれた国。主なものにブルガリ、プラダ、グッチ、フェラガモ、アルマーニなど。〈文化〉古代、中世、ルネサンスの文化遺産を多数保有するイタリアは、中国と並んで世界遺産登録数が世界最多の55件にのぼる。（2020年8月時点）〈ことわざ〉「結婚もマカロニも、うまいのは熱いうちだけだ」…情熱的な恋愛観の国らしい、皮肉めいた結婚のことわざ。

私は友人の家に泊まったときに、両親の夫婦喧嘩を目撃しました。あまりにも深刻だったので、離婚もあり得るのでは、と心配してしまったけれど、翌朝になって友人に尋ねたところ、肩をすくめて一蹴されました。両親は、トマトについて議論していただけだったのです。

● 神は細部に宿る

イタリア人は、ビーチでリラックスするときでさえ、「正しい方法」を守ります。ビーチに行くまでの間は、喉を守るために小さなスカーフを巻く。到着すると、靴をサンダルにはきかえる。リクライニングチェアの下には、バッグを掛けるフックがあるので、床に置かなくてすみます。あらゆることが、砂が厄介な場所に入るのを最小限に抑えるように計算されています。細々したすべてのことに、理由があるのです。

イタリア人は、私たちの多くが考えさえしないことや、きちんと考える時間をもたないことを気にかけています。物ごとを「正しい方法」で行い、細部にこだわり、適切に行うために時間と注意を払います。

そんな彼らは、パターン化されたことを考えなしに慌てて行う私たちに、「少しだけ丁寧に行うこと」の利点を教えてくれます。

小さなことを気にかけて、経験を踏まえて確実な方法で行うことで、人生の大きな落とし穴を避けることができます。

郷に入れば郷に従え。ローマにおいては、ローマ人と同じようにすれば、必ずうまく行きます。もう少しだけ、丁寧に手をかけてみませんか。

古代ローマのコロッセオも、よく見ると
細部まで手がかけられていることに気がつく

Nepal

ネパール

耐え抜く力

Endurance

● 世界でも有数の過酷な環境に耐える

ネパールは、世界で最も高い山十座のうち八つが存在するという地形のために、「耐え抜く力」が生活の欠かせない一部になっています。

ネパールの山岳地域に住む**シェルパ族**は、過酷な環境に生物学的に適応していることがわかっています。最近の研究では、シェルパ族と「低地居住者」には遺伝的差異があり、シェルパ族の細胞のほうが効率的なミトコンドリアが多いことがわかりました。そのため酸素供給が低いときの体の緊急エネルギー源である、クレアチンリン酸を生成する能力が大きいのです。

彼らの活動の現場を目の当たりにすると、こうした生物的な機能が重要である理由が明らかになります。ネパールを初めて訪れたとき、私は仲良しの友人メディと、アンナプルナ連峰を一周する「アンナプルナ・サーキット」に挑戦しました。およそ100キロのトレッキングコースで、エベレストのベースキャンプよりも少し高いピークがあります。

アンナプルナ連峰

当時の私たちは若く、元気で、若さゆえに無邪気で

〈首都〉カトマンズ 〈人口〉2,970万人	〈言語〉ネパール語
〈面積〉14.7万㎢（北海道の約1.8倍）	〈GDP〉323億ドル
〈民族〉パルバテ・ヒンドゥー、マガル、タルー、タマン、ネワール等	〈時差〉マイナス3時間15分

した。でも空威張りができたのは、人生最高に寒い夜を経験するまでのこと。凍りつくほどの寒さで、冷気は毛布を何枚かけてもさえぎることができません。仕方がないので、マットレスを7枚重ねた下で寝る羽目になりました。

太陽を背に出発しましたが、やがて吹雪が猛威をふるい、前進が難しくなってきました。1週間後、ついにチョ・オユー山頂まであと少しの地点に到達し、午前4時に出発。歩き始めたときは、天気は悪くなかったのに、夜が明ける午前6時ごろ嵐が始まり、雪が降り始め、ほとんど視界がなくなるほどの悪天候でした。

峠からの帰り、すれ違う人たちに、先に進まないようにと言われました。正午に大きな嵐が来るので、この時点で間に合わなければ、頂を踏むのをあきらめる以外に選択肢はない――私たちは納得しました。やっとのことでここまで近くに来たので、本当は聞きたくない言葉でしたが、嵐が迫るなかでは、アドバイスに従うほかありませんでした。

このときの経験から、私はシェルパ族を深く尊敬するようになりました。常にこんな条件下で生活と仕事をするという、底知れぬ耐え抜く力。そして、何ごとにも限界があることを受け入れる覚悟。ある地点より先は、挑戦し前進することが、勇気ではなく危険であると認めること。

耐え抜く力とは、ときには、前に進むのが不可能だと受け入れることを意味します。引き返して別の日に戦うために生きるのです。

● 最強の兵士、グルカ兵

耐え抜く力を教えてくれるのは、シェルパ族だけではありません。山岳民族から構成される**戦闘集団「グルカ兵」**もまた、顕著な例です。

1814 ～ 1816年のイギリス・ネパール戦争（グルカ戦争）で、イギリス人はその強さを目の当たりにしました。結果としてイギリスは勝利したものの、グルカ兵の印象があまりにも強く、イギリスは平和条約の一部として

〈文化〉ネパール南部の小さな村ルンビニは、釈迦の生誕地として仏教の聖地の一つになっている。〈自然〉世界最高峰のエベレストには世界各地から登山者が訪れる。なお最高齢での登頂者は男性が三浦雄一郎氏（80歳登頂）、女性が渡辺玉枝氏（73歳登頂）でともに日本人である。〈生活〉ダルバート…豆スープ（ダル）、ライス（バート）、おかず、漬物で構成される定食のような料理で、ネパールの代表的な料理。

グルカ兵を雇用することを希望しました。その取り決めは、以後2世紀以上にわたって続いています。

元英国のグルカ将校であるジョニー・フェンは、年に一度の100マイルの訓練演習で、英国人が12時間から13時間かかるところ、グルカ兵は8.5時間で走破すると書いています。そもそもグルカ兵を希望するネパールの若者は、難しい選抜試験を勝ち抜く必要があります。2万人以上の希望者の中から、選ばれるのは、毎年わずか200人です。25 kgの岩を編みかごを背負って5kmの上り坂を完走する「ドコレース」という試験もあります。

● ネパール人たちは耐え続ける

耐え抜く力を発揮している例は、他にもあります。ネパール人サイクリストであるビレシュ・ダハールは、平和を訴えるために14年間72か国を自転車で後ろ向きに走るという活動を続けています。

2008年にエベレストを史上最高齢で踏破したミン・バハドゥール・シェルチャンは、9年後に85歳で称号を取り戻そうとして亡くなりました。

すべてのネパール人は、**世界で最も貧しい国**の一つで生き残るために、耐え抜く力を示さなければなりません。人口の15%が1日2ドル未満で生活しています。

ネパールはまた、大規模な自然災害にもたびたび耐えています。2015年の地震では約9000人が死亡し、数十万人が家を失い、人口全体の3分の1にあたる推定800万人が被災しました。被害が甚大だったため、年間200億ポンドのGDPの最大50%の費用がかかると推定されています。

経済から環境まで、困難な課題に直面しながら耐えているネパールは、瞬時に満足感が得られる時代を生きる私たちに、長期にわたってこらえ続けることの価値を教えてくれます。

誰の人生においても、耐え抜く力は重要です。**自分の限界を知り、頑張ってそれを乗り越え、最高に甘い成功の味を知る——成功を得るためには、もがき苦しむことが必要なのです。**

Nicaragua

ニカラグア

詩

Poetry

● 詩が作り上げた国

一部の国では、芸術家や建築家やアスリートが、国の文化の象徴や担い手になっています。地理や政治思想、宗教文化によって定義される国もあります。**そんななか、ニカラグアは唯一、「詩」を通して生き、呼吸し、アイデンティティを表現する国と言えるでしょう。**

この国では、人口一人あたりの詩人の数が、世界のどこよりも多いのをご存知でしょうか。ニカラグアで最も有名で尊敬されているルベン・ダリオは詩人でした。ダニエル・オルテガ現大統領は若い頃は詩人として活躍し、ロサリオ・ムリーリョ副大統領もそうです（二人は夫婦です）。

毎年、ニカラグアの首都ではグラナダ国際ポエトリー・フェスティバルが開催され、50か国以上から詩人が集結します。

国民的詩人、ルベン・ダリオの切手

詩人が国の歴史を物語る国はありますが、ニカラグアでは、詩が積極的に国を形づくってきました。つまり激動を続ける政治史のなかに、詩人が関わってきたのです。

ニカラグアの詩は、革命の武器であり、社会変化の触媒であり、国民的アイデンティティの指標です。詩は、不公正に抗議する手段であり、人々の苦難の記録であり、願望と夢をたたえた器なのです。

〈首都〉マナグア 〈人口〉647万人
〈面積〉13万㎢（北海道と九州を合わせた広さ）
〈民族〉混血70%、ヨーロッパ系17%、アフリカ系9%、先住民4%
〈言語〉スペイン語
〈GDP〉131.2億ドル
〈時差〉マイナス15時間

● 革命の渦中の詩人たち

最近のニカラグアの歴史に大きく刻まれているのが、**サンディニスタ革命**です。革命は1979年にソモサ王朝の独裁政権を覆し、1980年代に入ると、アメリカが支援する反革命勢力「コントラ」との血なまぐさい争いが続きました。

サンディニスタ民族解放戦線は1990年に敗北し、2006年に政権に復帰しましたが、革命で闘った相手と同じ権威主義と腐敗におちいり、非難が集まっています。

こういった政治的戦いの中心に、詩人がいました。最初のサンディニスタの指導者の一人であるセルジオ・ラミレス・メルカドは詩人であり、政治指導者になることには消極的でした。1987年に副大統領に就任したとき、

「**私は必要に迫られて政治家になりました。むしろ、作家のままでいたい**」

と、〈ニューヨークタイムズ〉紙に語っています。

サンディニスタの上層部にいた詩人は、メルカドだけではありません。ソモサの独裁政権に反対する著述で有名になったカトリック神父のエルネスト・カルデナルは、サンディニスタの文化大臣を長年務めましたが、後に、革命を裏切ったとして党を非難しました。

革命の犠牲者になった詩人の一人が、20歳で殺されたレオネル・ルガマです。彼を包囲して降伏を要求した国家警備隊の兵士への最後の訴えである「Que se rinda tu madre（あなたの母親を降伏させなさい）」という言葉が有名です。

革命の中心になったのが詩人なら、革命を厳しく批判したのも詩人でした。著名な詩人パブロ・アントニオ・クアドラは、サンディニスタが政治目的のためにニカラグアの誇り高い詩と芸術の文化を破壊し、表現の自由を

〈有名人〉ローマン・ゴンザレス（プロボクサー/ニカラグア初の世界4階級制覇）〈都市〉レオン…西部に位置するニカラグア第2の都市で、独立時は首都であった。旧市街の遺跡群、レオン大聖堂が世界遺産に指定されていて、観光地としても人気がある。〈自然〉ニカラグア湖は淡水湖で世界10番目の広さの湖。淡水でも生きられるオオメジロザメが生息していることでも有名である。

損なっているとして、抗議を指導しました。彼は1984年に、芸術に対するサンディニスタの政策は「スターリン主義」に相当すると書いています。

● ニカラグアに、詩のもつ力を見よ

20世紀の大部分を革命と共に過ごした国では、詩人が、ニカラグアの民衆の抗議を先導し続けています。これが、ニカラグアで最も著名な作家であり**国民的英雄であるルベン・ダリオ**の影響であることに異論を唱える人はいないでしょう。

世界遺産にも指定されているレオン大聖堂

ダリオは、自国の教養文化と文学を形作っただけではなく、20世紀のスペイン語そのものを変えたとまで評価されています。彼の名前を冠した道路や学校、広場、博物館が国のいたるところに見られます。また、ニカラグアの第二の都市である彼の生まれ故郷のレオンには、わずか20万人の人口のうち100人を超えるプロの詩人がいます。

詩はニカラグアという国を地図に載せ、繰り返される政治と社会の混乱のなかで国を誘導してきました。この国の歴史は「書かれた言葉」が持つ力の証です。

詩は、周りで起こっていることを整理し、理不尽な出来事を理解するのに役立ちます。民衆に声を与え、それを外に出して表現する力をもたらすのです。**詩人は苦しみを伝え、経験を記録し、希望を表現する——それらはすべて、人間らしい営みなのです。**

Paraguay

パラグアイ

リラックス

Relaxation

● 陸に囲まれた島はリラクゼーションの本拠地

南アメリカから遠く離れたロンドン・ビジネススクールの一室で、キャリアアドバイザーが、私にこんな提案をしました。

「**あなたに必要なことが、なんだかわかりますか？　ただ座って、何もしないことです**」

当時の私にはそのアドバイスがぴんとこなかったのですが、数年後、パラグアイを訪ねたときに腑に落ちました。この国は、まさしくリラクゼーションの本拠地です。

ブラジルとアルゼンチンという巨大な隣国に囲まれたパラグアイは、「**四方を陸に囲まれた島**」と表現されますが、ブラジルの都市のような騒々しい、にぎやかな生活とは正反対です。

首都アスンシオンの住民は、街を競馬場のように扱いません。A地点からB地点にできるだけ早く駆けつけるのではなく、立ち止まって笑顔で話しかけます——初対面の人にでも。

ある旅行ライターは、こう振り返っています。

「地元の人が一番好きな娯楽は、道端に立って、通りをぶらぶら歩きしている友人に手を振ることのようだ」

● パラグアイ式人づきあい指南

人づきあいに関しても、パラグアイの人はリラックスしたアプローチを取ります。直前に電話をかけ、ちょっとそこで飲みましょう、と誘いま

〈首都〉アスンシオン　〈人口〉704万人
〈面積〉40.7万㎢（日本の約1.1倍）
〈民族〉混血（95%）、先住民（2%）、欧州系（2%）、その他（1%）
〈言語〉スペイン語、グアラニー語（ともに公用語）
〈GDP〉381億ドル
〈時差〉マイナス13時間

す。誘われた人は、事前に通知がなかったことにも怒らず、「はい」と返事。

国民的飲料といえるマテ茶

そのあとの午後は、何もしないで、座って**「テレレ」（冷たいマテ茶）**を楽しむだけです。私は、何もしないでこんなに快適に過ごせる場所を他に訪ねたことがありません。座っておしゃべりして、世の中を観察して、他の人との交流を楽しむ。ここでは、未体験の境地にまでリラックスできます――素晴らしい気分です。

今この瞬間を生きる才能は、現地のグアラニー語に**「明日」という言葉がないこと**にも反映されています（「夜明けが来たら」という意味のkoeraという単語しかありません）。パラグアイ人にとって、重要なのは、将来起こるかもしれないことではなく、すぐ目の前にあることなのです。

のんびりした文化は学校から始まります。子どもたちは就学すると、17歳まで同じ学校に通うので、幼い頃から共に育ち、一生楽しく関わり合う人間関係が得られます。

同じことが家族生活にも当てはまります。必ず週に一度、日曜日に集まって、兄弟、いとこ、叔母、叔父、義理の家族に至る100人以上の家族全員が年長者の家（一般的には祖父母）で、バーベキューをしながら午後を一緒に過ごすのです。世界の地域によっては、これほど多くの家族が集まるのは結婚式ぐらいですが、パラグアイでは毎週のことで、リラックスした日常の延長にすぎないのです。

おおらかな態度は、国の運営の一部にも表れています。パラグアイは市民権の取得に寛容で、一部の国とは違い、パラグアイ人になりたい人の経歴や出身国を厳しく制限しません。**世界で最も簡単に市民権とセカンドパ**

〈文化〉南米の先住民であるグアラニー族の言語グアラニー語を公用語としているのはパラグアイだけである。〈生活〉マテ茶…グアラニー族の習慣に起源をもつお茶で、今も日常的に飲まれている。ミネラルやポリフェノールが豊富で、日本でも商品化されている。〈自然〉パンタナール…パラグアイ・ボリビア・ブラジルにまたがる世界最大の湿原。日本の本州とほぼ同じくらいの面積（15～20万㎢）の広さをほこる。

スポートが取得できる国の一つとして知られていて、3年で、しかもこの国だけに継続して住んでいなくても認められます。

● 厳しい現実があるからこそ、身近なことに目を向けて

パラグアイがこのようにリラックスできるのは、少なくとも国としては、それをまかなう余裕があるからです。天然資源が豊富なうえ、世界最大規模のイタイプダムによる水力発電が国の電力の99%を占めています。実はパラグアイは**世界第4位の電力輸出国**です。

すべてのパラグアイ人が近年の経済成長の恩恵を受けているわけではありません。人口の約30%が貧困層で、とりわけ農村部に多く見られます。

また、この国の近代史には、リラックスとは程遠い不穏な出来事が続いていました。三国同盟戦争では、ブラジル、ウルグアイ、アルゼンチンの前に陥落し、南米史上最も多くの命が奪われました。1870年の終戦時までに、全人口の60%を失い、労働年齢の男性の90%が死亡しました。

また、35年にわたるアルフレド・ストロエスネルの軍事独裁政権下で広範囲におよぶ弾圧が行われ、推定400人が殺害され、1万9000人以上が拷問を受けました。この国は義務投票制を採用しているわずか22か国の一つですが、国民の多くは、政治システムを変える力がないと感じています。「コロラド党」が、1989年のストロエスネルの退任以来、一人を除いてすべての大統領を輩出してきました。

だからこそ、パラグアイ人は、身近なものを大切にし、生活の中心である家族と友人という単位を重要視しているのです。

テクノロジーの発達によって仕事の切れ目がなくなり、スマートフォンからとめどなく情報ややりとりが流れ込んできます。スイッチを切ってリラックスするのに苦労する世の中です。

一歩下がって有意義にリラックスする能力があれば、魂に栄養を与えてくれる物ごとに――何よりも「人」に――感謝する余裕が生まれます。リラックスというと「何もしない」ように感じるかもしれませんが、私のキャリアアドバイザーが伝えようとしていたように、本当は、そこにこそ生きている意味があるのです。

Poland

ポーランド

気概

Irrepressibility

●「ポーランドは滅びない」

ポーランドは、近代史の123年間にわたって、公式には存在しなかった誇り高い国です。1795年のポーランド分割から1918年の第一次世界大戦の終わりまで、ポーランドという名前は**ヨーロッパの地図上になく**、その国土はプロイセン、ロシア、オーストリア帝国によって3つに分割されて支配されていました。

ポーランドの生んだ世界的音楽家・
ショパンの記念碑

でも、ポーランドのアイデンティティと文化と言語（3つの地域のほとんどで公式に禁止されていました）は生き続けており、共産主義の崩壊後、独立国家のなかで新たな成長を見せています。

ポーランドが持つ「気概」の精神は、国民的な特徴というだけではなく、国家を維持するうえで基礎となる要素であり、国の文化のなかで生き続けるための力になっています。「**私は落ち着いていられません。ポーランド人ですから**」と書かれたポスターを、この国に滞在していたときに、よく見かけました。

ポーランドの国民性を求める闘いと、文化とアイデンティティを維持しようとする精神が、国歌の最初の一行に記されています。

「**ポーランドは滅びない。私たちがまだ生きている限りは**」

〈首都〉ワルシャワ	〈言語〉ポーランド語
〈人口〉3,839万人	〈GDP〉4,965億ユーロ
〈面積〉32.2万㎢（日本の約5分の4）	〈時差〉マイナス8時間（夏時間あり）
〈民族〉ポーランド人（97%）	

これ以上明確なメッセージはないでしょう。国民が生きている限りは、世界のどこにいても、どの国の司法権の下にあっても、ポーランドは生き続ける。それが、この歌詞に描かれた国家の物語です。

● ポーランドと抵抗の近現代史

第二次世界大戦中には、果敢な抵抗が激しくなりました。ポーランドのアルミア・クラヨーヴァ（国内軍）は、ナチス占領下の**ヨーロッパで最大のレジスタンス組織**であり、破壊工作作戦で大きな成功を収めると同時に、数万人に上る犠牲者を出しました。

有名なアウシュヴィッツ強制収容所は
ナチスがポーランドに設立した

ポーランドの首都は、1943年のワルシャワ・ゲットーのユダヤ人による最後の抵抗の戦いから、翌年夏のアルミア・クラヨーヴァ率いるワルシャワ蜂起まで、戦争中のやむにやまれぬ抵抗の舞台となりました。

後に、ポーランドの抑圧に負けない気質が、ソビエト連邦全体の崩壊に中心的な役割を果たしました。1989年のベルリンの壁の崩壊につながる重要な足がかりとなったのが、ソビエト連邦下の初の独立自主管理労働組合である「**連帯**」の設立です。

1980年8月、運動の指導者レフ・ヴァウェンサ（レフ・ワレサ）は、秘密警察による逮捕を逃れて、グダニスクのレーニン造船所で、1万7000人の労働者をストライキに導きました。まもなく全国の工場がストライキに加わり、2か月後には、労働組合権の付与を含む譲歩を勝ち取ったのです。

ヴァウェンサのその後のキャリアは、ポーランド国民の精神の象徴と

〈有名人〉ロベルト・レヴァンドフスキ（サッカー選手）〈日本〉日露戦争でのポーランド捕虜への厚遇、ロシア革命でのポーランド孤児への支援などを経て、伝統的な親日国として有名である。1994年には「日本美術・技術センター」が設立された。また多くの大学に日本語学科がある。〈都市〉クラクフ…17世紀初頭の遷都以前は首都でもあった歴史ある都市。旧市街の建造物は世界初の世界遺産の一つである。

も言えます。彼は1982年に逮捕・投獄され、翌年にノーベル平和賞を受賞し、1990年には新たに独立したポーランドの初代大統領に選出されました。

● 心を一つに、気概は続く

ヴァウェンサと「連帯」運動のほかにも、ポーランドは共産主義を崩壊へと導くきっかけをつくっています。大きな役割を果たしたのが、かつてクラクフの大司教であった**ポーランド人初のローマ教皇ヨハネ・パウロ2世**です。

ヨハネ・パウロ2世
（在位1978～2005年）

彼が1979年に祖国を訪問したことが、ソビエトの支配に対する民衆の抵抗心を一つにしました。また、カトリック教会は、長年の分割の間に国家のアイデンティティと文化を存続させる助けとなったのです。

ポーランドの歴史が教えてくれるのは、重要なことを生かし続けるのは、受動的な行為ではないということ。維持するためには、しばしば抵抗が必要です。破壊を求める人や、利益のために手中に収めようとする人に抗うのです。

ポーランド人の抑圧に負けない精神とは、「ノー」と言われてもあきらめず、失敗の道を選ばず、悪化する恐れがあっても、闘い続けること。**大切にするものを守り、伝統や遺産を保護するためには、守りたいものに対する気概の信念が必要なのです。**

クラクフの聖マリア教会

Part 2 ポーランド

Switzerland

スイス

精度

Precision

● スイス人たるもの時間は必ず守りましょう

正確な時を刻む
チューリッヒ中央駅の時計

スイスといえば、高品質の時計の代名詞ですが、スイス人が実際に時計をどのように使っているかを見れば、正確さを重要視する国民性がよくわかります。

鉄道の駅のホームに立ってみてください。電車が予定より20～30秒遅れただけで、大勢の人が腕時計を目の高さまで持ち上げて、いらいらとにらみつけることでしょう。他の国では肩をすくめられるだけですむことが、スイスではクビにされてしまう可能性があります。

それほどまでに**時間厳守が重要**なのです。ビジネス会議、社会行事、公開イベントなど、あらゆるものが、時間厳守。1分遅れは、大遅刻です。スイスの文化では、あらゆることが、必ず定刻通りに行われることが要求されます。

● あちらこちらに見える正確さの証明

時間の計測に細かいことは、「あらゆるものに正確さを」という国家的な強迫観念の一面にすぎません。たとえば、市民菜園の区画を持っている場合は、定期的な検査が入り、すべてが適切に手入れされ、垣根がほどよい高さに整えられているかがチェックされます。そして基準に達しない場

〈首都〉ベルン
〈人口〉854万人
〈面積〉4.1万㎢（九州と同じくらい）
〈民族〉主としてゲルマン民族、外国人は約25%
〈言語〉ドイツ語（62.6%）、フランス語（22.9%）、イタリア語（8.2%）、ロマンシュ語（0.5%）
〈GDP〉7,154億ドル
〈時差〉マイナス8時間（夏時間あり）

合は、変更するための指示書が発行されるのです。

鉄道会社は、時間厳守のサービスだけでは満足しません。運転士(もう一つのスイス名物であるチョコレートを食べてやる気を出しているかもしれません)は、常にドアが同じ位置に来るように列車を停めます。そうすることで、乗客は待っているべき位置がわかるので、混雑が緩和されるのです。

正確さを追求する精神は、人間の従業員の話にとどまりません。線路に隣接した草が茂りすぎるのを防ぐために、芝刈り機では届きにくい区画の処理には、選ばれた品種のスイス羊が活躍しています。

どんな堤防であっても、細かさにこだわるスイスでは、厳密に計測した結果として立ち入れるほどの高さに設計されています。飛行機でスイスに着陸するときには、区画がきちんと整えられた対称形の飛行場が目に入ることでしょう。

ルガノ湖の堤防の上でくつろぐ人々

● 正確さは世界に誇る成果をもたらす

「精度」は、スイス生まれの偉人たちの特徴にも見られます。たとえば**アルベルト・アインシュタイン**は、自然界のあらゆる仕組みを説明できる「万物の理論」をまとめあげたいというあくなき欲望を持っていました。

テニス界のスーパースター、**ロジャー・フェデラー**は、優雅で正確なプレーで広く知られています。フェデラーが戦ってきた選手の多くは、彼よりも速いスピードで、遠くまで走り、ボールを強打できました。でも、彼ほどまでにボールを望みどおりの場所に正確に打ち込むことはできませんでした。フェデラーは、緻密なゲーム運びによって、史上最高の男性テニスプレーヤーの座にのぼりつめたのです。

〈有名企業〉ロレックス、タグ・ホイヤー、ウブロ、スウォッチなどの時計メーカーが有名である。他にもチューリッヒ保険(保険)、ネスレ(食品・飲料メーカー)などよく日本でも知られた企業が多数ある。〈都市〉マイエンフェルト…『アルプスの少女ハイジ』の舞台となった村。ハイジの家や暮らしを再現した観光名所もある。〈自然〉マッターホルン…標高4478mのアルプスで最も有名な山で、スイスの象徴。

ダボス会議（世界経済フォーラム）で世界的に有名なダボスという村もまた、スイスという国の精度の高さの証と言えます。のんびりしたスキーリゾートの村が、毎年、大勢の企業や政治のエリート達を、細心の注意を払って迎え入れることなど、他の国にできるでしょうか。雪の中でこれを実現するためには、並はずれたインフラとセキュリティが必要であり、スイスの緻密さのおかげで毎年の開催が可能になっているのです。

精度の高さを、細部へのいきすぎた執着だと感じる人もいるかもしれません。でもスイスは概して、経済的・地政学的な衝撃から身を守るのが得意であり、資源の乏しい国にしては繁栄した経済を享受しています。これは、あらゆることの正確さにこだわったからこそ得られた結果なのです。

細部をきちんと整えることが重要なのは、そうすることで信頼が築け、国民が誇りに思える文化を育むことができ、最終的に成果が得られるからです。治安の良い国、機能する政治・教育システム、中立国という政策を通じて近隣国の紛争とその被害を免れる国家は、精度を追求した賜物なのです。

小さなことを正確に把握すれば、より重要なものごとに取り組むことができます。そのような、良い習慣を身に着ければ、たいていの場合は、成功につながるものなのです。

ツェルマットよりながめるスイスの象徴、マッターホルン

Uganda
ウガンダ

継承

Heritage

● 取材で出会った一人の少年の話

「**一人で行くべきではないわ。あなたの心には重すぎるから**」

私は、二本のガジュマルの木陰で女性たちにインタビューをしていました。HIV・エイズに感染したウガンダの女性の物語を記録する「メモリープロジェクト」の取材です。女性たちが、私をある情報源のところに連れて行ってくれることになりました。

一緒に歩いていくと、ある家の門の前に到着しました。10代の少年がラバーブのような弦楽器を持ってポーチに座り、女性たちが少年の身の上を教えてくれる間、演奏を続けていました。

彼は孤児で、家族全員が死んでいくのを見てきました。父親は――妻と自分がエイズにかかった可能性を強く否定し――自分と家族の手首を切り、血を分け合って、感染しているはずがないことを証明しようとしたのですが、母親は発病して死亡し、その後、妹と2人の兄弟と父親も亡くなったのです。今少年は、五度の葬式で演奏したのと同じ曲を弾きながら、自分の運命を待っており、自分の番が来るまで弾き続けるのだそうです。

この少年は、ウガンダにいる**200万人の孤児**の一人です。その43%はエイズによって両親を亡くした子どもで、家族や受け継ぐべき財産を失っただけではなく、家族のエイズ感染という偏見と差別に直面しています。

「メモリープロジェクト」の際に
著者が撮影した写真

〈首都〉カンパラ	〈言語〉英語、スワヒリ語、ルガンダ語
〈人口〉4,272万人	〈GDP〉274.6億ドル
〈面積〉24.1万㎢（ほぼ本州大）	〈時差〉マイナス6時間
〈民族〉バガンダ族、ランゴ族、アチョリ族等	

● 「メモリープロジェクト」とは

若い年齢で親を失う痛手は、さまざまな理由であまりにも大きいと言えます。そして、ウガンダでは、さらにもう一つ、家族の歴史と遺産——この国の国民文化の要———を失うという痛みが加わります。

この国では、子どもは生まれる前に周知され、土地や家族、使う言語や部族によってアイデンティティが形作られます。だから、**両親の記憶がほとんど（まったく）ない子どもたち**は、きわめて重要な相続を受けることができないのです。

「メモリープロジェクト」は、この問題に対処するために立ち上げられました。次の世代へと正確な書面の情報を提供することで、子どもたちに、両親の人物像やその文化背景、遺産について、しっかりと理解してもらうのです。親と子の両方と協力して、家系図、資産、家族の歴史を記録した「メモリーブック」を作成し、子どもが質問できる親がいなくなったときに、答えが得られるように準備をします。

水を汲みに行く子供たち

このプロジェクトは、親の死とその後の心の傷に備えることで、家族を支援します。受け継ぐものがきわめて重要な国で成功するためのアイデンティティを、子どもたちに身につけさせるという目的もあります。

● あなたがどこから来たかが重要なのです

ウガンダ人は、あなたがどこから来たのか、どの部族なのか、家族が誰なのかを、常に知りたがります。そういった情報から、人となりを理解するのです。ウガンダでこういった情報がないことは、パスポートなしで海

〈歴史〉イギリスの植民地時代、ウィンストン・チャーチルはウガンダの美しい自然を「アフリカの真珠」と評した。〈自然〉ブウィンディ原生国立公園…絶滅の危機に瀕するマウンテンゴリラの生息地として知られる国立公園。コンゴ民主共和国との国境近くにあり、世界遺産に指定されている。〈生活〉アフリカ随一、世界でもトップクラスのアルコール消費量の国。ビールやバナナから作られるお酒が楽しまれている。

外旅行をしようとするようなものです。

「どこから来たかは関係ありません。あなたが行く先が重要なのです」

そんな言い回しを聞いたことがあるかもしれませんが、ウガンダ人は熱心にその正反対を信じています。

泥で作った家と
広場で語り合う人々

「人」としてのあなたのすべてに、出生地や親のことが含まれています。名前もそうです。西部のウガンダの部族では、両親が与える名前だけでなく、コミュニティの全員に与えられる「**エンパアコ名**」という親称名を持ち、これが生涯にわたっての遺産と忠誠の象徴となります。

そして、命名式の一環として、新しい生命と土地や部族とのつながりを象徴する木が植えられます。

ウガンダの特徴は継承を重要視することですが、人の出自や経歴を知ることの大切さは、万国共通です。両親、祖父母、祖先が何をした人で、どんな人間だったかを知らずに自分を理解することはできません。

誰にとっても、自分自身の真実を発見することは生涯にわたる課題です。そして、自分が受け継いできたことをしっかり理解しないままでは、何かが欠けてしまうのです。

インターネットのアーカイブの助けもあって、家族の歴史への関心は、近年急上昇しています。家系の研究は、アメリカでガーデニングに次いで2番目に人気のある趣味なのだそうです。現代では、手段が増えたので、自分の歴史や祖先についての手がかりが見つけやすくなりました。

アクセスしやすいおかげで、受け継いできたものがこれまで以上に大切に感じられます。人は、ルーツに近づくほど根が張って、高いところまで行けるのかもしれません。

Uzbekistan

ウズベキスタン

エチケット

Etiquette

● パンを敬うことが、国を敬うこと

2300年以上の歴史を持つ**世界最古の文明をくむ国**であるウズベキスタンが、エチケットを重視しているのは、意外ではないことです。日常の交流からおもてなし、子育てに至るまで、ウズベキスタンの生活のほとんどには、慎重に長い時間をかけて準備された、心のこもった動作や行動がついてまわります。

その一例が、ウズベキスタンの国民食であるパン「**ノン(non)**」を取り巻く数々の伝統です。「ノン」は窯で焼き上げた黄金色の平らなパンで、分けるときはナイフで切らずに、必ず手を使ってちぎります。

市場に並ぶノン

「ノン」は食べ物以上の存在です。健やかな成長を願って、新生児の頭の下に敷いたり、歩く練習をしている幼児の足の間にはさんだりします。ウズベキスタンの子どもは、留学や兵役などで家を出るときに、両親から「ノン」を一口かじるように言われ、残りは子どもの安全な帰りを願って保存されます。私のウズベキスタンの友人の家族は、弟が軍隊に入るときに似たような儀式を行っていました。パンの半分は彼が持っていき、残りの半分は両親が保管して、離れ離れになった家族の再会を願うのです。

〈首都〉タシケント〈人口〉3,350万人
〈面積〉44.7万㎢(日本の約1.2倍)
〈民族〉ウズベク系(83.8%)、タジク系(4.8%)、カザフ系(2.5%)、ロシア系(2.3%)
〈言語〉ウズベク語(国家語)、ロシア語
〈GDP〉579.2億ドル
〈時差〉マイナス4時間

この種のエチケットは、形式的に存在するのではありません。食事に感謝し、その背景——パンという食べ物だけではなく、焼いた人（製作者は自分の焼き印を持っている）や場所、パンを通じて伝えたい気持ち——を大切にするためにあります。

エチケットは、伝統、家族、文化、お年寄りを敬う方法なのです。

「**ノンを敬うことは、国を敬うこと**」

これはウズベキスタンのことわざです。一見、素朴な平らなパンですが、これにまつわるエチケットを守りなさいということです。

● ウズベキスタンでの食事エチケット講座

エチケットを大切にする価値観は、食べ物を分けたり、おもてなしをしたりする方法にも表れています。食事は、片手間ですばやく準備して口に入れるものではありません。いくつかの段階がある行事として、長年培われてきた慣習にしたがって行われます。

最初はお茶です。カルダモンとシナモンが入ったお茶が、客が到着するとすぐにふるまわれます。

次に、一番上の棚から出てくるトレイは、4つに仕切られていて、ナッツ、レーズン、乾燥アプリコット、お菓子が入っています。

お茶で温まり、甘味を食べて食欲が刺激されたところに、さらに客が到着すると、部屋の全員が立ち上がって挨拶をかわします。

全員がそろい、オードブルをほどよく楽しんだところで、正式な食事が始まります。ダスタルカンという民族調の布が床に丁寧に広げられ、全員が座ります。座る位置には細心の注意が払われ、足の裏はもちろん膝も、布に触れないようにし、足先は隠して他の人に向けないようにします。みんなが食事をとる場所は、清潔に美しく保たれているので、自然と客同士やホスト、空間に対する深い思いやりの心が生まれます。

パンが出てくると、ホストがちぎって、客に順番にまわしていきます。

〈都市〉サマルカンド…「青の都」と称えられる都市。中国の陶磁器とペルシアの顔料が出会って生まれた青色のタイルが建造物を彩っている。〈文化〉クラッシュ…国技になっている格闘技。柔道のように、投げ技で相手の背中を地につけたら勝ち。〈生活〉プロフ…肉や野菜、豆やレーズンなどの具とスパイスの入った中央アジア風のピラフで、地域ごとに特色がある。結婚式やパーティーなどに欠かせない伝統料理。

料理は、熱いうちに食べられるように一種類ずつ出てきます。料理の皿は、隣の人の分を取り分けてから、自分の分を取ります。自分に一番近い皿から料理を取り、他の皿は次の人のために残しておきます。すべての人に料理が行きわたったら、食べる前に短いお祈りを捧げます。

客の一人だった私が感銘を受けたのは、全員が、共有された環境のなかで自分のふるまいに注意深く気配りしていたことでした。

悪いテーブルマナーというものは、ここには存在しません。ウズベキスタン人は幼い頃から、周囲を観察したり、大人に注意されたりすることで、行儀よくふるまうことを訓練されているのです。

● 礼儀作法に込められた意味

そしてもちろん、食事以外にもさまざまなエチケットがあります。たとえば「挨拶」(相手との親しさ、男性か女性か、年長者かどうかで異なる)、おもてなしの方法、さらには馬に二人で乗る方法にまで(先輩が前に座る)。

この国では、エチケットの儀式は、目の前の関係を大切にし、敬意を適切に伝えることの表れなのです。一連のしきたりが、義務という認識ではなく、積極的に受け入れられ楽しまれています。

ほとんどの人は、エチケットを意識する場面に遭遇したことがあることでしょう。でも、マナー違反のチェックリストに印をつける前に、少し手を止めて考えてみましょう。

この動作をする理由は？　このしきたりの背景は？

そもそもエチケットは本当に重要なのか？

考えてみる価値はあります。**表面に見える小さなことを精査すると、そういったことが果たす重要な役割——コミュニケーションを促進する、敬意を伝える、周囲と調和できる、など——が理解できるようになるからです**。エチケットを守ることは、行儀が良いことよりもはるかに大切です。

エチケットを守ることは、人々と強い関係を持つために欠かせません。それは、相手の価値観を理解し、共感と尊敬を示すことなのです。

Vietnam

ベトナム

復元力

Resilience

● 表に現れていない戦争の傷跡

ベトナムの本当の物語を知りたいなら、山や洞窟、水田、寺院、戦争記念館を訪ねるかわりに、政府や教会が運営する孤児院に行ってみてください。公式には40年以上前に終結した戦争が遺したものが、今もなお健在で、さらに「**生まれ続けている**」さまを、目の当たりにすることができるでしょう。

ベッドに座ったり横になったりしている子どもたちの多くは、先天性障害（手足の欠損、頭の腫れ、背骨の奇形など）に苦しんでいます。生まれる前に起こった出来事によって、人生が取返しのつかない方向に設定されてしまったのです。

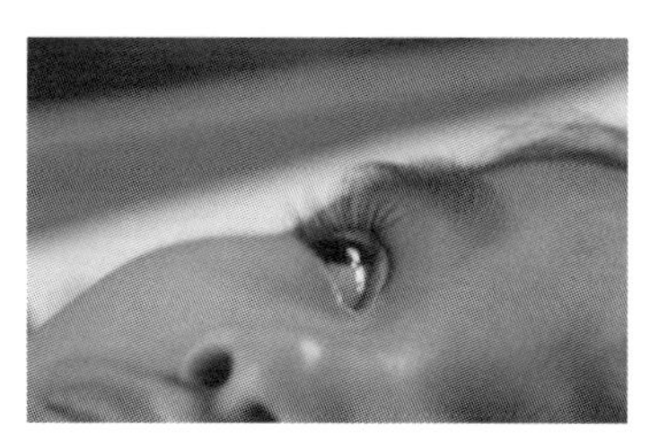

ホーチミン郊外の孤児院で出会った少女

こういった孤児院が学校とほぼ同じ数あり、観光客に他の場所を見てもらいたい政府によって、目につかないところに隠されています。こういった場所を訪れると、20世紀後半に最も残酷な戦争の一つを経験し、世界最大級の経済力と軍事力をもってしても屈従させることができなかったベトナムが、真の意味での「復元力」を持っている国だということが、理解できるでしょう。

「**抗米救国戦争**」（ベトナム戦争）の遺産は、筆舌つくしがたいほど悲痛で、広範囲に及んでいます。北ベトナムと南ベトナムの全域で、民間人と軍人を合わせて300万人を超えるベトナム人が死亡したと推定されています

〈首都〉ハノイ	〈言語〉ベトナム語
〈人口〉9,762万人	〈GDP〉3,406億ドル
〈面積〉32.9万㎢（日本の約5分の4）	〈時差〉マイナス2時間
〈民族〉キン族（越人/86%）、他に53の少数民族	

（心に留めておいてほしいのは、アメリカの前にフランスの侵略があったこと、そしてベトナムが両方を敗北させた後、今度は中国にも同様に抵抗したことです）。

農薬を散布する戦時中の飛行機

苦しみは1975年の戦争の終結では終わりませんでした。紛争のさなかに、農業用の枯葉剤がベトナムの国土およそ450万エーカーに散布されました。目的は森林を枯死させ、ベトコン（南ベトナム解放民族戦線）の活動地域の農作物を破壊することでしたが、この枯葉剤が、人と環境の両方に壊滅的な影響を与えました。

ある推定によると、米国が1971年に枯葉剤の使用を停止してから約50年が経っても、400万を超える人々が後遺症を抱えて生活していると言われています。作物と給水の汚染は、小児白血病など一部のがんの高発生率との関連がわかっていて、出生時の障害も引き起こしています——被害者は第二、第三世代にもわたり、その多くは孤児院に住んでいるのです。

戦争中に残された地雷は、その後の数十年で推定4万人の死者を出しました。**この国ほどの回復力がなければ、戦争中に生じた甚大な数の生命の損失と被害、そして今も人々に影響を与え続けている負の遺産によって、ずたずたに壊れていたかもしれません。**

● 復元を超えた発展を目指して

でも、ベトナムは戦争から驚異的な回復を見せ、国家と国民の立ち直る力の強さを証明しました。戦争直後は、人口の推定70％が貧困状態にありましたが、現在は10％を下回っています。

市場経済の到来が待たれるなか（1990年代には1家族の肉の配給量は1か月

〈文化〉アオザイ…チャイナドレスを起源とする民族衣装で、ベトナムでは正装として着用される。女性用だけでなく男性用もある。〈生活〉米食文化であり、フォーや生春巻きといった米粉を使った料理が有名。またヌクマムという魚醤が使われる。〈自然〉ソンドン洞…フォンニャ・ケバン国立公園にある世界最大の洞窟。地元民が発見したのが1991年、本格的に調査されたのが2009年と、近年まで未開の地であった。

わずか200gでした)、この20年で、ベトナムはWTOの正式加盟国となり、経済を自由化し、大きな恩恵が得られるようになりました。

2017年、ベトナムはGDP成長率6.7%と、**アジアで最も急成長している経済圏**としての地位を固め、外国直接投資は175億ドルを超えました。コンサルタント会社の〈プライスウォーターハウスクーパース〉は、ベトナムが2050年までに世界トップ20の経済大国になると予測しています。ベトナム企業のCEOと取締役の推定25%は女性であり、ベトナムは女性の上級管理職の多さにおいてアジアで2番目にランクされています。

教育に関しても高い実績があり、多額の投資を行って、PISAの世界ランキングで実力を示しています。ベトナム人を10年にわたる闘いの間支え続けた「復元力」は、ゲリラ戦が展開された数百キロメートルの地下トンネルという形で文字通り国土に刻まれ、世代を超えて引き継がれています。

ベトナムの復元力は、国境内だけでなく、海外に移住した人々の繁栄にも見られます。ベトナム戦争後の20年で、約80万人が政府の弾圧と経済不況から逃れるために国を離れました。「**ボートピープル**」は、船の故障や悪天候、海賊といった危険にさらされました。海で亡くなった人数の推定には開きがありますが、国連はその数を20万から40万人としています。

フランス、オーストラリア、日本、カナダ、ポーランドに広がる400万人の移民として力強い繁栄を生み出してきた人々は、海外に定住すると、厳しい条件下で複数の仕事を持ち、生き抜くために、そして最終的には家に帰るという目標を達成するために、必要なことをもくもくとこなしました。ことわざにもあるように、「**最善は、自分の故郷の村に戻って、自分の池に身を浸すこと**」なのです。

● 困難があるからこそ、身につけてきた切り抜ける力

こうした復元力は、引き続き強く求められています。ベトナムでは、自然災害が日常的に発生することも、その理由の一つです。世界銀行によると、ベトナムは東アジアと太平洋で「最も危険な地域の一つ」であり、ベトナムの人口の70%が台風、洪水、干ばつ、地滑り、地震のリスクにさ

らされていると推定しています。ほとんどの国がハリケーンや台風に名前をつけていますが、ベトナムは番号しかつけません――多すぎて他の方法では記録できないからです。

2020年10月、ホイアンを台風が襲い
大きな被害が出た

でも、ベトナムは、大きな軍事的脅威や経済的破滅の可能性にも、危険な気候条件にも負けません。私の友人トゥイは、こう話してくれました。

「今よりも厳しかった頃、教授だった母は『余分に授業を行い、鶏を育てる』と言ったわ。家族総出でピーナッツを焙煎して、野菜を育てて売ったの。父はポルトガル語を学び、数年間アンゴラに出稼ぎに行って、家族のためにお金を稼いだのよ」

条件がどうであれ、ベトナム人はいつも、困難を切り抜ける方法を見つけます。それ以上に、困難な状況を最大限に活用するのです。**条件が厳しくなればなるほど、復元力と適応能力が高まります。**

私たちは、日常生活のなかで、列車や配達が遅れるといった不便なことがあると、大事件のように考えてしまうかもしれません。でも、逆境が発生したときの対応の仕方について、ベトナムの例にならうと、もっとうまく行くのではないでしょうか。

ハノイ最古の寺院、トラン・コック・パゴダ

Part 3 人とのつながりの価値観

アルバニア
オーストラリア
ベナン
ブラジル
コートジボワール
クロアチア
キプロス
ヨルダン
マレーシア
オランダ
北朝鮮
パナマ
カタール
スウェーデン
タイ
トーゴ
トルコ

人とのつながりは、人間の最も基本的な欲求です。私たちは生涯、人とのつながりを切望します。しかし、人とつながろうとして、つまずくことがよくあります。
人間関係には、「愛と支え合い」と同じくらい「争いと欲求不満」がついてまわります。

幸いなことに、世界のさまざまな国の価値観から、より強いつながりを築くための新しい視点やヒントを学ぶことができます。

Albania

アルバニア

名誉

Honor

● 未知の国、アルバニア

正直に言うと、私は長い間、「アルバニア人」をヨーロッパのジプシー集団「ロマ人」と混同していました。アルバニアに入国して初めて、アルバニア人を知り、そして、あらゆることに「名誉」を重んじる国民性を知りました。

ヨーロッパの国でありながら、オスマン帝国の何世紀にもわたる支配の影響でイスラム教徒が多く、共産主義だったために1991年まで世界から孤立し、ソビエト連邦の崩壊後に建国されたのがアルバニア共和国です。スカーフを巻いているので多くの人の顔が見えず、標準的なアルバニア語と数々の方言に分断されて**共通の言語がない**ので、行動から物語を察することになります。

アルバニアの国土の3分の2以上は山岳地帯で、歩いて散策するのが理想的です。アルバニア北部では「**アキュースト・マウンテンズ(呪われた山々)**」と呼ばれるおとぎ話のような風景に出会えますし、アルバニア南部の散歩道は、透明度の高いイオニア海沿岸にあり、松の森やオリーブ畑や柑橘類の果樹園を通って、高い丘や景観の良い頂上まで登ることができます。

「呪われた山々」と呼ばれる
プロクティエ山脈

未来よりも昔の姿を見るのが好きな人は、内陸部を目指しましょう。機械が導入される以前の世界にタイムスリップした

〈首都〉ティラナ	〈言語〉アルバニア語
〈人口〉286万人	〈GDP〉158億ドル
〈面積〉2.9万㎢(四国の約1.5倍)	〈時差〉マイナス8時間(夏時間あり)
〈民族〉アルバニア人	

ように、農民が先祖と同じように手作業で土地を耕作し、女性たちが食料のほとんどを栽培し、今でもロバが輸送に使われています。

● 名誉は黄金よりも価値がある

国のなかでもかなり辺ぴな地域へとドライブすると、夫と私は、安全な車から降りて初めて、この国の国民性を体験することになりました。

にわかにアルバニア人は訪問者に「責任」を感じ、家族として招き入れます。コーヒーがふるまわれ、ゲームをするカードが配られます。時間と手間を取らせるのを申し訳なく感じるかもしれませんが、客人を最大限にもてなすことが、アルバニア人の名誉なのです。

これは、「Besa(ベサ)」と呼ばれる不文律です。アルバニアでは「**ベサ**」は**黄金よりも価値がある**と言われています。

アルバニアは、ギリシャ、ローマ、ビザンチン、ベネチア、ノルマンと、多くの文化的影響を受け、まさに文化のるつぼ、考古学の宝庫、トレッカーの楽園です。それでいて、四方を山に囲まれているという土地柄のせいで、アルバニア人は独立心が旺盛です。

この土地で、「ベサ」という言葉が最初に広く認識されたのは、15世紀にレク・ドゥカジニ〈Lekë Dukagjini〉王子によってまとめられた慣習法「カヌン(Kanun)」の掟でした。カヌンのなかで、ベサは「最高の権威」と表現されています。

「人の言葉、約束、名誉と、それにともなうあらゆる責任」は、アルバニア人の大切な信念であり、「アルバニア主義」とも呼ばれています。

● 非常事態に輝く名誉の人の生き方

「ベサの人」とは、名誉ある人、自分の生命や家族を安心して任せられる人、という意味です。第二次世界大戦中に、ヨーロッパ中の数百万のユダヤ人、同性愛者、共産主義者、人種的少数派が狩り集められましたが、

〈歴史〉1997年に経済破綻から暴動が発生したが、その遠因になったのがねずみ講だった。国民のおよそ半分がねずみ講に参加していた。〈文化〉中世にオスマン帝国に抵抗した君主スカンデルベグはアルバニア人の英雄。首都ティラナの中心「スカンデルベグ広場」に彼の銅像がある。〈都市〉ベラト…斜面いっぱいにオスマン帝国時代の建造物が残る風景から「千の窓をもつ町」といわれ、世界遺産にも登録されている。

多くのアルバニア人が見ず知らずの人を救うために戦いました。

ホロコーストでポーランドのユダヤ人の90%、ギリシャのユダヤ人の77%が殺されましたが、アルバニアでは第二次世界大戦の間にユダヤ人の人口が11倍に増加したと推定されています。

ホロコーストに関連する世界最大規模の文書と情報を所蔵する、イスラエルにあるヤド・ヴァシェムホロコースト記念館によると、占領中にアルバニアでナチス当局に引き渡されたユダヤ人はただの一人も記録にありません。そのため、アルバニアは1995年2月2日、ワシントンD.C.にあるアメリカ合衆国ホロコースト記念博物館で「**諸国民の中の正義の人**」と認定されました。これは、ホロコーストから自らの生命の危険を冒してまでユダヤ人を守った非ユダヤ人の人々を表す称号です。

「名誉」という言葉は、少し古風に思えるかもしれませんが、実は私たちにとって最も重要な概念の一つです。言葉や責任や家族を尊重しなければ、自我に不可欠な大切な何かを失うことになります。

名誉は騎士道に見られる中世の概念ではなく、自分の言葉に忠実であることによって、人と人の間の信頼と尊敬を支える基本原則なのです。

あなたの「ベサ」は、あなたの人格そのもの。それは人として、手放してはいけないものなのです。

「千の窓をもつ町」ベラトは世界遺産にも指定されている（データ欄参照）

Australia

オーストラリア

マイトシップ

Mateship

● グッダイ・マイト！

「G' day mate（グッダイ・マイト）」は、オーストラリアでとてもよく使われる表現です。親しい友人にも、店にいる見ず知らずの人にも同じように使う、「こんにちは」の挨拶以上の言葉です。

誰かれかまわず使われる「マイト（仲間）」という言葉は、最も重要なオーストラリア文化の一つです。オーストラリア人は、友情の真の意味と価値について、誰よりも深く理解していると言えるかもしれません。

「マイトシップ（mateship）」とは、オーストラリア人特有の助け合いの精神であり、あらゆるオーストラリア人らしさを象徴する概念です。開放的で、見知らぬ人を歓迎し、友に忠実で、困っている人に寛大で、集団に熱心に関わる。協力して働き、公共の利益からかけ離れた有力者を引きずりおろそうとする、といった気質です。

● 私の（痛い）マイトシップ体験

私がマイトシップの力を思い知ったのは、旅行中に最悪の事故を経験した直後でした。

メルボルン大学で1学期間勉強していた私は、オーストラリアの最南端であるウィルソンズ岬へのクラス旅行に参加しました。

マイトたちとホイットサンデー島で

〈首都〉	キャンベラ〈人口〉2,565万人	〈言語〉	英語〈GDP〉1兆3,871億ドル
〈面積〉	769.2万㎢（日本の約20倍）	〈時差〉	本土は3つのタイムゾーン（プラス1時間〜マイナス1時間）ロード・ハウ島（プラス1.5時間）州によって夏時間あり
〈民族〉	アングロサクソン系等欧州系が中心。その他に中東系、アジア系、先住民など。		

海からの日の出を見たかったので、早朝に一人で散策することにし、岩を登っていたときでした。突然波が岩に打ちつけ、その衝撃で吹き飛ばされて、顔から岩に激突しました。鼻が折れてメガネが壊れ、目が見えず、口の中は血の味がしました。転倒を防ごうと投げ出した腕は骨折し、私は意識を失いました。

誰が私を見つけてくれたのか、どれぐらい時間が経ったのか、わかりませんでしたが、誰かに発見してもらい、すぐに仲間たちと合流できました――アンディ、キャロライン、フェデリコ、ゲイル、ミーガン、メリシア、ニマ、トマー、プージャ。

唯一の問題は、一番近い大都市から数百キロ離れていたこと。トレッキングを続行するほかなく、私も歩きました。苦しく恐ろしい体験だったはずが、仲間たちが団結して、荷物を運び、励ましてくれました。3日にわたったハイキングの間、みんながひっきりなしに声をかけ、笑わせてくれました（そして、その後の数週間、エジプトのミイラのように顔にテープを巻いた私と一緒に笑ってくれました）。大惨事になるはずが、素晴らしい（痛かったけれど！）体験に変わったのです。

● マイトシップの昔と今とこれからと

オーストラリアの歴史のさまざまな場面で、マイトシップは、イギリスから移送された囚人同士の連帯から、戦争中のオーストラリアの兵士の同輩意識まで、国民の記憶に深く刻まれています。

ガリポリの戦いがあった4月25日は現在「アンザックデー」として祝日に

マイトシップは、オーストラリアのアイデンティティである「**アンザックの精神**」の中心にある価値観です。アンザック（ANZAC）は第一次世界大戦時に勇敢に戦ったオーストラリア・ニュージーランドの合同軍で、1915年にガ

〈有名人〉ヒュー・ジャックマン、クリス・ヘムズワース、ニコール・キッドマン、ケイト・ブランシェットなどハリウッドスターがずらり。〈文化〉オーストラリアンフットボール…オーストラリアで最も人気のスポーツ。楕円形のボールを使うフットボールだが、サッカーともラグビーとも違う独自のルールが特徴。〈自然〉コアラやカンガルーをはじめオーストラリア固有種の動植物が1300種以上いるといわれる。

リポリの海岸で負傷した仲間を運ぶオーストラリア兵の有名な写真が、この精神を後世に伝えています。

それでも、マイトシップはときに議論の的になっています。さまざまな国の伝統的な価値観がそうであるように、現代社会での存在意義を問われることがあるのです。

男性的すぎる概念だと考える人もいれば、政治家が利用することにうんざりする人もいます。1990年代には自由党の党首であるジョン・ハワード首相がオーストラリア憲法に盛り込もうとさえしました。

商業や政治に乗っ取られることが多いとはいえ、マイトシップは、やはりオーストラリア人の精神の根底に息づいています。

「良くも悪くも、マイトシップは私たちの文化的DNAの一部です」

歴史学者のニック・ドライエンファースは、この主題に関する著書にこう記しています。

マイトシップは、「良い友達」以上の意味を持っています。**そこには、平等主義の社会を結びつける本質的な価値観——信頼、忠誠心、コミットメント、自己犠牲が含まれているのです。**

生まれたときからの幼なじみであれ、会ったばかりの人であれ、「マイト（仲間）」に常に手を差し伸べる。そんな態度でのぞめば、個人の人間関係もビジネス上の人間関係も、はるかに良くなると思いませんか？

「最も建造年代の新しい世界遺産」であるオペラハウス（写真左端）が美しいシドニー湾の景観

Benin

ベナン

礼儀正しさ

Politeness

● ベナンで道を尋ねると……

ベナンでは、簡単な質問から、長い会話が生まれます。「郵便局はどこですか」と道で尋ねてみてください。道順の説明が返ってくるだけではなく、たっぷりと会話をすることになります。

「お元気ですか？　調子はどう？　今日の予定は？」

見知らぬ他人同士でも、久しぶりに会った友人のようなおしゃべりが始まります。

ベナンの「礼儀正しさ」は、うわべだけの挨拶に終始しません。どんなやりとりにでも、温かさと真心からの親しさ、人と関わりたいという気持ちが込められています。

ベナンの人は、根ほり葉ほり質問します。家族や仕事から、ペットや趣味に至るまで尋ねることで、話し相手との共通点を探そうとするのです。ベナンの人は、**知りたがりで、話したがりなのです。**

西洋人がこの国にやってくると、最初のうちは、少し「時間の無駄」のように感じるかもしれませんし、カルチャーショックなのは言うまでもありません。

市場で野菜を求める女性たち

〈首都〉ポルトノボ	〈言語〉フランス語（公用語）
〈人口〉1,149万人	〈GDP〉142.5億ドル
〈面積〉11.3万㎢（日本の約3分の1）	〈時差〉マイナス8時間
〈民族〉フォン族、アジャ族、ヨルバ族等46の部族	

たとえば、ロンドンやニューヨークの路上なら、見知らぬ人に呼び止められて会話をすることになれば、たいていはさっさと切り上げて立ち去ろうとするでしょう。急いでいるので時間がない。そもそも、二度と会うことがないだろう人について、わざわざ知ろうとも思わない。ばったり出会った人との共通点を見つけるなんて、本当に必要なの？と。

でも、ベナンで過ごす時間が長くなればなるほど、私は、そういった態度でいることは、完全にピント外れであると気づきました。目標達成の手段としてではなく、他人に時間を使ったり、人間らしく共感を示したり、敬意をもって人に接したりしても、コストはゼロです。

それ以上に、礼儀正しく接することで、前向きな気持ちになり、気分が良くなります。お互いが、自分の手を止めて相手を助ける、そんな社会なのです。

● ベナンの人が私に教えてくれたこと

多くの人は、忙しい生活や時間の不足、AからBにできるだけ早く到着する必要性を言い訳にして、周囲の人に失礼な態度を取ることがよくあります。ベナンの人は、私にこんな指摘をしてくれました（礼儀正しく、そしてちゃめっけのある笑顔をたたえて）。

「**腕時計をはめているのはあなたのほうかもしれない。でも、時間をもっているのは私たちのほうですよ**」

彼らの言う通りです。ベナンの人は、刻一刻とすぎてゆく時間を数えたりしません。世界中のすべての時間を、手の中に持っています。そして、他人のために時間を使って――たとえ見知らぬ人であっても――礼儀正しく接することで、効率を失うかもしれないぶん、優しさや寛容さや偶然の出会いから、得るものがあるのです。

私はこういった経験を何度もしました。道を尋ねたときに、気がつけば目的地まで直接連れて行ってもらっていた、ということもしょっちゅうで

〈文化〉ゾンビや黒魔術で有名なブードゥー教の発祥の地で、奴隷貿易によってアメリカ大陸に伝わった。
〈有名人〉ビートたけしの付き人として人気を博したタレントのゾマホン・ルフィンは、ベナン駐日大使も務めた。また日本人初のNBAプレイヤー八村塁は父がベナン人である。〈日本〉ゾマホン氏は3つの小学校と日本語学校「たけし日本語学校」を設立した。日本語学校では無料で日本語を学ぶことができる。

した。その後の会話で、お互いのことを知り、新しい発見があり、行ってみたい場所ができ、他の方法では得られなかった友情が築かれました。

オープンに接するというというベナン人の気質は、人間の最も基本的な欲求を満足させてくれます——それは、人と関係を持ち、つながりを感じること。小さな礼儀正しさと、人の温かさが、あらゆる人の一日を輝かせるのです。

● 新たな発見は出会いから始まるのだから

それに、他の方法では見つけられなかった「お宝」の発見につながることもあります。

心を開いて、見知らぬ人との会話を心地よく楽しんでいるだけで、ウィダーのブードゥー教寺院（一般には非公開）から、グランド・ポポという町にある大腸菌と下痢治療の先駆的な研究施設まで、様々な場所に連れて行ってもらえました。

黒魔術で有名なブードゥー教はベナンの発祥（データ欄参照）

人と出会い、一貫して礼儀正しい応対を受け、その結果として知識と善意が生まれたことが、私のベナンでの経験そのものとなり、ベナン滞在を豊かにしてくれました。

新しいアイデアや考え方や人間関係を締め出して、生活を送りキャリアを追求するほうが、楽かもしれません。日常生活が忙しいと、新しいやりとりや刺激の重要性が失われがちになります。

ベナンが私たちに教えてくれるのは、立ち止まって人と話をし、礼儀を守って丁寧に接するだけで、多くの恩恵を受けられるということ。言葉を使って他人とやり取りをするという単純なことで、世界中の人や場所や可能性の扉が開きます。そうでなければ気づきもしなかったことに出会え、掘り下げていくチャンスにつながるかもしれません。

ブラジル

Love

● 愛を知りたければ、行くところは一つ！

黄金に輝くビーチ、美男美女の人々、表現力豊かな音楽とダンス。ブラジルは世界の「**ロマンスの首都**」とも呼ばれています。

ブラジル系ポルトガル語では**「愛しています」に12通りの言い方**があります。「Major amor por favor（もっと愛を、お願い）」というフレーズは、Tシャツに印刷され、あちこちの看板やポスター、壁にも書かれています。

でも、ブラジルの「愛」は、単なるロマンスだけではありません（ブラジルの男性は、世界一の女たらしだと有名ですが！）。**周りの人に愛情を示すことや、個人だけではなくコミュニティで共有される愛もまた、この国では大切にされています。**

ブラジルの愛を自分の目で確かめ、感覚として知りたいなら、行くべき場所は一つしかありません。**リオのカーニバル**です（写真右）。世界最大のストリートフェスティバルで、愛を中核にして一日中お祝いが繰り広げられます。

15時間以上にわたり、200万もの人が、ともに食事をし、踊り、移動します。数え切れないほどの群衆が集まり、祝福し、愛を分かち合い、このひとときを過ごします。

〈首都〉ブラジリア〈人口〉2億947万人
〈面積〉851.2万㎢（日本の約22.5倍）
〈民族〉欧州系（48%）、アフリカ系（8%）、東洋系（1.1%）、混血（43%）、先住民（0.4%）
〈言語〉ポルトガル語〈GDP〉1兆8,850億ドル
〈時差〉本土は3つのタイムゾーン（マイナス12～14時間）南部は夏時間あり
フェルナンド・デ・ノローニャ島（マイナス11時間）

妹のラージディープと一緒に参加した私は、人々が愛情を示し合っている様子に気づきました。たとえば、周囲の人の水分が足りているかを気遣い、日陰を確保し、時々休憩を取っているかを確認するのです。

カーニバルの参加者は、活力を高めるためにお互いにマッサージまでしていました。カーニバルは、自分の経験であると同時に、周囲の人――友人であれ見知らぬ人であれ――の経験でもあるのです。

ブラジル人は、相手が誰であろうと、本能的に愛情を示します。ブラジルのカーニバルは、人生に喜びを見出すことの大切さを思い出させてくれます。ブラジル人は踊りとパーティの国として有名ですが、苦しい時期に友人や家族に気配りをする国民性もまた特徴的です。

● 困難を乗り越えるのは愛の力

これまでブラジルの人々は、何度も困難に見舞われてきました。

1964年から1985年の間にブラジルを支配した軍事独裁政権の下で、民衆は政権の標的となった人を助けるために団結しました。友人のアドリアナが、彼女の友人の夫が扇動的な出版を行って投獄されたときの話を聞かせてくれました。アドリアナたちは集団で彼の妻をサポートし、育児を手伝い、刑務所に食べ物を差し入れたそうです。

「**自分たちのことを、とても心が温かく、寛容で、愛情がある国民だと思っているし、これからもそうありたいわ**」

またブラジル人は、愛が、政治的・経済的な課題を克服する手段になると考えています。2015～17年に史上最悪の経済不況を経験し、大規模な贈収賄と汚職スキャンダルによって、元大統領が投獄されたり逮捕されたりしました。

2018年のジャイール・ボルソナール大統領の選出に象徴される、社会保守主義と福音主義キリスト教の台頭によって、果たして平等が得られるのかどうかを、多くの人が心配しています。でも、ブラジル人は、愛情深さ

〈有名人〉ジーコ（サッカー指導者/元サッカー日本代表監督）、ネイマール（サッカー選手）、ジゼル・ブンチェン（ファッションモデル）〈自然〉世界最大の河川、アマゾン川とその周辺のジャングルが豊富な生物多様性を生み出している。またアマゾンには外部と接触を断ち、原始の暮らしをする部族が存在している。〈文化〉アサイー…アマゾン原産のヤシ科の植物で、スーパーフードとして日本でも大人気である。

が、こういった脅威を克服するのに役立つと信じています。

親友のフラビアはこう言いました。

「特に同性愛、女性、宗教、その他社会の一員に対して不寛容な態度に対峙する時、愛と共感は私たちの中で絶対的な価値となる」

● ありのままに、心のままに―― ブラジル人のように

家族が与えてくれた愛から、一生を共にするパートナーとの愛情まで、愛は人生の重要な部分を占めています。**愛はおそらく、人間が感じることができる最も強力な感情です。それは決して壊れない絆であり、人生に究極の意味を与えるものなのです。**

でも、自分が感じている愛を表に出すのが難しいこともあります。ブラジル人は、ほとんどの場合、こういった問題を抱えていません。誰かを恋愛に誘うときも、相手の力になるときも、愛を心のままに表現して、愛を分かち合うことができます。

また、ありのままの自分に満足し、自分を愛しています。だから好きな服を着て、好きなように踊り、自意識過剰になりません。そうすることで、他人を愛することも簡単になるのです。私たちも同じようにやれば、もっと幸せに、もっと自由になり、もっとリラックスできます。

「Major amor por favor !（もっと愛を、お願い！）」

コルコバードのキリスト像とリオデジャネイロ

Cote D'ivoire

コートジボワール

格式ばらない

Informality

● 道端の食堂に入れば、コートジボワールを体験できる

コートジボワールで外食をする場所は、フォーマルなレストランではなく、街のいたるところにある道端の食堂「マキ（maquis）」です。

床や近くに腰を下ろし、カトラリーはどうしても使いたい人だけ。日よけとオープングリルぐらいしかない、堅苦しくない店なので、立ち寄った人たちが簡単に交流できます。文字通り、「地に足のついた」体験です。

これが、コートジボワールの「格式ばらない」価値観の典型例です。**この国では、生活はあくせくせず、人間関係はたちまち築かれ、裏表はほとんどありません。**座ってチキンとピーナッツスープを（ネズミ料理はパスして）食べているうちに、コートジボワール人のもう一つの「形式ばらない」気質が見えてきます——人が、あなたに近づいて会話を始めようとするのです。

チキン料理も名物

「あなたのポケットに何か入ってる？」

この質問は、食べものを分けてほしいとか、タバコの火がほしいとか、小銭が欲しいとかいうリクエストかもしれません。でも、単なるたかり屋なのではなく、寛大さを示して友達になりましょう、と誘っているのです。

〈首都〉ヤムスクロ（実質的な首都機能はアビジャン）
〈人口〉2,507万人
〈面積〉32.2万㎢（日本の約5分の4）
〈民族〉60以上の部族に分かれる
〈言語〉フランス語（公用語）、各民族語
〈GDP〉430億ドル
〈時差〉マイナス9時間

人間関係は、ややこしい前置きなしで、何もないところから築かれます。この国では、二回会って楽しく過ごせば、「兄弟」になれます。相手のものを分けてもらえる権利があり、その逆も同様。計算高くずうずうしい行為ではなく、基本的に兄弟愛の延長上にあるという考え方、それがコートジボワール流の人間関係の築き方です。即時に、本能的に、形式ばらずに。

● ざっくばらんにコミュニケーションするための言語

形式ばらない態度は、人々がつるんで行動することだけではなく、話し方にも表れています。コートジボワールの公用語はフランス語ですが、多くのコートジボワール人は独特の方言を使います。スペイン語、ジュラ語、英語などのさまざまな言語のエッセンスが混じった、早口で絶え間なく変化する言葉です。

1970年代に登場した通俗語「**Nouchi（ノウシ）**」（直訳すると「**鼻毛**」です）は、この10年間のポップカルチャーのなかで、ますます一般的になりました。ある調査研究では、今や10歳から30歳までのコートジボワール人の第一言語であるかもしれないと言われています。

ノウシは、いかにもコートジボワールらしい言語です。流動的で、創造性に満ち、さまざまな要素を含み、一か所にとどまりません。常に新しい言葉が追加されます。

中央権力が管理するものではなく、非公式で草の根的な産物です。ノウシは、定められた構造を持つ学習すべき言語ではなく、新しい単語を発明して組み合わせたり、好きなようにルールを曲げたり破ったりができる言葉です。

ここには、コートジボワール人のざっくばらんな気質と、大衆文化に浸透したフランスの影響（1960年までの70年間近く植民地であった）とコートジボワールの伝統の融合を見て取ることができます。

〈有名人〉ディディエ・ドログバ（元サッカー選手）〈文化〉コロゴ布…北部に住むセヌフォ族の伝統的な織物。動物や仮面をつけた精霊が描かれており、そのモチーフはピカソに影響を与えたといわれている。〈都市〉アビジャン…南部に位置する旧首都で、国内最大の都市。首都移転後も政治・経済の中心地であり、高層ビルが立ち並ぶことから「西アフリカのニューヨーク」ともいわれる。

● 大統領だってざっくばらんでいい

「形式ばらない」は、著名人の行動にも表れています。私は大晦日の夜に、アッシニーのビーチパーティーで、アラサン・ワタラ大統領がみんなと一緒に踊っているのを目撃しました。ベルベットのロープで囲われていない、すぐ手の届くところで。2014年に大統領が杖をついてフランスでの治療から戻ったときには、杖が大流行しました。コミカルなイラストが広まり、若者たちは杖をついて歩くというばかげた真似をしました。

そんなコートジボワールは、**アフリカの経済大国**の一つです。世界最大のカカオ輸出国であり、近年はインフラに多額の投資を行い、独立後数十年で急成長を遂げました。現在も2000年代初頭の政治的混乱と内戦で停滞した経済の多様化を目指し、大陸で最も急成長している国という地位を手に入れています。

実質的な首都であるアビジャン

仕事をしていると、「プロセス」を踏んで「形式」を重んじることが進歩するための前提条件だという思考回路に陥りがちです。真面目で堅苦しい文化圏で育った人は、コートジボワールで時間を過ごすと、素晴らしく解放的な気分を味わえるでしょう。

物ごとを広い視野から見て、友情と兄弟愛を育み、そして何よりも重要なこととして、相手に素晴らしい時間を過ごしてもらおうとするのが、コートジボワールの人生に対するアプローチです。

これはときに、大きな成果につながります。格式ばらないことで深い創造性と友情が生まれ、ルールを意識しすぎないことで、イノベーションや個性的なアイデアが生まれる余地ができます。ときには、ルールの縛りを窓の外に捨てて、独自のルールを発明することが大切なのかもしれません。

Croatia

クロアチア

友情

Friendship

● 困ったときに友人を助けるのは当たり前、どんな時でも！

朝の4時に電話の音で起こされたら、ほとんどの人は冷静に対応できないでしょう。電話の主が親しくもない知人なら、なおさらです。でも、私のクロアチア人の友人は、友人から「妹が困っていて、家まで車で送ってあげてほしい」と頼まれると、すぐに対応しました。ベッドから出て車に乗り、疑いもなく助けに駆けつけたのです。クロアチアでは、友人に（たとえ本当の友ではなくても）こうするのが当たり前なのです。

これと同じような印象を持ったのが、クロアチアの「友人たち」が、回り続けるボートから救出してくれたときでした。ムリェト国立公園の湖に浮かぶ島のフランシスコ会修道院から戻るときに、一本しかないオールが壊れてしまったのです。

財政的に困ったり、精神的に打撃を受けたとき、クロアチアでは、金銭面であれ心のサポートであれ、必ず友達が寄り添ってくれます。

ほとんどの国では、家族を亡くして悲しんでいる人がいたら、手紙を書いたり、電話をかけたり、家を訪ねたりします。クロアチア人は数日から数週間、その人の家に滞在して、遺族のためにあらゆることをし、立ち上がるために必要なものを与えます。

● 団結と絆の種類はたくさんある

これは、最近の激動の歴史の産物と言えるのかもしれません。クロアチア独立国の国家元首アンテ・パヴェリッチのファシスト独裁から、共産主

〈首都〉ザグレブ〈人口〉406.8万人
〈面積〉5.7万㎢（九州の約1.5倍）
〈民族〉クロアチア人（90.4%）、セルビア人（4.4%）等
〈言語〉クロアチア語（公用語）
〈GDP〉604億ドル
〈時差〉マイナス8時間（夏時間あり）

義支配の時代、チトーの独裁の数十年、民族紛争を経ての独立と、厳しい時代が続くなかで、国家があてにできない分、団結してお互いをいたわりあうことを学んでいったのです。

友人は、人生のあらゆる節目を支えてくれるネットワークです。出生時に選ばれた「**ゴッドペアレント**」を持つ人は多いですが、クロアチア人は、産まれた後もこの習慣が続きます。

堅信礼のとき、結婚するとき、自分の子どものためにも。家族はもちろん大切ですが、自分でも仲間集団をつくります。まずは学校の友達から始まって、いい時も悪い時も協力し合います。どんなことでも話せて、必要があれば何を差し置いても手を差し伸べる友です。

友情は、信仰している宗教などの共通の絆にもつながります。クロアチアは世界で最もカトリック信者が多い国の一つで、人口の86%以上が洗礼を受けたカトリック教徒です。米ピュー研究所の調査では、クロアチア人の過半数(58%)が、カトリックであることが国民的アイデンティティの重要な部分だと述べています。

世界遺産シベニクの聖ヤコブ大聖堂は
16世紀前半に建造された

故郷と呼ぶ場所も大切な役割を果たしており、クロアチアの地域によって、遊び心に満ちたステレオタイプがあります——気性のはっきりしたイタリア的なダルマチア人、都会派のザグレブ人、控えめなイストリア人、饒舌で食道楽のスラヴォニア人。こういった特徴が、地元のアイデンティティと人間関係を強化しているのです。

友好関係は国際レベルでも存在します。**クロアチアは社会主義国として**

〈有名人〉ルカ・モドリッチ(サッカー選手)、ゴラン・イワニセビッチ(元テニス選手)、マリン・チリッチ(テニス選手)〈都市〉ドブロブニク…「アドリア海の真珠」と称される南部の都市。オレンジ屋根の建物が並ぶ景観はジブリ映画『魔女の宅急便』や『紅の豚』のモデルともいわれている。〈文化〉クロアチアはネクタイ発祥の国で、ネクタイブランドCroata(クロアタ)の製品は世界的にも人気である。

は積極的に独自の路線を歩み、さまざまな国と友好関係を築くために努力してきました。インドとは学生の交換留学などを通じて絆を育んでいます。

● クロアチア人に学ぶ友人関係の在り方

ただし、友情を大切にすることが、良くない方向に拡大することもあります。仲間内に仕事や利益をまわすといった、腐敗と縁故者びいきが職場にまん延しているのです。私的な、または政治的な引きたてで仕事を確保する無能な労働者を示す「Uhljeb(フレップ)」という造語もあります。

友人の頼みをききすぎるクロアチア人もいますが、クロアチア人の友情を大切にする気質は、基本的には善良な力です。

ちょっと考えてみてください。

あなたは、友人にどれぐらいの頻度で会いますか?

友人と過ごすための時間を割くことは?

相手のことを考えていると伝えるために、メッセージを送る回数は?

クロアチアでは、ものぐさを理由に友情を後回しにすることは考えられません。**友情は人生で最も重要なもの。人生で最高の出来事を祝福し、最悪の状況を乗り切るための、永続的な絆です。**

友人との過ごし方次第で、その大切さに気づくかもしれません。クロアチアの例から、友情について再考してみてもよいのではないでしょうか。

南部の都市ドブロブニクの絶景(データ欄参照)

Cyprus

キプロス

感謝

Appreciation

● 小さなことから感謝を始めよう

職場や自宅で、一日に何回、手を止めて人に感謝の気持ちを伝えていますか？

ちょっとした態度で感謝を示すことで、相手を一日中晴れやかな気分にすることができるのに、忙しすぎるからという理由に負けてしまうことが、なんと多いことでしょう。

キプロスでは、そういったことはありえません。**感謝を示す習慣**が、深くしみ込んでいるからです。

私がそのことに最初に気づいたのは、ガソリンスタンドに車を入れたときでした。列の進みがゆっくりだったのは、ガソリンを入れてくれている長老（みたいな店員）にチップをあげるからというよりも、車から降りて一緒に笑っておしゃべりしていたから。足を止めて、きちんとした会話をする時間を作ることで、感謝を示していたのです。お金を渡すだけではなく、気持ちを伝えるために。

キプロスのレストランでも同じです。テーブルに食べ物を運ぶだけがサービスではなく、客にもっと意味のある方法で感謝を示します。だから、若いスタッフは力仕事をし、年配者は店の看板としてテーブルを回って、新旧両方の客と親しく会話をするのです。ここでも感謝は、人間味のある個人と個人のやりとりのなかで示されます。「取引」ではなく「共有」なのです。

同じことは、コミュニケーションの取り方にも見られます。電話を取る

〈首都〉ニコシア〈人口〉119万人
〈面積〉9,251㎢（四国の約半分）
〈民族〉ギリシャ系、トルコ系、その他（マロン派、アルメニア系等）
〈言語〉ギリシャ語（公用語）、トルコ語（公用語）、英語
〈GDP〉240億ドル
〈時差〉マイナス7時間（夏時間あり）

ときは、自分の名前を言うのではなく、「ヴィンセントのパパです」や「マリアのパートナーです」などと説明します。親しい人への感謝を伝える態度が、ここにも表れています。

● 自分を形づくってくれたものへの感謝—— 先人とルーツと

キプロスの「感謝」の文化を下支えするのが、高齢者の存在です。祖父母は、経験と知識があることから、社会の中で尊敬される特別な位置を占めています。年配者が離れて暮らし、年少者が好き勝手に外出をする、という世代間の分断はありません。

私が出席したキプロス人家族の食事会では、祖父母が二人とも欠席または注目されない、ということは、ただの一度もありませんでした。

年配の人達は世話を受け、**賢者として家族から感謝されます。**そして、全員で食事に出かけて夜が更けたら、お年寄りを家に連れて帰り、心地よく過ごせることを確認してから、若い世代は夜遊びに出かけるのです。

Part 3 キプロス

キプロス人の「感謝」は、受け継いできたものやアイデンティティにも向けられます。自己紹介をするときは、名前だけではなく、出身地や今住んでいる場所を伝えることがよくあります。自分のルーツとアイデンティティを大切にし、育った場所や今の居住地が自分を形づくってくれたことに感謝を示しているのです。

同じことは、国の記念碑や歴史的に重要な場所の扱い方にも表れています。どの遺跡も、その存在の意味や重要性に感謝を示すように、きちんと調べられ、手入れが行き届いています。

パフォスの女神アフロディーテ像

● キプロス人が教えてくれた最も感謝する方法

感謝が大切なのは、感謝という行為によって、他の人の要求を深く理解

〈都市〉パフォス…南西部の海岸に位置する都市で、古代ギリシア・ローマ時代の遺跡が数多く残る。町全体が世界遺産に指定されている。〈文化〉美と愛の女神アフロディーテ(ヴィーナス)が誕生した地であると伝わっており、生誕の地「ペトラ・トゥ・ロミウ」や神殿跡が残っている。〈歴史〉2012年のロンドン五輪でセーリングのパブロス・コンティデス選手が2位に入賞し、キプロス史上初のメダルを獲得した。

することができるからです。

私がそのことを痛感したのは、幼い息子を連れて旅行をしていたときでした。カフェのような中庭にたどり着いたので、腰を下ろし、近づいてきた女性に「私たちに牛乳をください」と注文しました（レストランのように）。

ところが、そこはカフェではなく、その女性の家の庭だったのです！追い出されてもおかしくないのに、私たちは歓迎を受け、もてなしてもらうことになりました。牛乳を出してもらったうえ、庭を案内してもらい、夕食に使えるハーブまで摘ませてもらいました。周囲の人への感謝が定着している社会でなければ、こんな経験はできなかったことでしょう。

感謝の示し方にはさまざまな方法があり、最大の失敗は感謝する時間を作らないこと――キプロス人は、そのことを良く知っています。

テクノロジーの発達とともに、人生が忙しくなり、人間味が薄れています。そんな今、感謝がますます重要な価値観になっていると言えるでしょう。時間は私たち誰もが持っている最も価値のある「必需品」であり、平等に与えられています。世界のすべての力と富をもってしても、一日は24時間を超えられません。ということは、人に最も感謝する方法は、自分の貴重な時間を共有したり与えたりすることです。

感謝の気持ちを伝えることで、あなた自身も、感謝している相手も、気分が良くなります。「感謝」は物ごとを円滑に運び、気分を高め、周囲の人々に「ありがとう」を伝えます。感謝を示すことは、何よりもまっとうで大切な行為なのです。

キプロス第二の都市リマソルの景観

Jordan

ヨルダン

支援

Helpfulness

● マットレスを貸した相手は

ヨルダンでは、誰かが助けを求めてきたら、「なぜ」「誰が」「いつ」をわざわざ質問しません。相手がどこの誰で、何かしらの魂胆があるのかについて、品定めをしないのです。

「支援」は、無条件に、即時に、疑問を抱かずに行われます。私の友人ヒバの言葉を借りれば、

「**助けを必要としている人が、質問や尋問によってさらに傷つく必要はありません。とにかく助けが必要なのです**」

田舎の村に住んでいた彼女の祖母の体験ですが、夜に家のドアをノックする音がして、ドアを開けると、制服姿の3人の男性が立っていました。

「マットレスを3枚貸してもらえますか？」

祖母は、何もきかずに言われた通りにしました。そして数日後、男たちは引き上げていきました。

「よく眠れましたか？」

そう尋ねると、男たちは感謝し、「ヨルダン王も良く眠れました」と答えました。王は近くの家を訪ねており、男たちはその護衛だったのです。

● あっという間に支援の輪はできる

これは基本的なイスラム教に基づいた行いです。見知らぬ人が家に来たら、彼らに必要なものを与え、最初の3日間は、彼らが今まで体験してきたことに敬意を払うために、名前さえも尋ねてはならないのです。

〈首都〉アンマン
〈人口〉996万人
〈面積〉8.9万㎢（日本の約4分の1）
〈民族〉アラブ人
〈言語〉アラビア語、英語
〈GDP〉422.91億ドル
〈時差〉マイナス7時間（夏時間あり）

個人同士でなくても、反射的に相手を助けようとします。コミュニティ単位でも、困っている人を支援するために団結するのです。

私が目撃した例では、同僚が、自分の家を塗装することになり、孫たちに助けを求めました。すると孫たちは、単にペンキや刷毛(はけ)を持って来るだけではなく、自分の友人たちに応援を求めました。こうしてやってきた小さなヘルパーの一団は、雑用の一日を、音楽を聴いたり食事をしたりしながらみんなで楽しむ一日へと様変わりさせたのです。家は真新しくなり、子どもたちの友情は深まりました。

隣人が空腹のときは、決して寝てはいけない。満杯の皿だけを与え、決して空の皿を返してはならない。**他人を助けるために、自分の持ち物をあきらめるのです。**

● 第一印象で判断しないで!

「支援」は、ヨルダンでは普遍的な価値観です。富や社会的地位に関係なく、どこにでも見られます。私が友人とその父親の車に乗っていたときに、見知らぬ人に道を尋ねられ、結局、その人を目的地まで送っていったことがありました。

レストランで、お互いが連れの人に払わせないように、請求書の奪い合いになるのも、同様の心の広さの表れかもしれません。

だからといって、ヨルダンではどこを向いても優しさと光があふれているというわけではありません。実際、ヨルダン人は無口で、笑顔をつくるのを嫌がることがよく知られています。ヨルダン人は普段から眉をひそめていて、不機嫌だと思われることが多いのです。

でも、そんなうわべの壁を

ペトラの世界遺産は観光客の憧れ

〈文化〉ペトラ遺跡…「ペトラ」は崖を意味し、その名の通り、自然の岩を掘った巨大な建造物が立ち並ぶ。映画『インディ・ジョーンズ 最後の聖戦』のロケ地としても有名。〈自然〉死海…イスラエルとの国境にある巨大な塩湖で、観光地として大人気。海水の4〜6倍の塩分濃度で、人が入っても浮いてしまう。〈生活〉サンドボトル…ビンに色のついた砂を詰めて絵を描くヨルダンの名産で、土産物として人気。

破ることができれば、ヨルダン人がとても好意的で人助けが好きな国民だとわかります。第一印象が誤解を招くのはよくあることです。

● 国際的人道支援―― 難民の受け入れ

ヨルダン人が支援に協力的で寛大であることは、近年では、シリア内戦による数十万人の難民を受け入れたことにも表れています。

推定65万人のシリア難民がヨルダンに再定住し、その大多数が難民キャンプではなく街中で生活しています。ヨルダン政府は、難民として正式に登録されていない人を含めて、この数字を130万人としています。

マフラクの難民キャンプ、2014年撮影

ヨルダンでは、数十年前から中東各地の難民の受け入れに積極的で、**首都アンマンは人道支援組織とサポートの中心地**になっています。

こういった寛大な受け入れが、すでに情勢が厳しいヨルダンの経済と、学校制度や社会保障のインフラに負担をかけていることに加えて、ヨルダンが一部の難民を国外追放したという批判もあります。それでも私は、こういった支援がヨルダンの根本的な価値観を物語っていると思います。

ヨルダン人は、すぐに笑顔を見せてくれないかもしれませんが、助けを求めると、たちまち温かい人柄と寛大さが表に出てきます。そして、困っている人がいたら、目をそらさずに、積極的に手を差し伸べるのです。

相手や要求を品定めして、どこに手を貸すかを慎重に見極める、ということを、ヨルダン人はしません。自分にできる限りのことで、相手を助けます。

あらゆる人が反射的に手を差し伸べることができるなら、そして、小さな助けがいくつも集まり揺るぎない支えが提供できる基盤があれば、私たちの社会は、もっと回復が早くなり、気持ちよく暮らせる場所になるでしょう。

Malaysia

マレーシア

調和

Harmony

● マレーシアに新しい世界を見た

イングランド南西部のグロスタシャー州でインド系イギリス人として育った私は、ほとんどの人が「顔が白い」という世界に慣れていました。学校では、唯一の例外がルイーズでした。ルイーズは、マレーシア人とイギリス人の両親を持つ女の子で、当時から仲が良く、今でも親友です。

クアラルンプールにある彼女の実家を訪問した私は、ルイーズの家族にイギリスのカントリークラブに連れて行かれたときに、マレー人、インド人、中国人が交流する様子を見て驚きました。

「ここは新しい世界だ」という思いが確信に変わったのは、自分の親戚の結婚式でペナンを訪れたときです。花嫁を取り囲む友人が、マレーシアの主要な3つの民族グループから構成されていて、マレー人と中国人は、インドの結婚式の慣習を完全に理解して、融合しているように見えました。**異なる文化間のバランスが取れていて、お互いに快適で、相手を支配しようという関係性ではありません。**

● 調和の政策が優遇の政策？

このような「調和」は、マレーシアの文化の礎になっています。この国では、イギリスの植民地支配によって導入された、マレー人と中国・インドの大きなコミュニティとの共存が、長年にわたって政治的・社会的な優先事項とされてきました。

この方針は、1969年にマレー人と中国人との間に起こった民族衝突事

〈首都〉クアラルンプール 〈人口〉3,200万人
〈面積〉33万㎢（日本の約0.9倍）
〈民族〉マレー系（69%）、中国系（23%）、インド系（7%）
〈言語〉マレー語（国語）、中国語、タミール語、英語
〈GDP〉3,650億ドル
〈時差〉マイナス1時間

件「**5月13日事件**」以来続いています。マレーシア独立からわずか10年ほど後に起こったこの事件は、今でも国家の記憶の最前線に刻まれています。

マレーシアが民族間の調和を図るやり方は独特で、西洋で優先されがちな、すべての民族を一括で統合することに焦点を当てていません。

たとえばマレー人を優遇する政策を取り、手頃な価格の住宅、政府の仕事、共有の所有権、大学の奨学金など、あらゆるものへのアクセスを保護しています。これにより、マレー人と少数民族である中国人コミュニティとの間の大きな経済格差をある程度縮小することに成功しています（ただし、富を比較的少数に集中させているという批判もあります）。

教育についても、民族的背景に基づいて、マレー人、中国人、インド人に別々のシステムがあります。

スクールバスの子供たち

マレーシア憲法は宗教の自由の権利を保障していますが、**すべてのマレー人は原則、イスラム教徒でなければなりません**。

政治では、独立以来初の政権交代を実現した2018年の画期的な選挙まで、何十年もの間、マレー人政党「統一マレー国民組織」が圧倒的な力を保持してきました。マレー人のニーズと利益を保護し、繁栄する中国人の脅威の噂を広めることで、ひんぱんに政治資金を作ってきた政党です。

● アイデンティティが調和の鍵

一見すると、この政策と政治の組み合わせは、分裂を定着させるためのレシピのように映るかもしれません。先住民族を優遇し、幼い頃から異なる集団を統合して集団アイデンティティを形成する道を取らないのです。

しかし、ここマレーシアで異なる民族間の調和のとれた関係の基礎と

〈有名人〉日本のアーティスト・実業家のGACKTが移住したことで知られる。〈文化〉バドミントンが国民的スポーツで、五輪3大会連続で銀メダルを獲得したリー・チョンウェイをはじめ強豪選手を数多く輩出している。
〈日本〉クアラルンプールの超高層ビル「ペトロナスツインタワー」の1棟は日本のハザマ（現在の安藤・間）が、もう1棟は韓国の建設会社が建てた。テナントに伊勢丹や紀伊國屋書店も入った。

なっているのが、それぞれがアイデンティティを維持することなのです。

マレーシアでは、主な民族集団が言語、習慣、宗教の自由を持ち続けることが許されています。この国は、人々が違ったまま自身の伝統を保持することで、何らかの形で互いに助け合えると理解しているのです。

異なるグループ間は平等ではありませんが、それぞれに独自の利点があるという暗黙の了解があります。中国人は最もビジネスに成功して繁栄しています。インド人は専門職で優位を占めています。マレー人は政府系の職に就くことが多いです。

マレーシアの政治は、人種差別と取られかねない要素を持っていますが、人々は日常の生活に集中し、周囲との友好を保っています。

「**調和して生きる**」という意味の「Muhibah（ムヒバァ）」の原則は、個人間と地域社会の関係の基本です。マレーシア大学のカマル・オニア・カマルル・ザマン博士によると、これは「団結の精神であり、同じ国に暮らす仲間への気配りを持って、誠実に共存を受容する文化」です。

「ムヒバァの絆」は、飲食店「ママッ・プレイス」（写真右）——3つの文化にまたがる24時間営業の飲食店——で長時間座って共に過ごすことで強まります。食べ物、音楽、文化、友情の点で、マレーシアのすべての民族は調和し、経験を共有して楽しんでいます。

政府の2050年変革計画の一環として実施された世論調査では、マレーシア人のほぼ4分の3が「隣人は同じ人種であるべきだ」という質問に**ノーと答えました**。

民族、宗教、政治、その他の「区分」は、あらゆる社会に存在します。だから、調和を探求することが、私たちの時代には必要不可欠です。

マレーシアのモデルは完璧ではありませんが、現実に人々の間に起こることの重要性に目を向けています。調和の取れた関係を得るためには、互いの違いを理解し尊重することが必要なのです。

Netherlands

オランダ

あけすけ

Directness

● 会議は会議室でやるんじゃない

「地球を良くしたいなら、オランダの裸のスパで会議をしてください」

20代前半の頃、欧州委員会で働いていた私は、こんなありえないアドバイスをもらったことがあります。後にアムステルダムのスパを訪れたときに、その意味がわかりました。

最初は、裸の人でいっぱいの部屋にいることに戸惑いましたが、いったん心の壁を乗り越えて、文字通りその場に「浸り」始めると——熱い蒸気が出るスチームルームから、凍えそうなプランジプール（水風呂）まで——力がわいてきました。

服を脱いだので、隠したり守ったりするものがありません。これは取引を行うのに最適な環境です。

オランダ人が裸で入るスパが大好きなことは、ダブルスピーク（二重表現）や回りくどい表現がないオランダ人の文化を物語っているのかもしれません。

もっと「オランダらしく」言うと、オランダ人は途方もなく「あけすけ」なのです。どんなときも、あらゆる面で。

オランダ人は「Bespreekbaarheid（話しやすさ）」を大切にしています。どんなテーマやアイデアも包み隠さない、という考え方です。

● アイデンティティが調和の鍵

オランダ人の「あけすけ」な性分の源泉を説明するには、オランダの地

〈首都〉アムステルダム（政治機能所在地はハーグ）
〈人口〉1,738万人
〈面積〉4.2万㎢（九州よりやや大きい）
〈民族〉オランダ人（80%）
〈言語〉オランダ語
〈GDP〉9,145億ドル
〈時差〉マイナス8時間（夏時間あり）

理と歴史の両方に目を向ける必要があります。

ランスドープの低地地帯

オランダは、国土のほぼ4分の1が海抜以下の平坦な地形なので、何マイルも先まで見渡すことができ、土地が(国民と同様に)見透かしやすく無防備なのです。

現代のオランダが貴族の支配からではなく、16世紀の黄金時代を築いた商業力と貿易の才覚から誕生したことにも注目しましょう。

オランダは君主制を保持していますが、あけすけなオランダ人の批判から逃れることはできません。現在のオランダ国王ウィレム=アレクサンダーは、世間の批判と政治的抗議がやまなかったために、2009年にモザンビークに豪華な別荘を建設する計画を放棄せざるを得ませんでした。

● これぞオランダ流あけすけコミュニケーション！

オランダ人は、他人の反応を心配して**自分の考えを遠慮することは決してありません。**他人の感情に振り回されたり、反応を予想して作戦を立てたりもしません。オランダ人はひたすらまっすぐに飛び込み、要点を突いて、先に進みます。何のためらいもなく「ガールフレンドに振られた」「解雇された」「会議でのあの人の意見は愚かだった」と話します。

世界的な電気機器メーカー「フィリップス」はアイントホーフェンが発祥の地

〈有名人〉アリエン・ロッベン(サッカー選手)、ウラディミール・バレンティン(野球選手)、リック・バンデンハーク(野球選手)、ディック・ブルーナ(絵本作家)〈有名企業〉フィリップス(電気機器メーカー)、ハイネケン(ビールメーカー)、ブッキングドットコム(オンライン旅行予約サービス)〈ことわざ〉「損と恥が人を賢くする」…「失敗は成功の基」の意味。貿易大国として栄えたオランダらしい言い回し。

オランダ人の胸の内は、つぶさにわかります——ということは、裏を読んだり、根に持たれたりする心配をしなくてもいいのです。

オランダ人にとっては無礼でも失礼でもなく、曖昧さや二重の意味を持たない賢明なコミュニケーション方法です。「いい仕事をしているね」と言われたら、それは本心からの誉め言葉です。

オランダ人は直球なので、上下関係を恐れません。インターンも意見を求められますし、部下は上司に賛成できない場合、報復を恐れずに上司を批判することができます。独特で貴重な文化風土です。

同じ理由で、オランダの会社では、会議で世間話に時間を費やしません。まっすぐに要点に向かいます。他のすべては時間の無駄と見なされるのです。そのほうが効率的ですし、不思議とリラックスして、ビジネスを行うことができます。

● 麻薬が吸えるのに先進的な薬物政策？

オランダの「直球」の精神は、政府の政策や問題への取り組みにも表れています。例として顕著なのが、**麻薬対策**です。オランダ、特にアムステルダムは、麻薬が吸える「コーヒーショップ」があることで有名ですが、実は**ヨーロッパで薬物乱用率が最も低い国**の一つです。

これは、オランダの政策が功を奏したと言われています。オランダの政策は寛容すぎると評されることが多いですが、その一方で、1970年代に大きな問題となったさまざまな根本原因に直接メスを入れたのです。具体的には、強力なドラッグを禁止し、大麻を合法化して分離することで、それらが強い薬物への入り口になるきっかけを最小限に抑え、薬物の治療サービスと注射針の交換を広範に提供し、違反者に対して寛容なアプローチを取りました。

Coffeeshopは大麻やドラッグを扱う店舗で
喫茶店はKoffiehuisという

その結果、オランダでは、大麻

を使用する人がヘロインなどの強い薬物に移行するケースが激減し、注射針を介したHIV感染の件数はごくわずかです。行動を法で処罰するよりも、害を防ぐことに焦点を合わせた薬物対策は、世界の他の国よりも何十年も先を行っています。実際の問題を直接叩くというオランダのダイレクトな対応が功を奏した好例です。

オランダ人のあけすけさは、すがすがしく感じられるものですが、初めて体験すると、少し不快な気分になるかもしれません。フィルターを通さずに本心を話す人に慣れていない人は、不意を突かれることでしょう。

でも、感覚的に慣れてしまうと、職場でも、家族や友人同士でも、とても爽快なアプローチだと気づかされます。**あけすけに接することで、曖昧さが減り、意見を表明できないストレスが軽減され、最終的に嘘偽りのない真の対話が生まれるのです。**

すべての会議を裸で行いたいとは思いませんが、本音を表に出すのを妨げる壁をいくつか取り除くことで、確実に得るものがあります。オランダの例は、あけすけなことは必ずしも無礼ではないと教えてくれます。多くの場合、あけすけな言葉は、物ごとを成し遂げるためのツールになってくれるのです。

アムステルダム運河

North Korea

北朝鮮

忠誠心

Loyalty

● ツアーガイドはどうなったかわからない

「後ろを振り向くな」

平壌空港で、兵士の集団に取り囲まれ、私は銃口を向けられました。妊娠7か月の私は、恐怖を感じていました。自分とお腹の赤ちゃん、そして一緒にいた弟のマンレシュパルのことよりも、軍隊に乱暴に逮捕されたツアーガイドのヨーハンの身の上を案じていました。

平壌空港の旧ターミナル(上)と
2015年の新ターミナル(下)

私は、案内してもらった数少ない(国営の)店でプロパガンダポスターを購入したのですが、レシートを保管していませんでした。ヨーハンが、私に伝え忘れたのです。

一言も私が発しないうちに、私の違反行為が即座に彼の罪になりました。空港の保安検査中に発覚したため、彼は、私には行方がわからない運命に引きずり込まれ(今でも彼のことを案じています)、マンレシュパルと私は銃口を向けられたまま、搭乗する飛行機に連れていかれました。

● 私が知った北朝鮮の実態

〈首都〉	平壌(ピョンヤン)	〈言語〉	朝鮮語
〈人口〉	2,516万人	〈GDP〉	34.2兆ウォン
〈面積〉	12万㎢(日本の約3分の1)	〈時差〉	時差なし
〈民族〉	朝鮮民族		

この経験から、北朝鮮は「忠誠心」が生死にかかわる国であることを恐ろしい形で思い知らされました。金（キム）政権が求める忠誠心にわずかでも背くと、命をもって償うことになりかねません。

発言や行動がすべて監視の対象となる国では、人々の間の「忠誠心」が、生き残る上で不可欠になります。「自分に本当に誠実なのは誰」で、「国家への忠誠のために自分を見限る人は誰」かを把握する必要があるのです。

北朝鮮に滞在すると、体制にどの程度の忠誠が要求されるのかが、すぐに明らかになります。この国で会う人は全員、「偉大な指導者」金日成（キムイルソン）——現在の統治者の祖父——の写真入りのバッジを着けています。

テレビやラジオのスイッチを入れると、国を称える歌や軍歌が大音量で流れます。労働者は、長い労働を終えた一日の終わりに、金一族に忠誠を尽くして歌う学校の楽団に呼ばれることもありますし、この国への訪問者は、保全処理をして生前の姿のままガラスの棺におさまった金日成を拝むことを要求されるかもしれません。

政権への忠誠心は、自然にわき出るものではなく、残忍なまでに抑圧的な政府機関によって強要されています。国連の報告によると、8万人から12万人の政治囚が、全国にある巨大な収容所に収監されており、目撃証言によると、殺人、激しい暴行、レイプが横行しています。収容所では、毎年推定1万人の北朝鮮人が死亡していると言われています。

政権は、こういったことを積極的に罰しておらず、監視するだけです。私が聞いた話によると、国家は国内のすべての家庭を金一族への忠誠心に従って、ランク分けしているそうです。

すべての家庭は「忠実」「迷う」「敵対的」のいずれかに分類され、「忠実」と思われる人には、食料、住居、仕事への優先権が与えられます。「敵対的」と見なされた人は、国の最も貧しい地域に追放され、畑や鉱山での重労働が課せられます。

〈日本〉元プロレスラー・元国会議員であるアントニオ猪木は、師匠の力道山が北朝鮮出身だった縁もあって独自の関係性を築いており、30回を超える訪朝をしている。〈歴史〉2004年に古代高句麗王国の墳墓63基が「高句麗古墳群」として世界遺産に登録された。また2013年には開城（ケソン）の歴史的建造物や遺跡が世界遺産に登録されている。〈文化〉冷麺は北朝鮮が発祥で、朝鮮戦争の時期に韓国へと伝わったといわれる。

● 監視と暴力の国家で生きるために

これが、北朝鮮社会の「忠誠心」であり、暴力的で抑圧的な環境で生き残るための必須条件です。そして別の次元での「忠誠心」が、人と人、同志と同志、家族と家族の間に存在します。

監視と暴力の国家に住み、あらゆる行動が忠誠心や不忠心の証拠として精査されるとき、人と人との絆は自由社会よりも強くあらねばなりません。信頼できない人に、迷いを告白したり冗談を言ったりすると、いともたやすく通報されたり追放されたりするからです。

逆に、**最も近い人との間の忠誠心は絶対的です**。誰もが、自分のささいな間違いが、友人と家族の処罰につながることを知っています。だから先回りをして彼らを守ろうとします。たとえば、親は子どもに何かの情報を秘密にすることがあります。それについて知ることさえも、子どもを危険にさらす可能性があるからです。禁止されている外国のニュースを聞いているのに、子どもには「英語の勉強をしているだけ」と言うこともあるでしょう。大切な人を守るという忠誠心のために、嘘をつくのです。

北朝鮮の人々は、自分の行動と身の安全に責任を持つだけではなく、周りの人の責任も負っています。なぜなら、運次第で命を危険にさらす国家への忠誠心を示すことだけではなく、他人に忠誠心を示し、見返りに同じものを受け取ることが、頼みの綱だからです。

忠誠心は、どんな人の生活においても、きわめて重要です。信頼の礎であり、個人的にも仕事の上でも、人間関係の基盤になります。家族や友人、雇用主やチームに対する忠誠心を持つのが、人という生き物なのです。

忠誠心を重要視している人は、北朝鮮について考えてみてください。ここでは、忠誠心が人と人との関係を支える素晴らしい資質というだけではなく、まさに生死を分けるのです。

Panama

パナマ

接点

Connectivity

● 旅の孤独から救ってくれた「接点」

パナマは、私が最初に訪れた中央アメリカの国です。それは約20年前、この本で書いたほとんどの場所に行く前のことでした。

当時は経験の浅い旅行者だった私がパナマシティを歩きまわると、水中で背が立たないような、少し不安な気持ちになりました。自分を見失いそうになりながら、スーパーで買い物をするために財布を出そうとしたとき、列の前に立っている人が、私と同じ「カラ」(シク教徒が身に着けている鉄のブレスレット)を手首につけているのを発見しました(ちなみにそれから数年後に、シク教徒のスピリチュアル・アドバイザーのバイ・サヒブ・モーヒンダー・シンにも同じように出会いましたが、それはニューヨークの国際連合でした)。

パナマは、シク教徒の仲間に会う可能性が最も低い場所だったので、驚きました。この小さな出来事が、私を孤独から救ってくれました。なじみのない土地で見つけた、共通の文化とシンボルに、希望の光を感じたのです。それは、どこからともなく現れた「接点(つながり)」でした。

後になって、この小さなエピソードが、パナマという国を言い表していることに気づきました——この国は人と人、国と国をつなげ、貿易の倉庫として世界をつなげる「接点」になっているのです。

● 運河はつなぐ—— 国と国とを、人と人とを

パナマが「接点」であることは、地理を見るだけでもわかります。幅わずか60キロメートルの細長い国土が、コスタリカとコロンビアにつなが

〈首都〉パナマシティー	〈言語〉スペイン語
〈人口〉422万人	〈GDP〉668億ドル
〈面積〉7.6万㎢(北海道よりやや小さい)	〈時差〉マイナス14時間
〈民族〉混血(70%)、先住民(7%)	

り、中南米を結んでいます。この地域で最も小さい国の一つでありながら、**戦略的に最も重要な**、大陸間の経済的な可能性を開く貿易ルートです。

強大な中国がラテンアメリカとの貿易リンクを拡大する計画の一部として、このちっぽけなパナマ地峡を強く求めているのは、パナマが接続のよい地理にあるからです。

パナマの「接続性」を決定づける事実でありシンボルとなっているのは、運河です。パナマ運河は、最近の拡張にともない、160か国と約1700の港に140を超える貿易ルートを接続しています。

運河は、国際的な貿易ルートを構築する以上の働きをしています――運河を建設するためにやってきた人から、運河を通じて生計を立て続ける大勢の人まで、人と人とをつなぐ重要な役割を果たしているのです。

運河の建設に最も大きく関与してきたのはアメリカですが、10年以上にわたって続く建設工事に関わった7万5000人の強力な労働力は、カリブ海、中国、インド、フランス、スペイン、イタリア、ギリシャ、コスタリカなど、世界中からやって来ました。

太平洋と大西洋をつなぐ全長80kmのパナマ運河

〈有名人〉マリアノ・リベラ（元メジャーリーガー/通算セーブ数歴代最多）、フェルナンド・セギノール（元野球選手/日本で3球団に在籍）〈文化〉ゲイシャコーヒー…世界最高級のコーヒーで、2000年に世界で初めて栽培に成功したのがパナマの農園である。現在もパナマ産は評価が高い。〈自然〉かつては監獄島だったコイバ島には原始林と豊かなサンゴ礁が残り、陸・海ともに多様な生物が暮らしている。

パナマには世界の人々が集合しています。特に人口の約半数が暮らす首都パナマシティは、中米きっての国際的な大都市で、世界中の労働者や訪問者が暮らしています。

パナマシティの様子

移民は、2001年から2013年の間に地域平均の2倍の速さで成長した経済を下支えしています。

パナマの経済の競争力は、ラテンアメリカとカリブ海地域で第2位です。

パナマ政府は、国の成功が、世界との「接続」にあることの重要性を認識していて、「**クリソル・デ・ラザス（「るつぼ」）プログラム**」によって、数万人単位の外国人労働者に大規模な恩赦を通じて法的地位を与えています。反対意見もあるものの、プログラムが継続しているのは、移民労働者が大きな経済的利益をもたらしているからです。

● つながりこそ成長と繁栄をもたらす

「接続性」は国や経済にとって重要ですが、同じことは人にも当てはまります。私たちは皆、個人や仕事の世界で新しい人に会うときや、理解と共感を深めるとき、共通点がありそうな個人や組織をまとめるときなどに、つながりの多さ・少なさを選択することができます。

人と企業は「つながり」という人・アイデア・経験のネットワークの無形の力によって、繁栄します。私たちは、つながりを強化することで、人として成長できます。知識や情報が増えるのはもちろんのこと、周りの人々や世界に対する共感力が増すのです。

隔離された島国のような生活で成功することは困難です。望むことを達成するには、自分自身とつながり、他人とつながることが必須なのです。

Quatar

カタール

信頼

Trust

● もしも車がエンストしてしまったら

ちょっと想像してください。女2人で車に乗っていて、1人は妊娠中、もう1人は生後3か月の赤ちゃんを連れています。渋滞したラウンドアバウトで、エンジンが突然おかしくなり、車が止まってしまいました。

さて、そのあとに何が起きると思いますか？

クラクションが鳴り響き、イライラした怒鳴り声が聞こえ、車の窓のそばに人が駆けつけてきて、約束に遅れるとか一日が台無しだとか、責め立てる……。

ところが、カタールでは反応が違いました。その時は、息子のナリヤンと友人のシェリーンと旅行中だったのですが、まったく知らない男性が、怒っているのではなく、力になりたいという態度で車のほうに近づいてきて、こう言ったのです。

「**困っているようですね。私の車を使ってください**。僕があなたの車を修理に出してきます。電話番号と住所だけ教えてください。必ず車を返しに行きますから」

その通りにことが運びました。まったくの他人が、私たちを助けてくれたのです。彼は私たちを――何も知らない初対面の2人を――信頼して自分の車を託し、私たちは彼の言葉を信頼して、すべては約束通りになりました。

たとえば、同じように知らない人から申し出があったのが、ロサンゼル

〈首都〉ドーハ	〈言語〉アラビア語
〈人口〉280万人	〈GDP〉1,919億ドル
〈面積〉1.1万㎢（秋田県とほぼ同じ大きさ）	〈時差〉マイナス6時間
〈民族〉アラブ人	

スやラゴスやロンドンだったらどうでしょう。そんな状況は、ほぼあり得ないし、もしあったとしても、赤の他人に車や身の安全を預けることはないでしょう。とっさに、不純な動機や悪だくみがあるのではと疑ってしまいます。

でもカタールでは、その真逆が正解です。**ここは、無条件に信頼を与え合う国なのです。**

夜に家の鍵をかけない。車を、キーをつけたまま駐車場に残す。取引は——少なくともカタール人同士では——握手と口約束で行う。

この国に到着する前に、カタール人の友人カリードから、家族に渡してほしいと、荷物を預かっていました。航空便で送るかわりに私に託した彼は、こう言いました。空港で会ったカタール人に——誰でもいいから（！）——届けるように頼んでくれ、預けた荷物は絶対に安全に届くから、と。

● 内と外の困難な状況が団結を促してきた

「信頼」の文化の根源となっているのが、少数のカタール人の緊密な絆です。カタール人は、現在では国の人口のわずか12％です。

カタールは、今では繁栄した独立国ですが、かつては厳しい経済的困難に直面し、とりわけ1930年代に真珠貿易の衰退と大恐慌の影響に苦しみ

かつては資源が乏しかったが、1940年に石油が発見されて、現在では世界有数の富裕国である（写真はドーハ）

〈文化〉2013年にカタール初の世界遺産に登録されたのが、アル・ズバラ考古遺跡。かつてはペルシア湾の港町として栄えたが、20世紀に放棄された。〈有名企業〉カタール航空…国営の航空会社でイギリスのスカイトラックス社は五つ星の評価をしている。なおハマド国際空港も五つ星である。〈生活〉スーク・ワーキフ…ドーハの巨大なバザールで日用品からペット、土産物まで何でもそろう。観光地としても人気。

ました。信頼という価値観は、資源が歴史的に乏しく、庶民同士の絆がきわめて重要であることから生まれたのです。

カリードは私にこう言いました。

「**私たちは一枚の布から生まれたのです**」

カタール人の結びつきの強さは、今も続いています。カタールの市民権は厳重に守られており、保有資格を得るには、カタールに25年間住む必要があります（他のアラブ諸国の市民であれば15年）。

談笑する地元の富裕層

二重の市民権は認められておらず、別の国の市民権を取得すると、一般的にはカタールの市民権が失われます。

さらに、2017年よりアラブ諸国がカタールを外交的・経済的制裁下に置いているため、連帯意識が強まり、内部の信頼の絆がますます重要になっています。

自国を信頼していない国々に囲まれたカタールは、国民の間に存在する深い信頼の泉を利用するほかに頼りがありません。

● 信頼はすべてを動かす燃料

「信頼」が広範囲にわたって重用されているため、これを侵害すると、失うものが非常に大きくなります。契約を破ると、個人の評判が損なわれるだけでなく、時間をかけて築き上げられた家族や部族間、コミュニティや居場所での信頼が損なわれるのです。

ほとんどのカタール人は、これを回避するために何でもしま

国営のカタール航空のサービスは
世界から信頼されている（データ欄参照）

す。二度目のチャンスはないからです。一度でも信頼を破ると、おそらく永久に追放されることでしょう。

カタールは、信頼を重んじる世界有数の国です。国民として共に生活し、関わり合う以上に大切な価値観はないといってもいいぐらいです。信頼がなければ、ビジネスを行うことも、友情を形成することも、紛争を解決することもできません。

カタール金融センターの事業開発を管理するシェイハ・アルアノウド・ビント・ハマド・サーニが私に話してくれたように、信頼がなければ、カタールは今後の経済の重要な位置を占める海外直接投資を引き付けることができないのです。

円柱状のカタール金融センタービル

企業から中央政府、国際機関まで、「信頼」は物ごとを動かし続ける燃料になっています。信頼がなければ、何ごとも動くことはできません。関係を形成することも、取引を成立させることも、前進することもできません。信頼のタンクが空になると、カタールでの私の車のように、突然停止してしまうのです。

砂漠のなかにある世界遺産アル・ズバラ考古遺跡

Sweden

スウェーデン

協力

Cooperation

● 協力は革新力を生み出す

スウェーデンは人口が約1000万人と、いくつかの主要都市よりも人口が少ない国です。GDPによると上位20の経済大国ではなく、この国よりも国民所得の高い割合を社会保障に費やしている国は、6か国しかありません。

そんな、人口が非常に少なく、国家が支配的な国が、**世界有数の革新的な国**にランク付けされるのは、なぜでしょうか？

スウェーデンは、シリコンバレーをのぞいて、人口一人あたりの10億ドル規模のハイテク企業（Spotifyが最も有名）の数が世界でもっとも多いのです。スウェーデンには明らかに革新力を育む土壌があります。

Spotifyは2006年創業で、音楽ストリーミングサービスを運営している

スウェーデンには、一人の創業者がビジネスに乗り出して世界を変える、という従来的な「革新」のビジョンは当てはまりません。勝者がすべてを得るというアメリカの理想、個々の企業がシステムに打ち勝つ、という超資本主義ではなく、スウェーデンはその正反対です。

Skypeの創業者の一人、ニクラス・ゼンストロームはスウェーデン人（現在はMicrosoftが提供）

〈首都〉ストックホルム	〈言語〉スウェーデン語
〈人口〉1,022万人	〈GDP〉5,511億ドル
〈面積〉45万km²（日本の約1.2倍）	〈時差〉マイナス8時間（夏時間あり）
〈民族〉スウェーデン人	

この国の革新的な経済の基盤になっているのは、小学校の教室から企業の役員室まで、深く根付いた「コンセンサスと協力の文化」です。

● トリプルヘリックスモデル

スウェーデンの革新を支えるのが、産業界と政府と大学が協力するという、1990年代初めに社会科学者ヘンリー・エツコウィッツとロート・ライデスドルフが定義した「**トリプルヘリックスモデル**」です。

多くの国の場合、産業界の不満は、ニーズを満たす人材に接触できないことと、学術研究の商業化が面倒になることです。職業教育に力を入れているスウェーデンでは、企業は学校や若者と仕事で関わることに多くの時間を費やし、リンショーピング大学やブレーキング大学などでは、知識の譲渡を目的の中核に据えているため、こういった問題が起きにくいのです。

国家の革新的な風土を支えるのは、それを実現するために、異なるさまざまな機関が効率的に協力しあうシステムなのです。企業には、商業化できる才能とアイデアを提供してくれる大学が必要です。大学は政府からの

360度の書架が有名なストックホルム市立図書館

〈有名人〉ABBA（ミュージシャン）、ズラタン・イブラヒモビッチ（サッカー選手）、グレタ・トゥーンベリ（環境活動家）〈有名企業〉イケア（家具メーカー）、ボルボ（自動車メーカー）、H&M（アパレルメーカー）〈文化〉シュールストレミング…「世界一臭い食べ物」といわれる発酵させた塩漬けニシンの缶詰。あまりにも強烈な臭いなので、スウェーデン人でもそれほど食べるわけではない。

支援が必要です。政府は産業界が生み出す税金に頼っており、適切な規制環境を考案するための共同の取り組みが必要です。**産・官・学の三者の連携が強くなればなるほど、「ビジネス生態系」が効率的かつ先進的、革新的になるのです。**

● 自立と協力を生み出すスウェーデン式教育

「協力」の精神をキーワードに、スウェーデンの学校の運営方法から企業の経営方法に至るまで、あらゆることが読み取れます。

スウェーデンの教室では、従来型の「カリキュラムベースで講義中心」のモデルとはまるで違うアプローチで、授業が進められます。生徒の興味に基づいた学びが与えられ、教師は個々のクラスの要求に柔軟に対応します。主眼は子どもたちの好奇心を養うことであり、6歳まで義務教育が始まらないことが、これを後押ししています。

子供たちは自由度の高い学習を受けられる

制服がなく、外で過ごす時間が長いのも特徴です。教育システムには自立の促進が組み込まれており、ほとんどの子どもは8歳までに自力で通学するようになります。

子どもの頃に教えられたことは生涯残るもので、スウェーデン人は常に他人と自分の時間を尊重します。私たちがパーティを主催して午後7時に招待したときは、玄関のチャイムが午後6時59分に鳴り、8人がすでに外で待っていました。

● 民主主義の精神がイノベーションを生み出す

ビジネスの面でも同様で、スウェーデンの経営理念は協力的であり、階層ではなく柔軟性を大切にします。意思決定は、上司が何をすべきかを伝えるトップダウンではなく、共同作業のプロセスを通じて行われます。あらゆる点を考慮し、全員が発言する機会を得た後に、複数の会議を通じて決定が下されるのです。これを非効率だと思う人もいるでしょうが、こうして決定された内容は、定着しやすいものです。

この民主主義の精神は、スウェーデンの起業家がインターネット時代の先駆者となるのに役立ちました。たとえば、創業間もない頃に取材をしたときに「チームファースト」のアプローチについて説明してくれた〈Skype〉の共同設立者ニクラス・ゼンストローム。それから、ヨーロッパで最も成功したインターネットスタートアップの〈Spotify〉を創設したダニエル・エクです。

望ましい結果を生むチームワークの根源にあるのが、「協力」という価値観です。互いに耳を傾け、互いのニーズを与え合い、グループとして、単独でできる以上の効果を出す仕事をする。協力して作業することが、学校から職場までの様々な機関を、より豊かで、幸福で、健康的なものにしているのです。

スウェーデンが教えてくれるのは、協力することで、イノベーションが生まれ、破格の商業的成功がもたらされること。世界中の二極化した政治システムからわかるように、協力がなければすべてが停止し、とげとげしさが世の中を支配します。スウェーデンは、もっと良い、協力し合う方法で前進しています。

クリスマスのストックホルム市街

Thailand

タイ

遠慮

Consideration

● なぜか突然に仏道修行をすることになった私の話

「僧侶に交渉を持ちかけてはいけません！」

私が初めて「**グレンチャイ（遠慮・配慮）**」というタイ独特の概念を経験したのは、このときでした。これは、公共の場において、他人への敬意と気遣いを大切にする考え方です。

タイの南東にある仏教寺院で、司会を務める僧が、どういうわけか大勢のなかから私を選びだし、数百人の目の前に呼びつけました。

僧侶の足元に座るために、人をかき分けて進みながら、明らかに私の話をしているタイ語が聞こえてきましたが、何を言っているのかは推測するしかできません。

彼らの話が終わると、私のために通訳してくれました。その僧侶は私に、タイ北部のチェンマイにある瞑想修行の寺で21日間を過ごすことを求めていました。

21日間？

予定していた旅行の残りの日数よりも長いではないですか。

当時、大学の学部生だった私は、新学期に合わせて大学に戻らなければなりませんでした。せいぜい15日間しかいられないし、休暇旅行に来たのに、修行なんて……。

「もう少し減らせませんか？」

私は努めて丁寧な口調で尋ねたつもりでしたが、周囲の人々の反応から判断すると、明らかに「グレンチャイ（遠慮・配慮）」の基準を下回っていた

〈首都〉バンコク〈人口〉6,641万人	〈言語〉タイ語
〈面積〉51.4万km²（日本の約1.4倍）	〈GDP〉5.436億ドル
〈民族〉大多数がタイ族、その他は華人、マレー族等	〈時差〉マイナス2時間

ようです。そして、冒頭の忠告を受けるはめになったのです。
「あなたの存在に気づいてもらったことだけでも、とんでもなく幸運なのですよ。そのうえ、話しかけてもらって、何かを勧めてもらえるなんて！」
私がとりなそうと慌てていると、僧侶が再び口を開きました。そしてタイ語でこう言ったのです。
「彼女は知る必要がある。瞑想をしなければ、いつか自分が自殺するか、発狂するだろうということを」
先ほどまで小声の会話が響いていた室内が、突如としてまったくの無音になりました。

私は静寂を破って答えました。
「7日間なら行くことができます」
「15日なら受け入れましょう」
と、僧侶は答えました。
「無理です。大学に戻らなければならないので」
「奇数でなければなりません」
「7では？」
「少なすぎます。2けたで、できれば『1』を付けてください」
「では、11日しか受け入れないということですか？」
「それでも少なすぎます」
と、最も位の高い僧侶が答えました。
私はいらだちを露わにしてしまいました。
「帰らないといけないんです。よくわからないことを追求するために残りの時間を過ごすことはできません」
「少ないですが、十分です。11日にしましょう」
僧侶は祝福の笑顔を浮かべ、私の休暇計画は突然変わってしまいました。
私は、修行の寺での生活に必要なものを買うために市場に行かされまし

〈有名人〉トニー・ジャー（俳優）〈文化〉2016年のリオ五輪までにタイ選手が金メダルを獲得した競技は2つ、重量挙げとボクシングである。格闘技ムエタイでも有名なタイは、ボクシングの世界王者も多数輩出している。〈自然〉バンコクからほど近いトゥンヤイ・ファイ・カ・ケン野生生物保護区群には、東南アジア本土に生息する哺乳類の種のうち3分の1がいるといわれる。

た。シンプルな白い服と、これを頼りに生活することになるプラスチックの目覚まし時計、石けん。他の持ち物はすべて取り上げられました。

● 修行スタート!

列車とトゥクトゥク(三輪の自動車)に乗って、チェンマイに到着しました。一人用の小屋に案内され、こう告げられました。1日2回(午前6時と午前11時)、二度の食事のときにグループに会うことができるが、しゃべってはいけない。1日おきに10分間、瞑想の先生と面会する。

これが、今後11日間の私の生活のすべてになりました。

これが11日間過ごした場所

この体験がどういう感じかを知りたい方は、ほんの数時間でいいので、すべてのデバイスや本を含むあらゆる気晴らしと接触せずに、一人で過ごしてみてください。自分の呼吸にだけ集中します——吸って、吐いて。たちまち、心の奥に潜んでいたあらゆる思考と記憶と感情が、表面に浮き上がってきます。これは完全に、私にとって人生で最も困難な経験でした。瞑想のせいで狂気に導かれるのでは、と思ったほどです。

でも、8日目か9日目までに、心の混乱が収まりました。砂が海の底に沈むように不安が落ち着き、次第に心のなかが明瞭になりました。11日後に寺を出たときは、**人生で最も軽やかで幸せな気分**でした。

● 「グレンチャイ」が教えてくれたこと

この経験の結果として、私は真の意味での「グレンチャイ」の精神を学んだように思います——「**ハートへの敬意**」というタイ独特の概念で、相手の心を傷つけないための配慮です。

具体的に言うと、相手の立場に立ち、常に自分の行動が相手にどう影響するかを推し量ることです。

「グレンチャイ」を使うと、他人に配慮ができ、自分が言動を行う前に相手の反応を考えるようになります。たとえば、たとえ退屈だと思っても、人の話をきちんと聞く。ステージ上の人を軽視したり、観客の邪魔になったりしないために、イベントやパフォーマンスが終わる前に帰らない。直前になって約束を取り消さない。レストランで、好みに合わない食べ物が出てきても文句を言わない。

他人を思いやって気配りすることや、不愉快にさせたり邪魔をしたりしないふるまいについては、わかっているつもりの人がほとんどだと思います。でも「グレンチャイ」は、この意識を異次元のレベルにまで引き上げてくれます。自意識を抑えて物ごとを考え、他の人の平安や幸福や感情をできるだけ侵害しない方法を探るようになるのです。

私はタイ滞在中に「グレンチャイ」について様々な話を聞いていましたが、あの僧侶との出会いと、その後に11日間一人になった経験だけが、その意味を本当に理解するのに役立ったように思います。

あの僧侶は私に「グレンチャイ」を示してくれていたのだと気づきました。私が静かに瞑想する時間から大きな恩恵を受けることを、本能的に察してくれていたのです。永遠に感じられるくらい長い間、一人きりになると、他人のことや自分の人間関係、それから一時的に奪われた仲間について、あれこれと思いをめぐらせるようになるものです。

「グレンチャイ」を受け入れると、他の人を優先し、自分以外の人が何を求めているかを積極的に考えることが、あらゆる人の——とりわけ自分自身の——幸せにつながるのだと理解できます。

自分の要求やプランだけではなく、それ以外のことに配慮できるようになる。今の瞬間を大切にできるようになる。自分の人生と他人の人生がよりよく調和する。言い換えると、少しの遠慮があれば、自分の能力や認識を大いに解き放つことができるのです。

Togo

トーゴ

歓迎

Welcome

● ジャーナリストの第一印象

世界を旅するジャーナリストは、「歓迎」のされ方から、多くのことを読み取ります。

ここの人たちは、開放的で親しみやすく、話好きなのか。それとも疑い深くて、恐れを抱いていて、最小限の情報しか与えてくれないか。空港で入国審査を通過した瞬間から、人々から話を聞きだし、友人に紹介してもらい、未報道の場所や人を教えてもらう仕事が、どれほど難しいかが、感覚的にわかるものです。

トーゴは、両手を広げて訪問者を精いっぱい温かく歓迎してくれる国です。到着するとすぐに、家族の一員になれます。

私はクリスマスイブに到着し、すぐに友人テシアの叔父で元大使の人の家に迎え入れられました。家に入ると、すでにパーティは宴たけなわでした。滞在期間中は、長い間音信不通だった友人のように扱ってもらいました。家長が私に言った「**外国人は常に私たちの家に居場所を持っている**」という言葉どおりでした。

● 来るものはすべて歓迎がトーゴ流

トーゴのどこを見ても、温かい歓迎が広がっています。ある友人は、新しいアパートに転居してみると、引っ越し費用を助けるために、大家さんが月末までの家賃を先に支払っておいてくれていたそうです。これはめずらしいケースではありません。この国の人は、来訪者を歓迎する良いホス

〈首都〉ロメ
〈人口〉808万人
〈面積〉5.4万㎢（九州の約1.5倍）
〈民族〉エヴェ（約35%）をはじめ約40のグループ
〈言語〉フランス語（公用語）、エヴェ語、カビエ語他
〈GDP〉55億ドル
〈時差〉マイナス9時間

トであることに責任を感じているのです。

この精神は**移民システム**にも組み込まれています。トーゴは、ビザの開放性でアフリカ諸国の5位にランクされており、書類なしで、または到着時に書類を確保することで旅行できます。米ギャラップ社の調査では、移民を最も受け入れている国の上位にランキングされています。

トーゴの「歓迎」文化は、**アニミズム**的な思想にもつながっています。動植物や周りの風景のあらゆる部分に精霊が宿っていると信じる考え方です。意識に境界線があってはならず、私たちを取り巻くあらゆる精霊を歓迎しなければならない、という思想を、ゴッドフリード・アグベズドール司祭が私に教えてくれました。

カラフルな伝統衣装を着て踊るダンサー。
音楽とダンスは日常に欠かせない

儀式は、太鼓と音楽、深夜まで続く精霊への祈りによって行われます。私にとっては、今まで経験したことのない珍しいものでした。

● 歓迎から始まる学びのチャンス

西アフリカで最も小さな国にもかかわらず、トーゴは歴史上、戦略的に重要な貿易ルートでした。1960年に独立を達成するまで、植民地勢力の間で争われた領土として、ポルトガルからドイツ、イギリス、そして最後にフランスに渡りました。

トーゴが、かつて植民地奴隷貿易の中心地であったという歴史を物語るのが、ブラジル系の名前の多さです――彼らは19世紀に西アフリカに多

〈有名人〉エマニュエル・アデバヨール（サッカー選手）〈文化〉かつてはドイツ領だった名残で、アフリカ随一のビールとソーセージが楽しめる国。10数年前まで西アフリカで生ビールが飲めるのはトーゴだけだった。〈都市〉クタマク…北東部に位置するバタマリバ人の居住地で、タキヤンタという泥づくりの住居が有名である。キリスト教・イスラム教の影響を受けずに独自の文化を保ってきた。

数帰還したアフリカ系ブラジル人奴隷の子孫です。

現在でもトーゴは西アフリカ経済の重要な貿易の中心地であり、国民は多様なルーツを受け継いでいます。

首都のロメ港は水深があり、大型船を受け入れられる

新しい人やアイデアを歓迎することから、個人的にも専門的にも多くのことが得られます。新しいものを歓迎しない限り、変化がなく、過去にとどまり、学び発展する能力を失うことでしょう。

人も企業も、コミュニティ全体も同様です。歓迎されない機関や施設は、変化の恩恵を受けることができません。対照的に、温かい歓迎は、チャンスへの扉を無限に開いてくれるでしょう。

クタマクに住むバタマリバ人の住居「タキヤンタ」
クタマクの景観はトーゴで初めての世界遺産に指定された（データ欄参照）

Turkey

トルコ

ホスピタリティ

Hospitality

● イスタンブールとニューヨーク

「ホスピタリティ」には、どこの国に行っても出会えますし、その多くは、見知らぬ場所を訪れた赤の他人として期待できる日常の礼儀をはるかに超えた内容です。

でも、私が訪れて執筆したすべての国の中で、トルコ人のようなおもてなしをする国はありませんでした。ここでは、予期せぬ訪問者が歓迎されるだけでなく、**タンリ・ミサフィリ（tanri misafiri「神のゲスト」）**として礼遇されます。

心に思い浮かぶのは、私がイスタンブールとニューヨークの路上で経験したほぼ同一のシナリオです。どちらの場合も、ホテルに行く途中で迷子になりました。

ニューヨークでは、私が呼び止めようとした歩行者は、歩調をゆるめることさえしませんでした。

「僕が何に見える？　お前の地図か？」

振り向きざまにそう言って、しっかりとサングラスをかけ直しました。

一方のトルコでは、見知らぬ人がきちんと対応してくれて、ホテルの玄関まで連れて行ってくれました。それだけではなく、ホテルを見た後で、自分の家に泊まった方がいいのでは、と申し出てくれたのです。

● どんな時でもおもてなしは全力で

トルコでは、ホスピタリティに至るところで出会えますが、もちろん最

〈首都〉アンカラ〈人口〉8,315万人	〈言語〉トルコ語（公用語）
〈面積〉78.0万㎢（日本の約2倍）	〈GDP〉7,608億ドル
〈民族〉トルコ人、クルド人、アルメニア人、ギリシャ人、ユダヤ人等	〈時差〉マイナス6時間

も力が入るのは家の中です。その傾向が強いがために、家は設計するときから「**おもてなし**」を考えてつくられます。

自尊心をもつトルコ人は一人残らず、家を買ったり借りたりするときに、ゲストルームを探します。ほとんどの人はリビングルームが二つある家で育ちます。一つは日常に使い、もう一つはゲスト専用で、触れられることなく清潔に整えられ、次の客が来るのを待っているのです。

同様に、たとえ生計を立てるのに苦労している家庭でさえ、高級なビスケットとナッツとコーヒーを、来客用にストックしています。困難に直面していても、きちんともてなすことで、それを封じ込めて、ゲストにできる限り最高の自分を見せようとするのです。

私がそんな経験をしたのが、トルコ東部の村を訪れたときでした。当時その村は、激しい吹雪の被害から立ち直ろうとする最中で、多くの人が仮設住宅に住んでいました。

そんな状況なのに、地元の役人であるセルジュは、私たちを泊めると言

世界有数の美しさと歴史を誇るイスタンブール

〈日本〉1985年のイラン・イラク戦争の際、テヘラン在留邦人にトルコが救援機を出した。その遠因は1890年に和歌山県沖で難破したトルコの軍艦エルトゥールル号を、現地の住民が救助したことで、それへの「恩返し」だといわれる。〈都市〉イスタンブール…トルコ最大の都市。東西をつなぐ都市として、アヤソフィアをはじめ数々の歴史遺産を誇る。〈ことわざ〉「飢えた熊は踊らない」…トルコ版の「腹が減っては戦ができない」。

い張り、食事をご一緒してくれました。深刻な食糧不足にもかかわらず、ごちそうが準備され、振る舞われたのです。彼には、村が提供できる限りの最高のおもてなしを与えることに迷いはありませんでした。

● もてなすのは相手の為だけではない！

トルコ人にとって、もてなすとは、単に居場所を提供するだけではありません。自分の力の範囲であらゆる手を尽くしたことを証明するための、まるで勝負ごとのような活動なのです。

世界三大料理に数えられる
トルコ料理は日本でも大人気

トルコ人にとって、良いホストになれないことは、自意識を損なうことにつながります。自分の最後の食料を分け与えないのは、恥ずべきこと。だからトルコ人の家庭は、たとえ経済的に無理をしてでも、背伸びをして、できる限りの最高のもてなしを与えるのです。

多民族のオスマン帝国から受け継がれた多くのコミュニティが共存する国では、家が、自分の家系やコミュニティを象徴しているというすさまじいプライドがあります。おもてなしが大切なのは、単にゲストに歓迎の意を伝えるというだけではなく、自分の所属やアイデンティティの再表明でもあるからなのです。

おもてなしの精神は、社会の絆を強めます。人々が互いに目配りし、相手に期待し合えることで、コミュニティがさらに強くなるのです。与えることで得られる恵みはたくさんあります。ゲストを家に迎え入れると、会話と笑いでいっぱいになり、新しい視点に恵まれ、人々が扉を閉じないで開けておこうと思える社会を作ることにつながります。

「**与えることの力を知っていれば、次の食事を分け与えずにはいられない**」ということわざの通りです。パンを分かち合うことで、新しいアイデアや情熱、興味や経験が共有され、私たちはより豊かになれるのです。

トルコのおもてなしは、個人のゲストの経験だけにとどまりません。それはまた、集団意識やコミュニティの絆を深めてくれるのです。

カナダ
ハンガリー
インドネシア
ジャマイカ
日本
ケニア
ラオス
ラトビア
マダガスカル
マルタ
メキシコ
ニュージーランド
オマーン
フィリピン
ルワンダ
セネガル
スペイン
タンザニア
チベット
ウェールズ

Part 4

コミュニティの価値観

世界各地を巡っていると、国によってはコミュニティ全体で「規範」が共有されていることがあります。日常生活でどう振る舞うか、他者とどのように支え合うか。
そして、社会においてどのような役割を果たし、どのようにコミュニティに貢献するか。

コミュニティの価値観では、それぞれの国でどのような暗黙の規範が共有されているかを見ていきましょう。

Canada
カナダ

オープンマインド

Openness

● オープンマインドは国民の誇り

「**カナダは多くの点でパンジャーブの延長線上にあります**」

ジャスティン・トルドー首相が、インタビュー中に言った冗談です。ここに、カナダの国民的DNAであるオープンさが表れています。このオープンマインドが、政治・音楽・食べ物・ライフスタイルに広がる多文化社会の基礎になっているのです。

私の親族は四世代にわたってカナダに住んでおり、私は17歳で初めて訪れましたが、両手を広げて歓迎してくれるような感覚を毎回感じます。カナダは、シク教徒をはじめ、さまざまな出自と多様な信仰をもつ人にとって、**世界で最も開かれた国**の一つだと認識されています。近年では、ハルジット・シン・サージャン（国防大臣）、ナヴディープ・シン・ベインズ（イノベーション・科学経済開発省大臣）、ジャグミート・シン（新民主党の党首）という三人のシク教徒が、高い政治的地位に昇格しています。

カナダの独立150周年を記念して実施された国民調査で、自国の何を一番誇りに思うかという質問がありました。

すると、「異なる人々に心を開くこと」が、「ロッキーマウンテン」「セリーヌ・ディオン」さらにはカナダの最も有名な輸出品「メープルシロップ」をしのいで、最も人気を集めた回答の一つとなりました。

バンフ国立公園から
ロッキーマウンテンをながめて

この傾向は今後も持続することが予想されます。なぜなら、45歳未満の人々は、それ

〈首都〉オタワ	〈言語〉英語（公用語）、フランス語（公用語）
〈人口〉3,789万人	〈GDP〉1兆7,133億ドル
〈面積〉998.5万㎢（日本の約26倍）	〈時差〉6つのタイムゾーン（マイナス12.5〜17時間）一部を除いて夏時間あり
〈民族〉イギリス系（50.1%）、フランス系（15.8%）	

より上の世代よりも、カナダのオープンマインドと多文化主義への誇りを表明する確率がかなり高いからです。

● 価値観は法律・政策となって具体化されていく

この価値観は、法律へと姿を変えました。1971年までさかのぼると、当時の首相ピエール・トルドーは、多文化主義政策を宣言し、世界で初めて政府の政策として採用しました。

同化政策を追求する国が非常に多いなか、カナダは複数の宗教・慣習・国籍に対してオープンであることが特徴です。すでに一般的となっている少数派への法的保護の提供だけではなく、多文化主義を国家の社会的・文化的善に不可欠なものとして積極的に促進しようとしています。

多文化主義は、憲法の一部であるカナダ人権憲章にも記されています。現在、カナダの人口の5分の1以上が移民で、2030年代までに30%に達すると予想されています。トロントとバンクーバーは、世界で最も多文化的な都市として、最も住みやすい都市の上位にランクされ続けています。

またカナダには、世界の戦闘地域からの難民を受け入れてきた長い歴史があります。1956年のハンガリー動乱から逃げてきた人々、1970年代のベトナムのボートピープルとウガンダのアジア人、1990年代のコソボ人、最近ではシリア内戦で国を追われた人々です。

また、難民への扉を開くだけでなく、豊かに暮らせるための基盤を提供するケースが多く、1980年代後半から1990年代初めに難民として到着した人々に関する調査によると、彼らは現在、平均的なカナダ人よりも収入が約5000ドル多いことがわかっています。

● 広大な国土と、先住民族と

開放性（オープンさ）は、カナダの地理的特徴でもあります。**世界で2番目に広大な国土**を持ちながら、人口の大部分は南部の国境近くに住んでお

〈有名人〉ジャスティン・ビーバー（ミュージシャン）、アヴリル・ラヴィーン（ミュージシャン）、ジェームズ・キャメロン（映画監督）、ライアン・ゴズリング（俳優）**〈自然〉**国獣にビーバーが指定されている。かつてはビーバーの毛皮が重要な交易品で、経済発展の礎となったが、それによって一時は絶滅の危機に瀕した。**〈文化〉**アイスホッケーが最も盛んなスポーツで、五輪では男女ともに最多優勝国である。

り、人の住んでいない面積が非常に大きく、陸地の80%は無人です。

だから住むための場所が不足することはありません。典型的なカナダ人の家は、数世代にわたる大家族が住まうのに十分で、たとえば、祖父母は地下に住み、子どもはロフトに部屋を持っています。家族でバーベキューをするための広い裏庭があるのも以前から変わらない特徴です。「アウトドアの楽しみ」は、カナダを誇りに思う理由の上位にランク入りしています。

この国を初めて訪れたとき、カナダの風景が美しく、変化に富んでいることに驚いたのを鮮明に覚えています。ビーチから山、森、流氷まで、すべてがブリティッシュコロンビア州から半径30分以内にあります。

ブリティッシュコロンビア州のキャンベル川では
シャチの姿も見られる

カナダは、世界中の人々を「両手を広げて」歓迎している国である一方で、先住民族に必要とされるケアを見落としがちであることを認めています。先住民族のカナダ人は平均寿命が著しく短く、五つの「**ファースト・ネイション**」(カナダに住んでいる先住民族のうち、イヌイットとメティをのぞく民族)のうち四つが、貧困ライン以下の平均収入です。

ジャスティン・トルドー首相は、この不平等に取り組むことを約束しています。先住民族のカナダ人のこれまでの処遇を「恥じて」おり、彼らの権利の保護を保障するのは「神聖な義務」であると同時に、民族自決権の拡大を支援し、関連する連邦法と政策の見直しを進めると話しています。

政治であれ、ビジネスであれ、地域社会であれ、自分の枠の外で考えることで、自分自身や他の人に寛容になれるのです。

人間は本能的に、理解や認識をしていないものから身を引いてしまいがちです。でも、社会的・経済的・技術的な進歩は、新しいアイデアや経験や選択肢に心を開くことによってしか生まれません。**集団としても個人としても「オープンマインド」であることで、世界に対する認識や、自分が生きたい人生や、自分がなりたい人物像の幅を広げてくれるのです。**

Hungary

ハンガリー

競争力

Competitiveness

● 知られざるオリンピック大国！

奇妙で面白いコンテストは世界中にありますが、ハンガリーの「墓穴掘り」の全国大会ほど変わったコンテストはないかもしれません。墓の穴をどれだけ速く、どれだけ美しく掘れるかどうかで評価されるなんて、日常的にはないことです（ちなみに優勝者は、30分を少し超えるタイムでした）。

このコンテストには、新たな人材の確保に苦労している業界を活気づけるという重要な目的がありますが、大きな意味では、これはハンガリーの価値観の表れといえそうです。というのもハンガリーという国は、**地球上で最も競争の激しい地域**の一つだからです。

資金調達を競うデジタルスタートアップ（IT新興企業）から、伝統的な騎射（馬上から弓を射る競技）で競う騎手（世界選手権の開催地です）まで、ハンガリーは、「一番」を競う人や組織であふれています。

国民1人当たりの**オリンピック金メダルの獲得数**がこの国より多い国は世界でたった2か国しかなく、夏期オリンピックの開催経験がない国としてはメダル数が最多の国だということが、その説明になるかもしれません。

水球はオリンピックの金メダル
獲得数、メダル獲得総数ともに世界一

● 偉大なるハンガリー人の業績はあなたのそばに

生来の競争力のゆえに、ハンガリー人は世界に飛び出して、科学や技術、医学の分野で成功しています。移民として様々な分野で偉業を成し遂

〈首都〉ブダペスト〈人口〉980万人	〈言語〉ハンガリー語
〈面積〉9.3万㎢（日本の約4分の1）	〈GDP〉1,612億ドル
〈民族〉ハンガリー人（86%）、ロマ人（3.2%）、ドイツ人（1.9%）	〈時差〉マイナス8時間（夏時間あり）

げたハンガリー人には、名前だけで功績がわかる人もいます。

あの有名な玩具も
ハンガリー人が生み出した

たとえば、**ボールペン**を発明し、その商標（biro）が一部の国でボールペン一般を指す名詞となっているビーロー・ラースロー。**ピューリッツァー賞**を創設したジョーゼフ・ピューリッツァー。**ルービック・キューブ**を考案した建築学者のルビク・エルネー。

現代のコンピューター科学に貢献した人物としては、初期のコンピューター開発に寄与した**ジョン・フォン・ノイマン**から、マイクロソフト社のWordとExcelのソフトの開発を率いたチャールズ・シモニーまで多数。医療の分野では、ビタミンCを発見したセント＝ジェルジ・アルベルトなど。

1930年代から40年代にかけて、あまりにも多くのハンガリー系の移民が科学者として名を上げたため、ひとまとめに「**火星人**」というニックネームを獲得しました。名づけたのは、その一員で核物理学の先駆者であるレオ・シラードで、「地球外生命体」についての質問に、気の利いた答えを返しました。

「**彼らは私たちの中にまぎれています。自分のことをハンガリー人と呼んでいますよ**」

● 競争力を生み出してきた歴史と現実

脈々と受け継がれてきた特徴を説明するのに欠かせないのが、現代のハンガリー社会の根底にある強力な「不公平感」を理解することです。

1世紀を経てもなお最も影響を与え続けているのが、1920年のトリアノン条約です。第一次世界大戦を終結させる協定の一つであるトリアノン条約は、当時のハンガリー王国を事実上解体しました。国土の3分の2以上

〈有名人〉ホッスー・カティンカ（競泳選手/2016年リオ五輪の3種目で金メダル）〈ことわざ〉「逃げるのは恥だが役に立つ」…勝負すべきところでないところを逃げたり、退いたりするのは恥のようだが長い目で見れば得策ということ。日本の漫画・ドラマのタイトルとして有名に。〈文化〉日本と同じくハンガリーには温泉がたくさんあり、ブダペストは「温泉都市」ともいわれている。

が6つの異なる国に割譲され、同時に人口の半分以上を失ったのです。

トリアノン条約の余波は、しばしば「**トリアノン症候群**」と呼ばれ、重くのしかかっています。極右のオルバーン政権が条約の調印日を国の記念日に変えたことも、大きな出来事でした。嘆きがちな傾向は、ハンガリーの文化と国民的アイデンティティに新しいものではありません。

マジャール人の詩人ペテーフィ・シャーンドルはこう書いています。

「**私たちは、地球上のすべての人々の中で最も見捨てられている**」

13世紀のモンゴルの侵略からソビエト連邦までの歴史を通じて、ハンガリーが周囲の大国に翻弄されてきたという感覚が、「競争の精神」を形作ってきたという見方もできます。

ハンガリーが国としてのまとまりに苦労するなか、国民は、自分の選んだ分野で卓越し、科学からスポーツまで、様々な分野で世界をリードする活躍を見せてきたのです。

この国の子育てでは、親は幼い頃から子どもを、ごく小さなことで競い合わせています。大人になると、ビジネスの世界でも同様です。頭脳流出と人材の不足を理由に、競争が生活の一部となります。ハンガリー企業の半数以上が「空きを埋めるのが難しい」と報告していますが、これはつまり、スキルの高い労働者の競争が激しいということです。

ハンガリーはヨーロッパのなかで、最も大きくも豊かでもなく、影響力の大きな国でもありませんが、歴史的に科学、技術、スポーツの大国であることを誇りに思っています。人口と資本の不足を、競争によって補っているのです。

私たちは、競争力が持つパワーを十分に理解するべきです。チャンスを得る人とそうでない人の違いを生むのは、結局のところ何でしょうか？

才能かもしれませんし、運かもしれません。でも多くの場合は、持って生まれた競争力が、その人を勤勉な労働者へと育てあげ、チャンスを引き寄せてくれるのです。

欲しいもののために戦うことを学びましょう。人生で確実なのは、一番でゴールすれば勝てるということなのですから。

Indonesia

インドネシア

助け合い

Support

● 村民みなが見送る美しき葬儀

村の誰もが行列に加わっていき、私も友人のムスタファもすぐにそうなりました。頭上にお香がただよい、リズムに合わせて鐘が鳴り、数百人の葬送者が一歩踏み出すたびに、その先に花が舞いました。美しい、忘れられないメロディーが、村の長老の次の人生への旅立ちを見送ります。

この葬儀の最も注目すべき点は、村全体を停滞させたことでしょう。あらゆることがいったん停止し、すべての人が参加するために外にいました。インドネシアでは、「参加する」とは、単にその場に現れることではありません。この国に根付いている**「ゴトン・ヨロン（相互扶助）」**の精神によって、葬儀などのイベントは遺族だけでなく、コミュニティ全体の仕事になります。人々は、食料の提供から埋葬の手配、費用の支払い、7日間にわたる追悼の儀式の出席まで、考えられるあらゆる方法で支援を行うのです。

● スカルノ大統領の演説から

「ゴトン・ヨロン（Gotong Royong）」はインドネシア建国の父と呼ばれる**スカルノ大統領**が作った用語で、彼が広めた概念です。

スカルノ大統領は、就任の日の演説でこう述べました。

「我々が設立しようとしているインドネシアの国は、相互協力の国であるべきです。なんと素晴らし

スカルノ大統領の切手

〈首都〉ジャカルタ〈人口〉2.67億人	〈言語〉インドネシア語
〈面積〉192万㎢（日本の約5倍）	〈GDP〉1兆1,191億ドル
〈民族〉大半がマレー系、その他ジャワ、スンダ等約300種族	〈時差〉西部時間（マイナス2時間）、中部時間（マイナス1時間）、東部時間（時差なし）

いことでしょう！　ゴトン・ヨロンの国です！」

このユニークな相互支援の文化によって、インドネシアは個人主義社会とは真逆の社会になっています。「あなたの問題は私の問題」であり、「あなたの痛みは私の痛み」であり、「あなたの成功は私の成功」なのです。個人から共同体に至るまで、人々のニーズが確実に守られるように、全員が寄り合います。

ムラの助け合いの文化のルーツは、7世紀にインドからインドネシアに伝わったイスラム教です。現在のインドネシアは、世界最多のイスラム教徒の人口を抱えています。この国のイスラム教は、インドのルーツを反映し、ヒンドゥー教と仏教の色合いを帯びています。

インドの影響を感じられる
メナラ・クドゥス・モスク

助け合いの文化は、「最善の人は、他の人に利益をもたらす人」という預言者の教えに直接従うものでもあります。周囲の人々を、相手が必要とするあらゆる方法で、躊躇したり質問をしたりせずに支援する。それが当たり前なのです。

● 世界最悪の所得不平等を経験して

この精神は、インドネシアの学校で幼い頃から教えられます。また、村の長老が招集するコミュニティ会議で、組織化や支援が必要なプロジェクトを決定するときにも使われます。たとえば、道路の修理や水の供給の保全、ムラの家族の緊急費用の支援などです。

共同社会の活動が、世界最悪の所得不平等を経験している国には必要なのです。

北スラウェシ、マナドで

〈有名人〉デヴィ夫人で知られるデヴィ・スカルノは、スカルノ元大統領の第3夫人である。**〈文化〉**隣国マレーシアと同じくバドミントンが国民的スポーツである。1992年以降では2012年のロンドン五輪以外で金メダルを獲得している。**〈都市〉**バリ…ビーチリゾート、火山、伝統寺院が共存している日本でも大人気の観光地。また「バリ・ヒンドゥー」という宗教が根付いた独自の文化がある。

〈オックスファム〉によると、インドネシアで最も裕福な男性4人の収入は、この国の最も貧しい1億人分よりも多いそうです。

私がこの国を訪れたのは、1990年代後半のアジア通貨危機の後の、経済的痛みが広く感じられていた頃です。周囲のすべての人が立ち直らないと、自分も回復できないという明らかな感覚がありました。

強い相互関係が家族やコミュニティを結びつける国は、インドネシアだけではありません。でも、「ゴトン・ヨロン」の特徴として際立っているのは、周囲の人をサポートするために費やす時間の長さです。単にお金を集めて置いてくるだけではないのです。

隣人が誰なのかさえ知らない人が多い世の中です。テクノロジーが個人主義と孤立を促進しています。そんな世界に、インドネシアが教えてくれるのは、もっと共同的なアプローチを取ることの価値です。

想像してください。周囲の人がいつも見守ってくれて、必要なときにコミュニティの誰にでも呼びかけられるとわかっていれば、どれほどの安心と安全を感じることができるでしょうか。これが、インドネシアの「ゴトン・ヨロン」文化のパワーです。

それは、個人として生きるよりも、共に働くことで多くを達成できると教えてくれます。他の人を支援するために注いだものは、自分に必要なときに必ず返ってくるのです。

バリ島、ウルン・ダヌ・ブラタン寺院

Jamaica

ジャマイカ

規律

Discipline

● 陽気なイメージとは裏腹に

ジャマイカについて考えると、リラックスして、のんびりして、のんき、という言葉が浮かぶでしょうか。でも、広く知られているこのイメージは、この島の本当の国民性とは相容れません。

ジャマイカでは規律正しさが一般的な価値観であり、米や豆や雨季と同様に、生活の一部なのです。

私が思い出すのは、首都キングストンでバスに乗っていたときのことです。年配の女性がバスに乗ってきましたが、空席がなく、座ったままの若い男性のほうに視線が集まり始めました。最初は振り返ったり、眉を釣り上げたり、というジェスチャー。それで望みの効果が出なかったので、誰かが青年に声をかけました。

「**ねえ、君は立つべきじゃないか？**」

青年はようやく立ち上がりましたが、その際に「はいはい、わかりましたよ」とつぶやきました。普通なら、これで話は終わると思うでしょう。

でも、バスの中は落ち着かず、ある女性がさらに深追いをしました。

「ちょっと、ご両親から礼儀正しい振る舞いを教えてもらわなかったの？」

そう叱りつけた上で、致命的な打撃を与えました。

「自分のおばあちゃんを、公共のバスでどんなふうに扱ってもらいたいか、考えてみたらどう？」

この時点で、バスの中で注目していない人は一人もいませんでした。まるで、バス全体が青年の家族の一員になったかのよう——みんなが両親、

〈首都〉キングストン〈人口〉294.8万人
〈面積〉1.1万㎢（秋田県とほぼ同じ大きさ）
〈民族〉アフリカ系（92.1％）、（混血6.1％）、その他（1.9％）
〈言語〉英語（公用語）、ジャマイカ・クレオール語
〈GDP〉142.3億ドル
〈時差〉マイナス14時間

祖父母、おば、おじがするように、青年を「しつけて」いたのです。
青年の強がりはすぐに消え去り、顔が赤らみました。私は口の中が乾き、青年のことが心配になりました。私でさえ鮮明に記憶しているくらいですから、この一件は彼にどれほど大きな影響を残したことでしょう。
少年の祖母についての質問が出たことは、とりわけ印象的でした。**というのも、ジャマイカ人の生活は家庭が――とりわけ、規律を守る文化の形成において――中心的な役割を果たしているからです。**

● ジャマイカの子どもたち

算数の教科書を持つ小学生

この国の大学時代の友人の家を訪ねた私は、**構造化された厳格なルーチン**を家族全員が守っていることに、気づかずにはいられませんでした。
子どもたちは月曜日の朝早く起きて、学校に行く前に割り当てられたすべての雑用を済ませます。ベッドを整えた後、一人はテーブルのセッティングをし、もう一人は朝食の準備を手伝い、三人目は洗いものを手伝います。そして、清楚な姿で学校に向かって出発します――アイロン済みの制服を着て、女の子は髪にリボンをつけ、定められた丈のスカートをはいて。

教育はジャマイカで非常に重んじられていますが、子どもたちには、家族の仕事を手伝うことも期待されています。たとえば農家なら動物の世話、商人なら商品の販売というように。夏には、子どもたちは祖父母の家で時間を過ごして、大きな果樹園のリンゴの木を整え、近所の果樹園で同じことをして、お返しにリンゴをいくつかもらい、売ってお小遣いにすることもあります。ジャマイカでは幼い頃から、自分の役割を十分に果たし、責任を引き受けることを教えられます。
このことについて、私が泊まった家のお母さんは、当たり前のようにこ

〈有名人〉ウサイン・ボルト(陸上競技選手/100m世界記録)**〈文化〉**ブルーマウンテン…いわずと知れたコーヒーの王様。ブルーマウンテン山脈の標高800～1,200mに位置する「ブルーマウンテン・エリア」で栽培されたものだけが名乗ることができる。**〈ことわざ〉**「世界を手に入れて、魂を失うな。叡智は金銀より尊い」…ジャマイカ出身のレゲエの神様、ボブ・マーリーによる「ザイオン・トレイン」の一節。

う表現しました。

「子どもたちはお手伝いや用事をしなきゃいけないし、**やることが思いつかなければ、自分から探しに行かなきゃならないのよ**」

● 規律は社会が育んでいくもの

規律は家庭内だけに存在するものではありません。1930年代のジャマイカで始まった宗教的思想運動「**ラスタファリ**」と、そのコンセプトである「**Livity**（リビティ）」（内なるエネルギーと生命力を高めるための自然な生き方）にも欠かせない要素です。これには、肉、アルコール、加工食品を使わず、場合によっては完全にビーガンの「アイタルフード」や、髪を自然に伸ばし、ピアスやタトゥーを避けて、体を自然な姿に保つことなどが含まれます。

繰り返しますが、「のんびりした、自由奔放なラスタマン」のイメージは、厳しい規律とルールがある実態とは食い違っています。**ボブ・マーリー**のようなラスタファリアンや、世界中で有名なレゲエ音楽を生み出した自由な精神の創造性を支えるのは、この規律なのです。

キングストンにある
ボブ・マーリー像

ジャマイカの規律文化は非常に強力で、社会全体にわたって実行されています。ある人は、こんなことを話してくれました。

「私は、この島のすべての子どもを自分の子どものように見守ります。自分の子のように話しかけ、しつけることが多くなるけれど、それは、わが子にも他の人からこの恩恵を受けてほしいからです」

ジャマイカは、正しく実行される規律の重要性について——特に規律が行動を形作るという意味で——多くのことを教えてくれます。大した結果にならない場合は、ルールを無視したり曲げたりしやすくなるものです。

でも、周囲の人々が違反を容認しなければ、行動が変わります。自主的に規制を始め、行動の仕方や他人の目をより意識するようになるのです。何よりも、あらゆる行動が、どんなときも、自分自身だけではなく、育ててくれた家族をも物語る、ということを忘れなくなるでしょう。

Japan

日本

敬意

Respect

● 日本の社会を見渡せば、そこに敬意があふれている

日本に到着した瞬間に、というよりも飛行機を降りる前から、「敬意」に遭遇します。「**おしぼり**」と呼ばれる温かいハンドタオルが配られ、さっぱりした気分を得られると同時に、自分が持ち込んでいるかもしれないばい菌を他人にうつさないための予防ができるのです。**これが、日本の「敬意」の根源です——「集団の一員」であるという意識ゆえに、「個人」をより良くしようとするのです。**

国内を旅して、人に出会い、日本の文化を目撃するにつれ、ますます身の回りに敬意があふれていることに気づかされます。

ぴかぴかに掃除された道路や公共のスペース、新聞（きちんと折りたためる）から公衆トイレ（暖房便座）まであらゆるモノのデザインや、振り付けされたダンスを踊っているような人々の身のこなし……。東京は世界一混雑した都市かもしれませんが、世界一散策しやすい場所でもあります。人を押しのけたり、道路をふさいだり、ふらふら歩きをしたりする人はいません。全員が、信号を待ちます。横断歩道でない場所を横切るのは、よそから来た観光客だけです。

世界的にも有名な渋谷のスクランブル交差点

人々はお互いに深い敬意を払っています。モノと空間はどちらも丁寧に設計され、扱われています。健康的な

〈首都〉東京
〈人口〉1億2,625万人
〈面積〉37.8万㎢
〈民族〉日本人（98.5%）
〈言語〉日本語
〈GDP〉5兆1545億ドル

ことで有名な日本食は、体を尊重するものです。

年齢と経験に対しては、畏敬の念とも言えるほど深い尊敬の念が抱かれています。時間に敬意が払われていることは、公共交通機関から会議の出席まで、あらゆる「**時間厳守**」に表れています。

よそ者の目には敬意が必要なさそうなものにまで、敬意が払われています。たとえば、電車の中で人が詰めてくるのは、他人の個人的なスペースに侵入するためではなく、他の乗客たちに敬意を払うためです。

この国でマスクとリネンの手袋はおなじみの光景ですが、細菌を他人にうつさないエチケットであると同時に、逆の（自分を守る）目的のためにも着用されます。

日本人は自分のことを話すときに非常に謙虚な表現を使い、話している相手には敬語を使います。

私はよく、夜更けにオフィスから帰宅する途中に、「**居酒屋**」の外でサラリーマンのグループが別れの挨拶をするのを見かけました。何度も腰を曲げ、回数を重ねるごとに傾きが大きくなりました。「お辞儀」は美しく複雑な礼儀作法で、相手の年功が高くなればなるほど、長さと角度が増します。

子どもたちは、ごく幼い頃から敬意の大切さを教え込まれます。「**保育園**」では、部屋に入る前に室内ばきにはきかえ、座ったらすぐに手を洗い、適切な場所に持ち物をきちんと保管するように教えられます。

誰かの家に行くと、入り口に室内スリッパが用意されています。トイレに行くと、二組目のスリッパが待ち受けていることも。この目的のためだけに用意されたスリッパです。ゲストが快適にすごせることに敬意を払い、何よりも、家の清潔さと秩序を重んじているのです。

● 日本の敬意に外国人の私が学んだこと

〈文化〉初めて世界遺産が登録されたのは1993年。文化遺産として法隆寺と姫路城、自然遺産として白神山地と屋久島が登録された。〈歴史〉日本は世界で唯一の被爆国である。1974年には首相当時（1967年）、非核三原則を打ち出した佐藤栄作がノーベル平和賞を受賞した。〈生活〉東京の新宿駅は一日に約350万人が利用し、世界で最も多い一日の乗降者数としてギネス記録に認定されている。

私は日本人の生き方から元気をもらいました。以前よりはるかに活力がわき、自分の健康とライフスタイルを深く考えるようになり、人との関わり方をもっと意識するようになりました。

多くの人は忙しい生活に慣れきっています。敬意は窓の外にほうり出し、他のすべてを排除して自分だけを考えるほうに簡単に流れてしまいます。

でも、日本では違います。他人に敬意と配慮を払い、立ち止まって、自分の行動が他人に与える影響について考えます。そして、自分が暮らし、移動するスペースと自分自身に与えられた敬意に報いようとします。

こういった価値観が、日本社会にプラスの効果があることは明らかです。日本は**世界のどの主要国よりも平均寿命が長く**、その理由としてよくあげられるのが、魚・穀物・野菜が中心で、脂肪・乳製品・加工食品が少ない、**きわめて健康的な食生活**です。

しかし私は、平均寿命の長さは、日本社会のなかで年齢に敬意が払われていることの反映だとも思います。犯罪率も非常に低く、どんな時間にどこへ行っても、いつでも安全を感じられます。

日本の文化に議論の余地や欠点がないわけではありません。たとえば、権威を尊重することは盲目的な服従にもなり得ます。また、定着した社会的・経済的問題としては、シングルマザーの貧困率の高さや、個人消費の低水準、日本のミレニアル世代（2000年代に成人や社会人になる世代）の自信と社会的相互作用の欠如などが挙げられます。

それでも、日本から学べることは膨大にあります。とりわけ、個人主義的な文化の国から来た人たちにとってはそうでしょう。

他の人を心から気遣い、「私」ではなく「私たち」に主眼が置かれている場所で時間を過ごすと、考え方と行動の両方が変わってきます。周囲の世界とその中にある自分の居場所を、俯瞰できるようになる。深く考えて思いやりを持って意思決定をすることができる。

「敬意」に必要なのは、「少しの時間」と「意識的な思考」だけで、コストはかかりません。敬意を払うという選択によって、人間的な成長という新たな世界への道が開かれるのです。

Kenya

ケニア

連帯感

Togetherness

● 困ったときはお互い様、さあ力を合わせよう

「明日、うちの収穫を手伝ってくれない？」

ケニア人の同僚からそう頼まれたとき、私は正直、少し驚いてしまいました。多くの国では、このような要求は厚かましく感じられ、失礼とさえ思われるかもしれません。

でもケニアでは、「楽しくて」「大切で」「当たり前」のリクエスト。収穫の手伝いであれ、挙式費用の支払いであれ、知り合いの家の建て替えであれ、「**みんなが力を貸して、自分が必要なときには同じ助けが受けられる**」という前提があります。

医療費や学校費、葬儀の費用などの大きな支出を、一つの家庭でまかなうのが難しいことを考えると、これは「慈善の寄付」ではなく、多くのことを達成するために、みんなの財源をプールすることなのです。

助けを求める呼びかけが来ると、「忙しい」とか「金欠」だからと言い訳をすることは普通ありません。一家庭を助ける場合でも、学校を建てるといった地域社会のために団結して行動する場合でも、ほとんどの人が加担します。目的を果たし、帳尻を合わせるために、みんなが協力するのです。

オフィスにはしょっちゅう、寄付をつのる封筒が回ってきます。国のトップ校に入学した子どもがいるご近所のためだったり、昨夜壊れた同僚の家の屋根の修理のためだったり、目的はさまざまです。

〈首都〉ナイロビ〈人口〉5,257万人
〈面積〉58.3万㎢（日本の約1.5倍）
〈民族〉キクユ族、ルヒヤ族、カレンジン族、ルオ族、カンバ族等
〈言語〉スワヒリ語（国語）、英語（公用語）
〈GDP〉965億ドル
〈時差〉マイナス6時間

● キーワードはハランベ！

この「連帯感」を支えるのが、「ハランベ（みんなで力を合わせましょう）」の思想です。これはケニア人なら誰でも知っている、この国の基礎的な価値観で、国章にも表されています。

ハランベ（harambee）は元々1890年代に、ケニアのウガンダ鉄道を建設したインド人労働者の連帯の象徴として造られた用語です。「ルナティッククライン」とも呼ばれるこの鉄道の建設中に、厳しい労働条件と風土病であるマラリアと黒熱病によって約2500人の労働者の命が犠牲になりました。

後にハランベの思想を普及させたのが、ケニアの初代大統領ジョモ・ケニヤッタです。彼は1963年の独立記念日のスピーチで、ハランベを中心的テーマとして扱いました。

「いいですか、ケニヤッタ一人だけでは、みなさんにすべてを与えることはできないのです。**あらゆることを、みんなで一緒にやらなければなりません。**この国を開発し、子どもたちに教育を与え、医師を雇い、道路を建設し、日々の必需品の質を高め、提供するのです」

ハランベは、ケニヤッタの主導で「国家の統一と自給自足」に取り組む社会主義プラットフォームとして始まった思想ですが、今ではケニア社会の象徴として、いたるところに存在しています。大統領専用の飛行機は「ハランベ・ワン」、サッカー代表チーム名は「ハランベ・スターズ」です。

ノーベル平和賞を受賞したワンガリ・マータイ（右）と著者。マータイの植樹運動もハランベの精神に根ざしていた

〈**歴史**〉環境保護活動に尽力したワンガリ・マータイは、2004年にアフリカ人女性として初めてノーベル平和賞を受賞した。また日本語の「もったいない」を世界に広めたことで知られる。〈**文化**〉陸上競技の中・長距離の強豪国で、マラソンでは男女ともに歴代記録にケニア選手が名を連ねている。〈**ことわざ**〉「ゾウたちが戦えば苦しむのは草たち」…強い者同士が争うと、それに巻き込まれて弱い者が苦しむということ。

ハランベの思想は政治的な起源を持っていますが、政府の介入に頼るよりも地域で問題を解決したいケニア人に、喜んで受け入れられています。部族や民族によって（とりわけ政治面で）分断されがちな国では、ハランベの精神によって、すべての人に利益がある共通の目的のためにコミュニティを統一することができるのです。

ハランベがなければ、投資と労働力が不足して、道路や学校や必要なインフラが普及していない地域が、もっと多かったことでしょう。これは「理念」として運営される一種の保険と言ってもいいかもしれません——人々に支えられ、永続的で持続可能で、決して裏切らないコミュニティに組み込まれているのです。これは、人々が資金をプールして、必要に応じてメンバーを一つずつ支援するために月額を支払う地元の協同組合「チャマ」の制度を支える原則です。

● IT時代が加速させるハランベ

ハランベはさまざまな批判（経済発展への影響にばらつきが出る、この概念を利用しようとする政治家がいるなど）に直面しながらも、ケニア社会に不可欠な要素として存在を続けています。

とりわけ注目されているのが、その影響がデジタル世界に広がっていることです。顕著な例は、2007年に開始されたモバイル送金・決済サービス「**Mペサ**」で、ケニアの人口の約55%が利用しています。現在では同じ種類のサービスを提供するアプリが無限にありますが、これほど早い段階で開始され、「Mペサ」ほど普及した例は、ほとんどありません（現在では海外でも利用されています）。「Mペサ」は、資金移動に弱かったケニアのインフラを補うシステムとして、交通が不便な村に住む家族に送金をしたり、「ハランベ」的なプロジェクトにお金をプールしたりと、都市生活者に不可欠なツールになっています。

アフリカ有数の大都市ナイロビのビジネス街

資金を簡単に送金できたり、フェイ

スブックやメッセージサービスのWhatsAppを介して活動をすばやく共有できたりする環境では、ハランベがこれまで以上に簡単に素早く実現できます。**携帯電話のほうが清潔なトイレよりも普及している国**では、デジタルネットワークが新しいやり方で「みんなで一緒に働く」こと——長い伝統を持つハランベ——をサポートしてくれるのです。

● 連帯感がもたらす安心と高揚とエネルギーと

ハランベの精神が重要なのは、コミュニティの支援や施設の建設に役立つからだけではありません。体験してみると、他では味わえない高揚感があるのです。

収穫の手伝いをした午前中に、私は、このような形の共同作業は価値を生むだけではなく、加わった自分も楽しくて元気づけられるのだと実感しました。心の中を空っぽにして、手元の作業に身を投じて、同じように自分の時間を使っている他のボランティアの人たちに支えられ、前向きな貢献をしているという感覚に励まされるのです。自分の問題を誰かが分かち合ってくれる、常にコミュニティが支えてくれる、とわかっていると、安心して夜にぐっすり眠れるものです。

「連帯感」は、コミュニティの繁栄から企業の成功まで、すべてを推進する原動力です。個人主義の社会で暮らす人は（隣人のことをどれほど知っていますか？）、ケニアに目を向けてみましょう。みんなで力を合わせることで格差を埋め、地域コミュニティを活性化し、活力を生むことができるのです。

夕暮れのマサイマラ国立保護区

Laos

ラオス

奉仕

Service

● ラオスの急流に飲み込まれて

チュービングで遊ぶ様子

ラオスを訪れた人なら、「**チュービング**」を体験したことがあるのではないでしょうか。ゴムボートを使わないラフティングで、文字通り、ゴムのタイヤのチューブに座って、自分で安全を確保しながら川を下るアクティビティです。

近年になって、できる区域が縮小され、新しい規制が導入されましたが、20年以上前には、そのような配慮は存在しませんでした。チュービングは危険をともなうのが当たり前で、私はもう少しで命を落としそうになりました。

スタート地点は静かでした。グループの一人としておとなしく水上に浮かび、お互いのタイヤを足で押したりして、雑然と動いていました。水は透きとおり、のどかな景観です。

ところがその後、急に勢いがついてきました。グループの何人かが先に流れて行き、スピードがどんどん速まります。すぐにひとりぼっちになった私は、急斜面の土手にはさまれた深い渓谷に流されてしまいました。タ

〈首都〉ビエンチャン
〈人口〉701万人
〈面積〉24万㎢(本州とほぼ同じ大きさ)
〈民族〉ラオ族(全人口の約半数以上)など計50民族
〈言語〉ラオス語
〈GDP〉189億ドル
〈時差〉マイナス2時間

イヤは飛ばされ、私は上下逆さまになって、激しい流れのなかを、まるで洗濯機で回されているように転がっていきました。

私は水中に沈みました。メガネは落ち、耳鳴りがして、水流が強すぎて泳げません。おぼれ死ぬなんて究極の悪夢です。突然、母が私の死を告げられる場面が頭に浮かびました。母はラオスの地図上の場所だけではなく、ラオスという言葉さえ知らないのではないか……なぜかそんな心配で頭がいっぱいになりました。

肩に何かがぶつかった衝撃で、妄想から引き戻されました。木の根です。私はそれをつかんで、よじ登りはじめました。水から顔を出すことができ、空気を吸うことができました。ひとりぼっちで自然のなかに取り残され、ひたすら木の根にしがみついていました。

誰にも見つけてもらえなかったらどうしよう、と焦りながら、根っこの間にはさまったまま、どれぐらい長い時間が経ったでしょうか。

突然、10歳以上には見えない男の子の顔が現れました。土手の向こうからのぞきこんでいましたが、私と同じ高さまで下りてきました。そして、土を掘って体をうずめ、自分の体をよじ登るようにと手招きしました。私も同じことをして、少年が私の体をよじ登り、お互いをはしごのようにして、かわるがわるに上を目指し、一緒に谷の隙間(すきま)から抜け出すことができたのです。

命を救ってもらった私は、この見事な少年と、ラオス人の「奉仕」の精神に深く感謝しました。

● 無条件に、そしてためらうことなく

ラオスでの最大の美徳は、「他人に奉仕すること」「支援する方法を見つけること」

これは、シク教徒の「セヴァ」の精神に似ています。**無条件に、ためらう**

〈都市〉ビエンチャン…有名な観光地や商業施設が少なく「世界一何もない首都」と呼ばれることもある。しかしかえって旅情があることから一部で人気。〈日本〉1965年に青年海外協力隊が初めて派遣されたことをはじめ、日本が継続的に開発援助を行ってきたこともあって親日的といわれる。〈文化〉シエンミエン物語…見習い僧のシエンミエンがとんちで王様をやりこめていくという、「一休さん」のような民話。

ことなく、助けの手を差し出すのです。

一番左が著者で、一番右の少年が命の恩人

ラオス人は、常に他の人に目配りをしています。「こんにちは」と言うと、たいてい、こんな質問が返ってきます。

「食事はすませましたか？」

だから、見知らぬ人のグループの食事に誘われて飛び入りで参加させてもらうのは、まったく珍しいことではありません。

バスで移動中に、高速道路上で故障した車を助けるためにバスが路肩に止まり、旅が一時中断したこともありました。何かをしてもらって、大層なお礼の言葉を浴びせると、ラオス人からは、あっさりした反応が返ってきます。

「**ボーペンニャン（大文夫、心配しないで）**」

ラオスの象徴ともいえるタート・ルアン

この文化は、人口の約4分の3を占める上座部仏教の精神に根差しています。僧侶と平信徒との関係は、奉仕の伝統を反映していて、僧侶は行進の儀式「タクバット」によって、金銭と食料の施しを平信徒から日々受け取るのです。

西洋文化では、奉仕の概念は「隷属」の意味を含んでいます。**でもラオスが示すように、奉仕の真の価値は平等主義であり、躊躇せずに他人を助けることにあります。**

他人のニーズが常に自分のニーズと同等かそれ以上であるという無私無欲の考え方を奨励するのが、奉仕の精神なのです。どんな状況でも、最初に考えるのが、自分の望みや欲求ではなく、「いかに他人の役に立てるか」である人は、善き人であり、幸せな人であり、バランスの良い人格の持ち主であるはずです。

Latvia

ラトビア

自己表現

Self-expression

● 歌が建国した独立国家

ラトビアの「**歌と踊りの祭典**」は、世界最大の歌唱イベントの一つであり、ラトビアの国民性と自己表現の中心的存在です。1873年から5年ごとに開催され、ラトビアのアイデンティティの基盤である「歌と文化」を祝うために3万人のパフォーマーが集い、すべての学校の子ども達が参加します。

無形文化遺産にも登録される「歌と踊りの祭典」

「歌うことがラトビアの文化と精神の中心」という表現は、やや控えめかもしれません。**歌の力が現代ラトビアの独立国家としての建国を支えたと言っても、過言ではないでしょう。**

この価値観は、19世紀半ばにまでさかのぼります。ラトビアはロシア帝国の一部であり（1918年の独立まで）、バルト・ドイツ人のエリート層によって支配されていましたが、国家のアイデンティティと文化と遺産を取り戻そうという動きが始まりました。

ラトビア語が再び人気を集め、新しい全国紙が創刊され、「jaunlatvieši」（若いラトビア人）のスローガンのもとに集結した知識階級の人たちが、自身をドイツ人ではなくラトビア人と定義し始めました。そして民俗文化、とりわけ民謡が研究され、新たに紹介されるようになったのです。

口承で受け継がれてきた民謡を1890年代から書き起こして出版したのが、クリシュヤーニス・バロンズです。彼は、何万曲ものラトビア民謡を

〈首都〉リガ 〈人口〉193万人
〈面積〉6.5万㎢（日本の約6分の1）
〈民族〉ラトビア人（59%）、ロシア人（28%）、ベラルーシ人（4%）
〈言語〉ラトビア語
〈GDP〉295億ユーロ
〈時差〉マイナス7時間（夏時間あり）

集めて6巻の本にまとめ、この偉業によって国民的英雄になりました。バロンズは、2013年にラットがユーロに代わるまで、ラトビアの紙幣に登場する唯一の人物でした。

「**一緒になって歌うことで、ラトビアの独立、つまりラトビアの独立国家の創造という考えが生まれたのです**」

1999年から2007年までラトビア大統領を務めたヴァイラ・ヴィーチェ=フレイベルガの言葉に、「第一次ラトビア国家覚醒運動」に対する民族伝統と歌の重要性が要約されています。彼女はこう語っています。

「さまざまな外国の占領下に置かれながら残すことができた伝統が……私たちのルーツの意識、過去とのつながり、ラトビア人であるという意味と継承の権利を保つのに役立ちました」

● 歌は闘いの原動力に

国家的アイデンティティの確立から、占領下でそれを維持するための闘いに至るまで、歌と民族文化は、ラトビア人の自己表現と国民意識の手段となってきました。

歌は、1918年のロシア帝国からの独立と同様に、1991年のソビエト連邦からの独立を確立する上で、重要な役割を果たしました。エストニア、リトアニア、ラトビアのバルト三国に広がった「**歌う革命**」では、音楽集会が抗議活動の中心になりました。また、独ソ不可侵条約から50周年の日には、200万人以上のラトビア人、エストニア人、リトアニア人が3か国で675km以上にわたって手をつなぐ「人間の鎖」による抗議が行われました。

ラトビア人は、歌うことで、アイデンティティと国家としての独立を守り、主張し、抵抗を試みました。歌や民間伝承は、ラトビアの歴史と文化を記念するだけでなく、その存続と繁栄を守るための主要な手段なのです。

ラトビアの民族の伝統は、文化的に重要であると同時に、多様性に富ん

〈都市〉リガ…通称「バルト海の真珠」。中世の雰囲気を残した色とりどりの建物が立ち並び、旧市街地は世界遺産に指定されている。〈文化〉森の民芸市…毎年6月第1週の土日に、ラトビア野外民俗博物館で行われるクラフトマーケットで、全土から手工芸品の屋台が集まる。日本からも買い付けに訪れる。〈ことわざ〉「小さなアヒルを吹き出す」…くだらないことをぺらぺら話している、あるいは嘘をついていること。

でいます。バロンズの民謡集には、希望の歌、アイデンティティの歌、田舎に関する歌、悪霊を追い払う歌、人に活力を与える歌、希望を呼び起こす歌など、さまざまな内容のものが含まれています。

● ラトビア人は今日も歌う

友人クリスティンはこう話してくれました。

「合唱をするとき、まるで私たち全員が天使になって、空に高く舞い上がるような気分になるのよ」

リガ、メザパークの野外ステージ

この国では、歌唱があらゆる記念行事の中心的存在です。母の日、夏至、それから11月11日の独立記念日には、世界中のラトビア人が歌い踊って一つになり、人口の3分の1が参加して、人々は場所取りのためにスタジアムで一晩を明かします。

首都リガに専用のコンサートホールが多数あることや、幼い頃から歌唱がラトビアの教育システムに大きな役割を果たしていることは、意外ではありません。英『エコノミスト』誌はラトビアを「**合唱の超大国**」と評していて、学童の推定10%は合唱団のメンバーです。

ゴスペル、キルタン（シク教の祈りの歌唱）やイスラム教の祈りなど、歌はほとんどの宗教に備わっています。そしてラトビアでは、歌には「**人を肉体的・精神的に結び付ける**」という目的があります。共通の（主にラトビアの）歴史と、独立という目的と国家意識のもとに団結させるのです。

ラトビアの歌の伝統が改めて教えてくれるのは、人を結び付ける儀式と伝統の重要性と、人間の表現が持つ喜びと力です。人が集って、共に自己を表現し、心と魂を声に乗せて、一人では決してできない共有体験に参加することで、私たちは多くのものを引き出すことができます。

肉体と精神にも好影響があります。呼吸が深くなり、姿勢が改善され、合唱することで「幸せホルモン」のエンドルフィンが分泌されるのです。

この種の自己表現には、個人を高めるだけではなく、ラトビアが示したように、国民全体を解放する力があるのです。

Madagascar

マダガスカル

結束力

Solidarity

● 墓から死者の骨を取り出す？

大切な人との死別は、孤独で寂しい経験になることがあります。でも、マダガスカルでは違います。この国では、愛する人を一人ぼっちで思い出す人は誰もいません。

私がそのことを知ったのは、滞在していた村の長であるアンジュを探していたときでした。すぐに乗っていた車を降りる羽目になりました。普段は人気（ひとけ）がないのに、路上にものすごい数の車が停まっていたからです。

みんなはどこにいるの？

遠くから、心にしみるホルンの音が聞こえてきました。村の全員と思われるほどの人数が集っていたのは、道路の脇にある丘の頂上のお墓でした。私は、特殊でまれな行事に出くわしたのです。

村の人の説明によると、死者の骨を掘り出して、生命の無限の循環を尊ぶのだと言います。これは7年ごとに行われるマダガスカルの埋葬儀式「**ファマディハナ（骨の回転）**」で、起源は17世紀にさかのぼると言われています。

儀式では、故人の遺体が地下室から取り出され、新たに包みなおされます。マダガスカル人は、骨が完全に崩れるまで、死者は平和に次の世界に移ることができないと信じています。だから、その時が来るまで、**生きている人以上に大切に扱われるのです**。

アンジェの祖先の墓は永遠に存続しそうなコンクリート構造で、アンジュが今住んでいる、突風が吹けば飛ばされそうな木造の素朴な家とは大

〈首都〉アンタナナリボ〈人口〉2,697万人
〈面積〉58.7万㎢（日本の約1.6倍）
〈民族〉アフリカ大陸系、マレー系、部族は約18（メリナ、ベチレオ他）
〈言語〉マダガスカル語（公用語）、フランス語（公用語）
〈GDP〉141億ドル
〈時差〉マイナス6時間

違いでした。

私が見ている前で、親族の家族たちが慎重に、埋葬布で覆われた骸骨を墓から取り出しました。友人や家族たちが、故人の冒険や功績の話をするなか、布が解かれ、遺体がみんなの前に現れます。死者の骨は、高価な香水が吹き付けられて、高級な絹で包みなおされます。

その後、楽団が音楽のテンポを上げ、パーティが始まりました。男性たちは、世代を超えて家族を結びつける絆を再確認するように、遺骨と一緒に踊っていました。

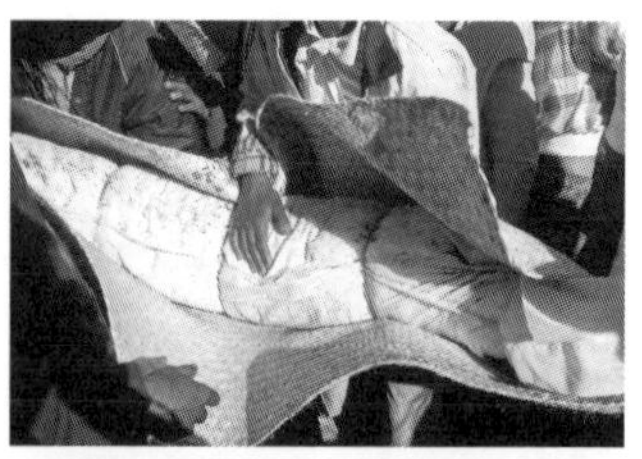

ファマディハナの様子

私は、一人のために大勢が集う埋葬の儀式は何度も経験していましたが、このような、家族が団結して一緒に祖先を祝福する集団の儀式を目撃したのは、初めてでした。

「私たちは全員でこの瞬間を迎えます。家族と隣人、島中の親せきが参加します。死者は扉の向こうへと旅立ちました。**残された人々の悲しみを共有するために、私たちは集うのです**」

アンジュがそう教えてくれました。残された身内が1人で死者を悼むことは、ここでは考えられません。

● 結束力は村に、そして島にあふれている

「ファマディハナ」の一連の儀式は、コミュニティの絆と結束力を強めてくれます。そうすることで、逆境が訪れたときに、村の回復力が高まるのです。

家族は、経験したことのある人から学び、順送りで、まだ来たことのない人に教えます。隣人と肩を寄せ合って、必要なときは感情的にサポートします。

〈自然〉生息する動物の70〜80%が固有種という独自の生態系をもち、ワオキツネザル、アイアイなどが有名である。〈文化〉童謡でおなじみのアイアイは現地民には「悪魔の使い」とみなされ、長い中指で指されると死ぬという言い伝えもある。〈ことわざ〉「あなたの愛を霧雨のように、それでいて川をあふれさせるように降らせなさい」…自分の周りの人に対してだけでなく、多くの人々に愛をもつことの大切さを説く。

支え合いは様々な形で行われます——亡くなったときに遺族にお金を与える、一緒に歌う、食べ物を分け合う、語り伝えるために集まる、壊れた家を修復する、など。家庭生活の結束力が村にあふれ、島全体に広がっています。

このような「結束力」の精神は、1960年のフランスからの独立以来、政治的・経済的不安定を経験し続けている国で、強く求められている価値観です。独立を獲得するために長年戦い、その後の数十年のうちに複数のクーデターを経験してきたマダガスカル人は、政府や経済状況の安定性の欠如を補うために、家族とコミュニティの結束力に頼っているのです。

「結束力」は日常的に存在し、危機に直面したときは前面に押し出されます。たとえば1971年には、マダガスカルの独立後の初代大統領フィリベール・ツィラナナを退かせた「ルタカ運動」の一環として、農民と学生が力を合わせて抗議活動を行いました。

苦しみが自分のものでなくても、人の苦しみに寄り添って、結束力を見せることは、人間らしい行為です。「正しく人道的な行いだから」という理由だけで、愛情を与え、世話をし、サポートをするのです。

人々の結びつきがなければ、私たちは孤独で、傷つきやすく、無防備な個人です。「結束力」という価値観が、私たちの安全を守り、生活を豊かにし、人と人との絆を作るのです。

独自の生態系をもち、カメレオン(左)やキツネザル(右)など、珍しい野生動物が生息している(データ欄参照)

Malta

マルタ

コミュニティ

Community

● まるで村のような国

「私の出身地はどこでしょう？」

これまで、さまざまな人が、私のルーツを当てようとしました。南米。南ヨーロッパ。中東か南アジア。

最初に名前をきかれます。すると、インドについての知識がある人なら、私がシク教徒だとわかり（シク教の女性が持つ名前の「カウル」が本名に入っているため）、おそらくパンジャーブ地方だと推測します。

家族の出身地がわかると、どこの村かと尋ねてきます。数個の質問だけで、私のルーツが世界のどの地域かもわからないところから、先祖の住所の半径5キロ内にまで絞り込むことができるのです。

私はこういった会話を、マルタを訪れたときに思い出しました。この国には、コミュニティの重要性が凝縮されているからです。

マルタに住んでいる人は50万人に満たないにもかかわらず、ここは、世界で最も人口密度が高い地域の一つです。そして、ぎっしりと人が詰め込まれたこの国では、人々が固い絆で結ばれています。

首都バレッタの人口はわずか5680人。まさに**「村」の精神**を体現している国です。国の一部であるコミノ島には、合計4人しか住んでいません。国勢調査のデータによると、マルタには1万9000以上の異なる姓がありますが、人口の75%が100の名前を共有しています。

バレッタ市街

〈首都〉バレッタ
〈人口〉51万人
〈面積〉316㎢（淡路島の約半分）
〈民族〉マルタ人
〈言語〉マルタ語（公用語）、英語（公用語）
〈GDP〉149億ドル
〈時差〉マイナス8時間（夏時間あり）

村のような国なので、誰もが知り合い同士で、互いの内情を知っています。私が滞在していた友人宅の祖母が病気になり、教会に行くのを数回休みましたが、それだけで、心配した知り合いが家に具合を訪ねにやってくるには十分でした。

● コミュニティの団結力が国を支える

紀元前700年のフェニキア人の占領から1964年のイギリス統治の終わりまで、長い植民地時代の歴史を持つなかで、人々は団結することを学んだのです。国を離れて名声を得た人たちさえも、自分のルーツを遠ざけることはありません。世界で最も優れたテナー歌手の一人と評されるオペラ歌手のジョセフ・カレヤは、毎年マルタに戻って数千人の観客の前で帰郷コンサートを行っています。

コミュニティは、友人や隣人が交流する上での日常生活の一部になっています。組織化されたコミュニティもあり、たとえば各村が自分の守護聖人を祝うために開催する毎年恒例のお祭りがそうです。

1週間にわたる「**フェスタ**」は毎年夏に開催され、マーチングバンドが音楽を奏でながら行進し、コミュニティの資金による花火が上がり、教区教会周辺の史跡が展示され、伝統的な食べ物（リコッタチーズが入ったペストリー「パスティッツィ」など）がふるまわれます。16世紀の宗教行進にルーツを持つバンドクラブ（音楽協会）は、「フェスタ」の組織と祝祭の中心的存在です。

フェスタの時のモスタ大聖堂

マルタのコミュニティ精神が目に見えてわかるのは地域レベルですが、コミュニティを大切にする価値観は、全国区でも存在します。国内最大の慈善基金である「マルタ・コミュニティ・チェスト基金（MCCFF）」は、マルタ大統領を後援者として、地元の慈善団体を支援し、医療費で家庭をサ

〈都市〉バレッタ…16世紀にオスマントルコの侵攻を経験して、街全体が要塞とされた都市。市街全体が世界遺産に指定されている。〈文化〉イン・ガーディア…聖ヨハネ騎士団の軍事演習を再現したイベント。バレッタの聖エルモ砦で行われている。〈日本〉第一次世界大戦の際、海上封鎖されたマルタにイギリスの同盟国であった日本の海軍が派遣された。日本人戦没者71名をまつる慰霊碑がカプチン共同墓地にある。

ポートするための資金を集めています。「L-Istrina　キャンペーン」という年に一度の募金イベントはマルタ全土でテレビ放映され、2018年は550万ユーロ以上、マルタの人口一人あたり15ユーロ以上が集まりました。

● マルタの精神を、身をもって体験した話

私がマルタのコミュニティ精神の威力を実際に体験したのは、訪問を終えて家に帰ろうとしていたときでした。それは2010年の春で、飛行機で直帰するはずの旅が、あらぬ展開になったのです。アイスランドの火山エイヤフィヤトラヨークトルの噴火による影響です。

私は、他の何十万人もの人々と同じように、火山灰の雲の下に突然座り込むはめになりました。どうやっても移動する手段はなさそうでした。家族はそのまま滞在しましたが、私は就職の面接の予定があり、どうしても帰国したかったので、空港に向かいました。そこには帰りの便を手配しようと必死の人々であふれていました。

この段階で、多くの他の国なら希望を捨てることでしょう。でもマルタには本能的なコミュニティ精神がありました。ホテルと空港のスタッフが、自分の知人や連絡先に、輸送ルートが開いていないかを問い合わせてくれ、私のために手段を見つけてくれました。そして私は、船室をシェアすることで、海・鉄道・道路を使ってイギリスに戻ることができたのです。

こんなことが可能だったのは、マルタのコミュニティに対するアプローチ——人々が団結し、助け合い、全員が知り合い同士というお国柄——があってこそだと思います。

私たちは、「孤独」が流行病になった時代に生きています。若い人はテクノロジーの使いすぎで孤立し、多くの高齢者は十分なアクセスができないために疎外されています。この困難な時代に人と人とを結びつけるために、これまで以上に強力なコミュニティの絆が必要です。

なぜなら、コミュニティが実在していると感じられる地域では、人の幸福度が上がり、アイデンティティが強化され、長生きしてもっと幸せな生活を送ることができるからです。

祝祭

Celebration

● 色彩、におい、音、景観、祝祭！

私はメキシコに到着した直後に、最初に経験する「フィエスタ（祭り）」である**ゲラゲッツァ祭**に突入しました。年に一度行われるゲラゲッツァ祭は、元々はアステカ族がトウモロコシの神センテオトルにその年の豊作を祈願するための祭りでしたが、現在では、先住民とキリスト教の伝統が混ざり合っていて、オアハカ州全体の人と宗教が一体となり、パレードが行われ、踊りや歌や食事でお祝いします。

この祭りは、毎年7月の最後の2回の月曜日に開催され、人口30万人以上の都市は、お祭りムード一色になります。すべての家に飾りがつけられ、町全体が参加しているように感じられ、各家庭が独自のスタイルの祝賀用の衣装を持っています。

ゲラゲッツァ祭り

メキシコの滞在経験がほとんどなかった私は、偶然にもこの日程で訪問して素晴らしいイベントを体験することができた幸運を喜びました。

ただし、すぐに気づかされたのは、ゲラゲッツァ祭のようなけた外れのお祭りは、メキシコでは例外的ではなく、定番的な行事だということ。この国では、あらゆる場所で、ほぼいつでも、誰かがパーティをしています。社交行事を放棄する人や、一週間の仕事で疲れて外出する気分にならない人は、ここにはいません。

メキシコ人は言い逃れをしません——フィエスタは常に最優先です。そ

〈首都〉メキシコシティ〈人口〉1億2,619万人
〈面積〉196万㎢（日本の約5倍）
〈民族〉欧州系と先住民の混血（60%）、先住民（30%）、欧州系（9%）、その他（1%）
〈言語〉スペイン語〈GDP〉1兆2,230億ドル
〈時差〉中部時間（マイナス14時間）、山岳部時間（マイナス15時間）、太平洋時間（マイナス16時間）一部を除いて夏時間あり

れはメキシコ人が、楽しい時間を過ごすのが大好きで得意だからというだけではなく、「認識し、記憶する」という深く根づいた文化を大切にしているからでもあります。**お祭りは、生きている人と死んでいる人の両方を祝福し、先住民と入国者の両方の伝統を記念し、メキシコの豊かな文化と民族の多様性を認識することなのです。**

● 国民の祭り、地域の祭り、とにかく祭り

最も有名な祭りの一つ「**ディア・デ・ムエルトス（死者の日）**」は、先祖に捧げられるお祭りです。家族は、死んだ人々を思い出し、死者の霊を生の世界に歓迎するために家にオフレンダ（祭壇）を建て、好物の食事や、亡くなった子どもが好きだったおもちゃなど、小物やお供え物を飾ります。故人が近くに埋葬されている小さな町や村では、先祖の霊が家に帰るための道しるべとして、道路にマリーゴールドの花が敷かれることがあります。

ディア・デ・ムエルトスは、際立って目立つ国民の祝日かもしれませんが、他にも数えきれないほどの地域のフィエスタがあり、とりわけ、村や町や都市ごとの守護聖人を記念するお祭りが有名です。

マルベルデはシナロア州の伝説の義賊

年に一度行われる祝典は、一日だけのこともあれば、9日間にわたって続くこともあります。祭られる聖人は、有名な人物から、麻薬マフィアの聖人マルベルデのような非公式の聖人まで、さまざまです。

国や地域主催のもの、アステカ族やクリスチャンのもの、外国を真似た現代風のベビーシャワーや赤ちゃんの性別を明らかにするパーティなど、お祝いはメキシコの生活の中心的な役割を果たしています。

宗教的なルーツを持つ行事に限らず、サッカーや野球、ボクシング、オリンピックなどのスポーツイベントも、大規模なパーティを開催する理由

〈有名人〉フリオ・セサール・チャベス、マルコ・アントニオ・バレラ、ホルヘ・アルセなどボクシングの名王者が多数。**〈文化〉**ルチャリブレ…メキシコで行われているプロレスで、覆面レスラーが多いことで有名である。メキシコシティでは無形文化遺産に登録された。日本のプロレスとの交流も活発。**〈都市〉**カンクン…カリブ海に面したリゾート地で、世界遺産チチェン・イッツアなどの遺跡にもアクセスしやすい。

になります。それからもちろん、スペインからの独立記念日は、毎年広く盛大に祝われています。

● 祭りが楽しいのは準備から

お祭りそのものだけではなく、何日も何週間も前に始まる準備も大切です。多くの場合は、それぞれの行事に合わせて、伝統料理が準備されます。

ひき肉をポブラノチリ（唐辛子の一種）に詰めて、くるみソースとザクロの種とパセリをトッピングした（メキシコの旗の色になる）「チリアンノガダ」、ディア・デ・ムエルトスに食べる甘いアニス風味のパンロール「パン・デ・ムエルト」、三賢者の日のために特別に作られる、チーズとナッツを飾った円形のパン「ロスカ・デ・レジェス（王の指輪）」など。

花や装飾や衣装も、フィエスタに合わせて工夫したり発注したりします。その準備は、家族総出で行われます。私は、泊めてもらっていたお宅のキッチンに座って、「エンパナーダ（ひき肉や野菜、果物を詰めたパイ）」を作りながら、一番下の子どもが「チリアンノガダ」に使うザクロの種を取るのを見ていたのを覚えています。

「チリアンノガダ」ザクロの赤、くるみソースの白、パセリの緑でメキシコ国旗の色になる

イベントが開催されるたびに、全員が参加します。食べ物を持ち寄ったり、娯楽を手配したりと、ホストのために何でも協力するのです。

メキシコ文化がこれを重視しているのは、生活の中で多くの喜びを感じるためだけではなく、本当に大切なことを記憶するためでもあります。多くの人は、たとえば次の仕事の締め切りのように、人生を振り返るときにあまり重要ではないことを優先しています。メキシコ人は、そういった日常に縛られず、重要な祝祭を優先すべきだという認識をもっています。

メキシコが私たちに教えてくれるのは、お祝いが軽薄で取るに足らないことではなく、より良く生きる人生における大切な基盤だということ。メキシコが**世界幸福度指数の2位**にランクされていることからも、私たちはもっとパーティをすべきだと言っても差し支えはなさそうです。

New Zealand
ニュージーランド

環境保護

Environmentalism

● あれはピーター・ジャクソン？

普通は、国民的な有名人が通りをぶらぶら歩いているのを見かけるなんて、期待しません——ましてや裸足で歩いているところなんて。

でも私はかつて、ニュージーランドで映画監督のピーター・ジャクソンに、そんなふうに出くわしたのです。彼は靴をはかずにウェリントンの通りを歩いていました。ほとんどの都市では、これは正気の行動ではありません。

タバコの吸い殻やチューインガムや割れたガラスが落ちているとなれば、そもそも考えもしないでしょう。でも、ニュージーランドの通りにはゴミ一つありません。**この国では、アウトドアと自然環境を第一にすることが、文化の一部なのです。**

『**ロード・オブ・ザ・リング**』三部作を通して、ニュージーランドが自然の驚異の国というイメージを世界的に印象付けたのが、このジャクソンでした。ニュージーランドで撮影を行い、緑の眺望から雪に覆われた山々、甘美な川まで、この国の並外れた景観をスクリーンで披露したことで、公開後の数年間で観光産業の規模が倍増するという観光客ブームを引き起こしたのです。

ファラリキ・ビーチ（上）・テカポ湖（下）

〈首都〉ウェリントン 〈人口〉504万人
〈面積〉27万㎢（日本の約4分の3）
〈言語〉英語,マオリ語,手話
〈GDP〉2,052億ドル
〈民族〉欧州系（74%）、マオリ系（14.9%）、太平洋島嶼国系（7.4%）、アジア系（11.8%）、その他（1.7%）
〈時差〉プラス3時間

このことは、「**グリーンでクリーン**」というニュージーランドが世界に発信するイメージの基礎となるキャッチコピーの発案に役立ちました。この秀逸なキャッチコピーは、実質的な真実に基づいています。

ニュージーランドの環境の強みは、魅力的な景色だけでなく、豊かな自然を支援し維持しようとする人々が示す深いコミットメントにもあります。2017年に9000人のニュージーランド人に行った調査では、国を定義する特徴として「環境」が「自由、権利、平和」と同じ10点中9.1のスコアで同点1位となりました。

● ニュージーランドの環境への熱量は次元が違う

ニュージーランド人は環境への愛を語るだけではありません――環境に気配りをします。汚染を最小限に抑えることに熱心であるのに加えて、海、川、森林の全国的な浄化活動が毎年行われています。NPO団体〈キープ・ニュージーランド・ビューティフル〉は、2017年に約8万人のボランティアを集め、100キロ以上のごみを取り除いたと推定しています。

環境は政治運動の中心でもあります。ドナルド・トランプがパリ協定からアメリカを撤退させる決定をした後、クライストチャーチ出身の三人の友人が「トランプの途方もない愚かさを相殺するためのグローバルな森」を植林するためのクラウドファンディングを開始し、一年足らずで100万本以上の木を植えるのに十分な資金を集めました。

ノースアイランド、ロトルアのジップライン

都市と田舎の住人の両方にとって、屋外は共有スペースであり、国民の生活の中心です。家族旅行から夏休みまで、ニュージーランド人は飛行機に乗るよりも田舎に行くことを好みます。

〈有名人〉ピーター・ジャクソン（映画監督/『ロード・オブ・ザ・リング』など）、ラッセル・クロウ（俳優）、ジョナ・ロムー（ラグビー選手）**〈文化〉**オールブラックス…黒のユニフォームに身を包んだラグビー・ニュージーランド代表。世界最強の呼び声も高く、試合前にはマオリ伝統の踊り「ハカ」で気合を入れる。**〈自然〉**キーウィ…固有種の飛べない鳥で、ニュージーランドの象徴として知られる。

たとえば、ハイキング、キャンプ、バーベキュー。この国のどこに住んでいても、ほとんどの場合、少しドライブするだけで、森やビーチ、山といった、自分好みの自然に浸ることができます。バンジージャンプやジップライニング、さまざまな色の火山の噴火口や見事な温泉まで、ニュージーランドのけた外れの大自然に身を投じると、魔法にかかった気分になります。

ニュージーランドの環境への取り組みは、単にアウトドアで過ごす時間を好むという次元をはるかに超えています。そのことは、クリーンエネルギーへの急速な移行にも表れており、2025年までにエネルギー供給の90%を再生可能エネルギーにするという目標が掲げられています（2017年の時点ですでに82%）。国際エネルギー機関（IEA）はニュージーランドを「**再生可能エネルギーの世界級のサクセスストーリー**」と称賛しています。

● 環境の守護者マオリ族

環境を重要視する取り組みのほとんどは未来に向けられたもので、「グリーンでクリーン」という称号にふさわしい国づくりに焦点を当てていますが、そのルーツは非常に深く、**先住民マオリ族**の自然を大切にする価値観が根底にあります。

先住民マオリ族。ラグビー代表チームの「ハカ」はマオリ族伝統の踊りである

マオリの伝統では、母なる地母神パパトゥアヌクが中心的な人物であり、すべての生物の源であり、すべての生命を維持する力だとされています。彼女の子孫であるマオリの神々は、ほとんどすべてが自然とつながっています。森と鳥、水、海、魚、農作物、天候、サメ、トカゲ、エイ……。

マオリ族にとって、全能の自然とつながることは基本的な営みであり、マオリの世界観の一部です。自然とのつながりは産まれたときから始まり、胎盤（whenua　フェヌア、マオリ語で「土地」の意味）を祖先の土地に埋め、大地の母パパトゥアヌクに返すという伝統習慣があります。

また、多くのマオリ族は、自身をニュージーランドの土地と海と空の

「**カイティアキ(kaitiaki 守護者)**」と見なしています。近年、環境がますます脅威にさらされていますが、ニュージーランド政府によると、マオリの経済のほぼ半分は、「気候変動に敏感な」林業から漁業、農業、観光業で成り立っています。

● それでも自然は危機に直面している

自然環境とその管理に関するマオリの権利の多くは、ニュージーランドの法律で定められていますが、近年、マオリのコミュニティは政府に対して法的措置を求めています。政府が、二酸化炭素排出の制限と環境被害の阻止に十分な働きをしていないと見なしているからです。

ニュージーランドが「グリーンでクリーン」な約束を果たしているかを疑問視するのはマオリだけではありません。2017年、OECD(経済協力開発機構)は、急成長している農業部門(特に集約的な酪農など)が環境負荷を高めている可能性を指摘しました。報告によると、農業に力を注ぐことで、「ニュージーランドの強い成長が環境の質の犠牲をともなう可能性があり、これは国の『グリーン』な評判を危険にさらしている」のです。

他の国と同様に、ニュージーランドは気候変動の課題に直面しています。自然界が脅威にさらされるなか、ニュージーランドは自然環境の重要性の象徴にもなっています。生命とインスピレーションと創造性の源である自然環境を守ることは、真の意味で価値のある戦いと言えるでしょう。

富士山のような山として知られるタラナキ山は、映画『ラスト・サムライ』のロケ地にもなった

Oman

オマーン

受け入れる

Acceptance

● 忘れられない痛みと手助けと

私たちはジープに乗って、砂漠を海岸に向かってドライブしていました。太陽が照りつけるなか、窓を開け、子どものようにふざけて、アクセルをふかして起伏する砂丘に乗り上げて楽しんでいました。

すると突然、開いた窓からガラスの破片のようなものが入ってきて、私の目を直撃しました。耐えがたい痛みが走りました。

これは完全に自分が招いた事故でした。私はサングラスをつけず、窓を閉めずに、車のスピードを上げていたのですから。しかも、女性でありながらイスラム教の国でヒジャブを巻いていません。傍で見ていた人が私を邪険にする理由はいくらでもありました。

でも、最初に助けを求めた人たちは、そうしませんでした。家まで連れていってくれ、その人の奥さんが私たちに手を貸してくれました。近くの村の医者のところに連れていってもらい、目の治療を受けて、ようやく痛みが治まりました。

それだけではありません。夫妻はしばらく一緒に休んでいくようにと、熱心に勧めてくれました。この新しいオマーンの友人は、私たちの素性や見た目にかかわらず、偶然に出会った見知らぬ他人を、即座に、ためらいなく受け入れてくれたのです。

だから私たちは、望みうる限りの助けを与えてもらっただけではなく、それ以上のものを受け取った気持ちになりました。「**娘のように歓迎され、扱ってもらった**」と表現しても言い過ぎではありません。私を批判するこ

〈首都〉マスカット
〈人口〉448万人
〈面積〉31.0万㎢(日本の約5分の4)
〈民族〉アラブ人
〈言語〉アラビア語(公用語)、英語
〈GDP〉793億ドル
〈時差〉マイナス5時間

となく、助けを必要とする一人の人間として受け入れてくれたのです。

● 寛容さは進歩をもたらした

「受け入れること」は、最も平和で穏健なアラブ諸国の一つである現代のオマーン国にとって、基本的な価値観と言えます。

カーブース・ビン・サイード・アル・サイード国王によるほぼ50年間におよぶ統治下で、オマーンは、世界で最も貧しい国の一つから、平均寿命と識字率が着実に向上し、貧困が減少した繁栄国家へと発展を遂げました。国連は、オマーンが1970年から2010年の間に調査した135か国のうち「**最も改善した国**」であると宣言しました。

この成功の基盤となっているのが、「受け入れること」です。その根本にあるのは、オマーンの人口の民族多様性——全人口の約46%を占めるのが、東南アジア、ヨルダン、モロッコからの外国人労働者——と、オマーンの多数派であるイスラム教のイバード派の教え——寛容と受容を重んじ、暴力を非難する——です。

スンニ派とシーア派のイスラム教徒は、首都マスカットのモスクでイバード派と一緒に礼拝をすることができます。また、オマーンの法律には**宗教の保護**が明記されており、モスクのそばにキリスト教の教会とヒンドゥー教の寺院があります。**中東のイスラム教徒がますます宗派的になる一方で、世界で唯一、イバード派が過半数を占める国であるオマーンは、宗教を寛容に受け入れる代表的な国として広く称賛されてきました。**

● オマーンは中東におけるまれなケース

かつてオマーンは、現在のパキスタンから東アフリカ沿岸の現在のモザンビーク共和国まで広がっていた、長細く曲がりくねった帝国でした。もはや一時期のような貿易力はないにせよ、昔ながらの影響力と仲介力はある程度維持しています。

現代のオマーンは、**不安定な地域の外交調停者**として信頼されており、

〈都市〉ソハール…北部に位置する港町で、『アラビアン・ナイト』のシンドバッドが旅立ったゆかりの地として知られる。**〈地理〉**国土の8割が砂漠で、川がない。そのため、井戸やファラジという灌漑施設がたいへん重要である。**〈文化〉**首都マスカットのスルタン・カブース・グランド・モスクは400㎡ほどもあるオマーン最大のモスク。イスラームの伝統的な建築と近代的な建築が融合したつくりになっている。

多くの首脳会談や話し合いのホストを務めています。

首都マスカットは天然の良港として
古来より知られてきた

紛争に囲まれながら、さまざまな宗教、民族、ニーズを受け入れることができるオマーンは、理想的なまとめ役となっています。共通の基盤をほとんどもたない国家の間に入って、両側の強い結びつきを維持し、パイプ役を果たすことができるのです。

受け入れの精神は、オマーン国民とカーブース国王との関係にも表れています。首相、財務大臣、防衛大臣、外務大臣、中央銀行の議長、軍の長を兼任するカーブースの権力は圧倒的であるにもかかわらず、国王の統治は国民から広く受け入れられています。

2011年の革命の一環としてデモや抗議活動が発生しましたが、大きく広がらず、雇用機会の増加を約束することで鎮圧されました。全体的に見ると、50年の大部分において、カーブース国王の絶対的な統治は受け入れられてきました。また国王は国の変化の必要性を受け入れていて、地方行政内でのさらなる民主主義を進め、**消費者の保護**を強化しています。

不安定な地域で安定性と中立性を保っているまれな例として、オマーンは、人や文化、宗教、思想を広く「受け入れる」という美徳を、身をもって示してくれています。

互いを受け入れなければ、最終的には、大小を問わず対立に陥ることになります。受け入れる心が欠けると、それは必ず、何らかの苦しみにつながるでしょう。個人レベルであろうと国際レベルであろうと、受け入れることは、良い関係を支え、調和を高め、無知と憎しみを寄せ付けないために必要なのです。

また、受け入れることは、進歩の礎でもあります。自身を受け入れ、互いを受け入れ、みんなが直面している状況を受け入れて初めて、変化が訪れる。受け入れることは、平和な社会を損なう分裂と憎しみを乗り越えるために、大きな一歩を踏み出すことなのです。

Philippines

フィリピン

家族

Family

● 船旅で知ったフィリピンの家族中心文化

エルニドで愛する息子と

マニラからパワラン島のエルニドへと渡る3時間の船旅で、私は古ぼけた船に乗っていました。生後6か月の息子ナリアンを腕に抱いて。状況的には、私がそれまで経験してきた中でも、かなり挑戦度の高い旅でした。船は不安定だし、赤ちゃん連れなのですから。

世界のほとんどの地域では、見た目の条件と同じくらいひどい旅になったことでしょう。でも、フィリピンでは、まったく違いました。船にいる人たちが、気にかけて世話をしてくれたので、気持ちが明るくなりました。私たちのために日陰をつくってくれたり、ふざけて船が横に揺れたふりをしてくれたり。「子どもは大人の話に首をつっこんではならない」というしつけがある文化がありますが、その真逆でした。

その時は、大陸をいくつも横断する旅をしていました。広範囲にわたる旅のなかで、周囲の人が幼い子どもの存在を心から気楽に感じ、対応の仕方を理解しているように感じられたのは、フィリピンにいるときだけでした。

それが私にとって、フィリピン人の家族を大切にする価値観を知った最初の経験でした。**この国では、誰の子どもであっても、自分の子どものように扱うのです。**このような家族中心の文化があれば、厳しい旅も怖くな

〈首都〉マニラ〈人口〉1億98万人
〈面積〉30.0万㎢（日本の約5分の4）
〈民族〉マレー系、ほかに中国系、スペイン系、これらとの混血並びに少数民族
〈言語〉フィリピノ語（国語・公用語）、英語（公用語）、ほか80前後の言語
〈GDP〉3,568億ドル
〈時差〉マイナス1時間

いと思いました。

● 家族も親族もいつも一緒に

陸地でも、まったく違いはありません。家族がぴったりと寄り添っていることに、いやでも気づかされます。

フィリピンでは、家族といえば、親と子どもだけではなく、親族全体のことです。以前、ロンドンのアパートメントで、自分の下の階にフィリピン人家族が住んでいたことがありましたが、寝室が2部屋あるスペースに、15人ほどが暮らしているのではないかと思うことがしょっちゅうでした。

フィリピン人は**親類の近くにいること**を好みます。かといって、個人の空間が足りずに緊張が高まる環境ではなく、常に楽しく暮らしています。道路を移動するときも同様です。マニラのバスでは、乗客が単身や二人で乗ることが少なく、たいていは一度に家族単位で――両親、子ども、おい、めい、いとこたちが一緒に――乗り込みます。

1台のバイクに乗る4人家族

●「家族は国民の基礎」

フィリピン人の「家族重視」は、血縁者の域を超えています。隣人も客も、すべて家族として扱われます。人の子どもは自分の子どものように扱いますし、自分の子どもをわが子のように扱ってもらいます。

フィリピン人と一緒にいると、常に他人の要求を優先しているように感じられますが、これは「**パキキサマ(pakikisama 人と仲良くやること)**」と呼ばれる「仲間意識」や「協調性」といった、フィリピン人がもつ特徴です。エルニドでは、夜になると、必ず誰かが子どもの世話をしてくれたので、私は睡眠を取ったり、体を休めたり、外出したりすることができました。

フィリピン人にとって、「パグパパハラガ・サ・パミリヤ(Pagpapahalaga sa

〈有名人〉マニー・パッキャオ(政治家、プロボクサー/史上2人目の6階級制覇)**〈都市〉**セブ…セブ島とマクタン島で構成されるエリアで、日本で大人気のリゾート地として知られる。ビーチリゾートが有名だが、セブ島で亡くなったフェルディナンド・マゼランゆかりの地として歴史的な観光地も見どころ。**〈日本〉**日本に輸入されるバナナやパイナップルは、年によっては9割以上をフィリピン産が占めている。

Pamilya　家族を大切にしている)」は、人生の基本となる柱の一つです。実際に、フィリピン共和国憲法には、家族の中心的役割が記されています。
「国家はフィリピン人家族を国民の基礎として認めている。したがって、国家はその連帯を強化し、積極的にその発展を促進しなければならない」

● 出稼ぎも家族のために

最近では、多くのフィリピン人が海外に働きに出るために家族の重要性が損なわれることを懸念する人もいます。約900万人の子どもを家族に預けて、1000万人以上が海外で働いていると推定されています。政府の統計によると、2010年から2013年の間に、毎日平均5000人のフィリピン人が、海外での仕事を求めて出国しました。著しい数の移住が家族に与える影響は、とりわけフィリピンのカトリック教会内から批判されてきました。
でももちろん、そもそも親が海外で仕事を探しているのは、家族を養うためです。彼らが送った送金は、フィリピンの国内GDPの推定10%を占めています。
また、海外に出て富を作ることが可能なのは、祖国で家族が手厚く支援してくれるからこそです。移民労働の経済的利益が故郷の家族の代価を上回るかどうかについては、議論が続いています。**でも、この労働形態が、フィリピン人が「家族を大切にして、世話をし、与えるためなら何でもする」ことの表れであるのは、間違いありません。**

多くの国や政府が「家族単位が社会の基盤」と強調しますが、自分の家族だけでなく、周囲の家族の世話もするフィリピン人は、その本当の意味を教えてくれます。
家族は平和と安全そのものであり、喜びと長寿をもたらします。家族は、私たちが地上に残す、永続的な遺産なのです。家族は、人生で本当に大切な多くのことを呼び集めてくれます。フィリピンは、家族を有意義なものにする方法を世界に示してくれるのです。

Rwanda

ルワンダ

清潔さ

Cleanliness

● 町も心もクリーンアップ

キガリの市街

キガリに到着すると、ルワンダの首都を清潔に保とうとする意識が高いことに、気づかずにはいられません。通りのあちこちにメッセージが書かれたポスターがあり、**どこを見てもゴミが見当たらない**。アフリカで最も人口密度の高い都市の一つにもかかわらず、です。

ガイドのスティーヴンによると、賄賂を使ったり罰したりするのではなく、ウガンダ人が「ウムガンダ(Umuganda)」と呼ぶ「共通の目的意識」によって、清潔さが維持されているのです。

1994年の大虐殺の後には、精神的な浄化も行われてきました。政府は、民族を分断するという形で国民の心を汚染することを容認しないのです。

「ツチ族、フツ族という言葉は使いません。**ここでは私たち全員が一つです**。私たちは、ルワンダという一つの国に属する国民なのです」

ガイドのスティーヴンが説明してくれました。

「**私たちは皆同じ。善と悪を併せもっています**。何に焦点を当てるかは、自分で選択できます。私は許すことに意識を置くことを選びました」

ルワンダの国民性を目の当たりにできるのは、毎月最終土曜日の「ウムガンダの日」です。全国の町や村を一斉清掃するために、交通が3時間ストップします。体が動くすべての成人は法律により参加が義務付けられて

〈首都〉キガリ
〈人口〉1,263万人
〈面積〉2.6万㎢(四国の約1.5倍)
〈民族〉フツ、ツチ、トゥワ
〈言語〉ルワンダ語、英語、フランス語、スワヒリ語
〈GDP〉101.2億ドル
〈時差〉マイナス7時間

います。掃除のためにすべてを中断するなんて、考えられるでしょうか？

環境だけではなく、個人の身だしなみも大切です。もしも朝に子どもが汚れた顔で学校に来ると、洗うために家に帰されます。

ルワンダでは2018年に、古着の輸入が禁じられました。これは、国内の繊維産業を支えるための政策でもあります。また、ほぼすべての仕事で制服の着用が定められており、言うまでもなく、制服には常にぱりぱりにアイロンがかけられています。スティーヴンは、カジュアルフライデーのTシャツにもアイロンをかけていました。

● ジェノサイドを乗り越えて

現代のルワンダを理解するには、1994年に起こった恐怖の大量虐殺から始めなければなりません。全人口の700万のうち100万人——その大部分がツチ族——が、同じルワンダ人であるフツ族にナタや銃で殺された「**ルワンダ大虐殺**」を、ルワンダ人は決して忘れることがないでしょう。

でも、過去に起きた恐ろしい出来事を完全に一掃することはできなくても、白紙にして新しくスタートを切りたいという強い願いがあります。「清潔さ」への強いこだわりは、その表れでもあるように思えます。

キガリ虐殺記念館

私が空港で荷物がベルトコンベアに到着するのを待っていたとき、一人の女性が近づいてきました。

「荷物にプラスチックはありますか？　ルワンダでは禁止なんです。ビニール袋は没収します。でも、大丈夫。無料で布バッグに交換しますよ。キガリへようこそ！」

その優しい笑顔が、ルワンダにはルールに例外はないということを、親しみを込めて伝えてくれました。生物分解性のないビニール袋は2008年

〈生活〉「アフリカの奇跡」と呼ばれた経済発展により、アフリカ随一のICT立国となった。国内のインターネット網は国土の 95%をカバーしている。〈自然〉ヴァルカン国立公園をはじめマウンテンゴリラの生息地として有名である。最高紙幣である5,000ルワンダ・フランにはマウンテンゴリラが描かれている。〈日本〉1994年のルワンダ虐殺の際、国連難民高等弁務官を務めていた緒方貞子氏は難民救援に尽力した。

に禁止されました。ルワンダは**アフリカで最も腐敗の少ない国**の一つであり、つまり、最も法律に準拠している国の一つなのです。

私は、ずっとルワンダを訪れたいと思っていました。大虐殺の後、ルワンダ人がどのように生活していたかを知りたかったのです。シク教徒が1984年に北インドでジェノサイドを経験したこともあり、前に進むことについて、ルワンダから何を学べるか、強い関心がありました。

ツチ族の難民出身の**ポール・カガメ大統領**は、ゲリラ部隊を率いて、国境を越えて近隣のコンゴやタンザニアなどにジェノシデール（虐殺を行った者）を追いかけ、ジェノサイドを終わらせました。この偉業によって信望に基づいた権力を得た彼は、この国の暗黒の時代を、破壊された国を再び一つにして新たなスタートを切る機会へと変えたのです。

ポール・タガメ大統領

政府がフランス語圏を離れ、イギリス連邦に加盟することを決定したとき、国は文字通り一晩で「英語」に切り替えました。ある日の午後の授業はフランス語だったのに、翌朝には英語のカリキュラムを教えていました。

このような全体主義的な行政と引き替えに、失うものもあります。**言論の自由はありません**。ジャーナリストと政治的反対者は投獄されています。物乞い、セックスワーカー、ホームレスは、捕らえられて拘束されます。急速な進歩には、相当の犠牲がつきもののようです。

どんな価値観の適用においても、極端すぎるとゆがみが生じる可能性があります。それでも私は、「清潔さ」が秩序と変容――「新たなスタート」――をもたらした、という感覚を得ました。

成功するためには、心と家と職場での清潔さが必要です。それは、自分が目標を追求する上で妨げになる精神的・肉体的な乱れを一掃してくれます。散らかった状態は気を散らし、道を阻害するでしょう。対照的に、きれいな環境に囲まれていれば、道の先がはっきりと見えてきます。集中力が上がり、何が来ても心の準備ができるようになるのです。

Senegal
セネガル

手放す

Let it go

● 心配しなくていい

セネガルに滞在中に、現地の人が「**musla(ムスラ)**」について話しているのを何度も聞きました。人生を軽やかに生き、根拠がないことについては、**深刻に考えない**、というスタイルのことです。

私がこの価値観の重要性を思い知ったのは、帰国直前でした。首都ダカールは、近代的な新空港を開設したばかりでしたが、それは市内の中心部から遠く離れていました。有料道路をいくつか走り継いで、1時間以上かけて、フライトまであと90分あまりという時間に到着しました。

そこで気づいたのです――パスポートがないことに。私はあわてふためきました。取りに戻っていたら、絶対に間に合いません。遅れる、取りに戻る手段は、追加費用は……目の前に悪夢が浮かびました。パニックになって、空港スタッフの一人に、事の次第を説明しました。

「心配しなくていい」と、その男性スタッフが言いました。私は携帯電話を渡されて、宿泊していたホテルに電話をかけました。するとパスポートが見つかり、車で空港へと急いで運んでもらえることになりました。

「**心配しなくていい**」

定期的に、同じ言葉が繰り返されました。心配しなくていい――。穏やかに、セキュリティ、パスポート管理、チェックインスタッフなど、知る必要のあるすべての人に、通達が行きました。私のパニックが鎮まっていき、助けに来た数人の集団が、私をからかって冗談を言い始めました。出発まであと20分というときに、貴重な所持品が無事に到着し、私は警備

〈首都〉ダカール
〈人口〉1,630万人
〈面積〉19.7万㎢(日本の約半分)
〈民族〉ウォロフ、プル、セレール等
〈言語〉フランス語(公用語)、ウォロフ語など各民族語
〈GDP〉235.8億ドル
〈時差〉マイナス9時間

員に付き添われて、列の先頭へと急ぎ、最後の乗客として搭乗しました。
ちなみに私は、もっと時間に余裕があり、心配事がはるかに少ないロンドン・ヒースロー空港とシカゴ・オヘア国際空港でフライトを逃したことがあります。

いかにもセネガル人らしい価値観を個人的に経験したのが、この出来事でした。**リラックスして肩をすくめ、「そういうこともあるさ、心配しなくていい」という態度。気にせずに、手放せばいい。ストレスは物ごとを悪くするだけなのです。**

カメラに笑顔を向ける少年

● もめるのはやめましょうよ

この国は、さまざまな面でのんびりしています。人は、議論をエスカレートさせるためではなく、和らげるために話に割って入ります。自動車事故が起きると、もめごとをひそかに期待してじろじろ見物するのではなく、車から降りて、当事者を落ち着かせようとします。

南部地域で**世界有数の長い内戦を経験した国**なので、不必要なもめごとを毛嫌いする傾向が強いのです。恨んだり議論を始めたりするよりも、からかい合い、ユーモアで緊張を和らげるほうを好みます。状況や会話が重くなりすぎないようにすることを重要視し、問題を軽やかに、気楽に扱おうとします。必要がない限り、事態をわざわざややこしくしないのです。

同じ態度は、個人の人間関係や結婚にまで及びます。一夫多妻制が一般的ですが、2番目と3番目の妻が1番目に不満を抱くような相関図にはなりません。むしろ、2番目の妻は恵まれていると見なされています。

責任が少なく、自由が多く、一人の時間がたくさんあるからです。持っていないものを心配せずに、置かれた状況のいい部分に目を向ける。不必要に喧嘩を起こさない。思いを手放すのです。

〈**歴史**〉サン=テグジュペリは、航空郵便パイロット時代にカサブランカ―ダカール間を飛行中、サハラ砂漠に墜落した経験に基づき、『星の王子さま』をサン=ルイのホテルで執筆したといわれる。〈**文化**〉セネガル相撲…相撲とレスリングを合わせたような格闘技で、セネガルで最も人気のあるスポーツ。〈**ことわざ**〉「ロブスターは水が好きだが、自分が調理されるときのそれは別」…それはそれ、これはこれということ。

● 肩の力を抜くと創造性が花開く

肩の力が抜けた文化には、さまざまな間接的な利点があります。たとえば、アート、音楽、コメディの分野が発展していることです。

セネガルでは道を尋ねたり、何かを探したり、取材相手の居場所をつきとめたりする必要があれば、なんとか助けようとしてくれます。

このような寛容な環境だから、結果として創造性が花開くのです。私が会ったアーティストの何人かは、仕事をするのに理想的な場所だからという理由でセネガルに来たと言っていました。

セネガル人のミュージシャン

もちろん、リラックスした文化には、あまり便利ではない面もあります。のんきな精神は時間の感覚にまで及び、あなたが遅刻しても気にしませんし、逆に、彼らが遅刻してもあなたが気にするとは思いません。

同じように、横断歩道と信号機は、規則ではなく単なる飾りのように扱われています。物ごとは片付けますし、ルールは気持ちの上では守りますが、時計と法律については、あまり気にかけません。宗教に対する態度も同様です。人口の95%がイスラム教徒ですが、信仰は重く捉えられておらず、自分の都合に合わせて宗教が実践できる自由が与えられています。

セネガルののんきな文化は、万人向けではないかもしれません。でも、真剣に考える時と、気にせずに手放すべき時を使い分けることで、誰もが恩恵を受けることができます。プライベートでも仕事でも、実際よりもはるかに大きな災難のように見てしまうことが、あまりにも多いものです。**争ったり、恨みを抱いたり、不必要に心配したりすれば、有益に使えるはずのエネルギーを無駄遣いしています**。セネガルは、思いを手放すことの絶大な効果を教えてくれます――手放せば、人間関係を上手に築き、自分を許し、人生で本当に大切なことに集中できるのです。

Spain

スペイン

楽しむ

Enjoyment

● 初めての海外旅行の美しい思い出

記憶といえば、壮大で重要な出来事を思い浮かべがちですが、実は心に残るのは、ちょっとした小さなことが多いように思います。たとえば、焼きたてのパンの香りと味、友人の笑顔、顔に浴びた太陽の光や、早朝に泳いだときの水の冷たさ。**こういった人生を彩る趣や感情を、どこよりも深く味わえる国が、スペインです。**

私は11歳のときにスペインを訪れました。イギリス、フランスを経由してペンフレンドのルイスの家に滞在したのが、初めての海外旅行でした。

週末に、家族のランチ会が計画されたのですが、最初に驚いたのが、食事にやってきた客の人数の多さでした。それから、イベントの時間の長さ——自宅ではなかった経験です。テーブルのセッティングを手伝ったときは、昼間の日差しが窓から差し込んでいましたが、客が帰る頃には、夕日が沈んでいました。私は座って会話を楽しみながら、一日の色彩の移り変わりを見ていました。

● 味わう食事の伝統、ソブレメサ

これは私にとって、スペイン独特の食の伝統「**ソブレメサ**」の初めての体験でした。スペイン語で「**テーブル越し（sobremesa）**」を意味するこの習慣は、人生の楽しみを存分に味わう、という文化を反映しています。

食後にテーブルに残って、家族や友人とおしゃべりをし、楽しい時間を共有して、全員が話を提供して話を聞くのです。食事とは、単に食べ物の

〈首都〉マドリード　〈人口〉4,708万人
〈面積〉50.6万㎢（日本の約1.3倍）
〈民族〉スペイン人
〈GDP〉1兆3,979億ドル
〈言語〉スペイン（カスティージャ）語
憲法で他の言語も当該自治州の公用語とすることができる
〈時差〉マイナス8時間（夏時間あり）

ことを指すのではありません。その後に共有される時間が大切なのです――言い忘れた話がないように、出し忘れた意見がないように、重要な議論を忘れないように気を付けます。本当の意味で「味わう」のは、お皿にたっぷり載った料理ではなく、時間やトピックを制限せずに自由形式で展開される長い会話なのです。

ソブレメサは、よそから来た人には奇妙に思えるスペインの労働時間を説明するのに役立ちます。午後2時から午後4時まで2時間の「**シエスタ(昼休憩)**」があり、勤務時間は午後8時頃まで終わりません。午後7時頃に夕食を食べようとする人は、変に思われます。

午後8時に勤務を終えると、まずは1杯飲んで、多くの場合、午後10時頃まで座って夜の食事を楽しみます。

この伝統には、「**幸せになるために多くのことは必要ない**」という信念が表れています。食事は簡単なもので良いのです。一人がハムを、もう一人がチーズを持ちよるだけでも。最も大切なのは、二人がその場に来ることなのです。

● フード・バトル開催！

シンプルなことを楽しむ国民性が表れているのが、つまらないトマトが、国で最も有名な祭りの主役になった「**ラ・トマティーナ(トマト祭り)**」です。毎年、数万人の人々がバレンシア近くのブニョールの町に集まり、約160トンのトマトを互いに投げつけ合います。食べ物を使った非常にシンプルな戦いが、世界中の人々がこの小さな町に集まる国の文化イベントになったのです。

世界有数の人気を誇るお祭り「ラ・トマティーナ」

〈有名人〉ラファエル・ナダル(テニス選手)、アンドレス・イニエスタ(サッカー選手)、ペネロペ・クルス(女優)、クララ・アロンソ(モデル)**〈ことわざ〉**「公爵は常に完璧なまでに高貴」…真に優れているものは、たとえ落ちぶれたとしても価値があるということ。**〈文化〉**サグラダ・ファミリア…建築家アントニ・ガウディが設計した巨大な教会で、バルセロナのシンボル。100年以上建設が行われている。

また、ワインの産地で知られるリオハ地方では、年に一度、赤ワインを武器にして戦う「ラ・バラッタ・デルヴィーノ（ワインの戦い）」が開催されます。

このようなイベントは、スペイン独自のものではありません。私の出身地であるイギリスのグロスタシャー州では、地元産のチーズで作った巨大な車輪を丘の上から転がす「レース」が年に一度開催され、世界中から観光客がやってきます。でも、こちらは「競争」であり、「トマティーナ」や類似のイベントは、純粋に楽しむためのイベント、フード・バトルです！

● 人生を最大限に楽しんだもの勝ち

スペイン人には、持っているものを最大限に活用して楽しむ才能がありますが、その陰には、この国がヨーロッパで最悪の貧困率であるという経済的な現実があるかもしれません。ユニセフによると、2014年にはスペインの子どもの約40%、年金受給者のほぼ3分の1が貧困線（統計上、生活に必要な物を購入できる最低限の収入を表す指標）以下で生活しています。

また、スペインの全人口の4分の1以上が貧困または社会的排除のリスクにさらされています。失業率が高く、所得格差が拡大している国では、お金がかからないもの、つまり「楽しい人間関係」や「一緒に過ごす時間」がなおのこと、大切になります。

スペイン人の人生を楽しむ能力は世界的にも評判です。私が15歳のときの、初めての家族旅行の行き先はスペインでした。父が、リラックスした充足感のある文化が自分の性分に合っていると思ったからです。

スペイン人は、人生を楽しむために、本当に重要なことに焦点を当てています。それは、自分の人生に関わる「人」、彼らと過ごす「時間」、一緒に育む「人間関係」です。

スペインでは、「楽しむ」ことが、良い時間を過ごす方法だけではなく、豊かで充実した人生を送る方法を教えてくれます。また、長寿まで手に入ります。スペイン人の平均寿命は、2040年までに日本を抜いて世界最長になると予測されているのです。

スペインの例を見習わずに、楽しむことに時間をかけない人生なんて、何の意味があるのでしょう？

Tanzania
タンザニア

統合

Unity

● 統合によって誕生した国

「ダルエスサラームに着いたら、私の名前を言うだけで、誰なのかわかってもらえますよ」

タンザニア国内を旅行中に、ある人が、すずしい顔でそう断言しました。この国は、大きいのに統一感があり、一つの村のように——誰もが知り合い同士で、人々が団結しているように——感じられます。まとまりの強さを感じるのは、偶然ではありません。

「統合」は、建国以来、国の政治家によって強調され、奨励されてきた価値観なのです。

現代のタンザニアの存在全体が「統合」の結果です——1964年にタンガニーカとザンジバルが併合して新しい「連合共和国」になり、両方の名前を組み合わせて新しい国ができたのです。

「統合」はまた、新しいタンザニアの初代大統領である**ジュリウス・ニエレレ**の決定的なテーマでもありました。1964年に、なおも存在する植民地支配に対抗して定義した「アフリカの人民の基本的な統一」について述べ、次のように警告しました。

初代大統領
ジュリウス・ニエレレ

「現在存在する統一感は……各国が別々に独立を獲得し、国民性の誘惑に心を開くことで突き崩される可能性がある」

それから30年以上が経ち、晩年のニエレレは、アフリカをもっと広範

〈首都〉ドドマ（事実上の首都機能はダルエスサラーム）
〈人口〉5,800万人
〈面積〉94.5万㎢（日本の約2.5倍）
〈言語〉スワヒリ語（国語）、英語（公用語）
〈民族〉スクマ族、ニャキューサ族、ハヤ族、チャガ族、ザラモ族等、約130の民族
〈GDP〉632億ドル
〈時差〉マイナス6時間

に統合するという（ガーナのクワメ・エンクルマなど他のアフリカの指導者たちによって前進した時期もあった）独自のビジョンがまだ実現していないことを振り返り、1997年にこう発言しました。

「植民地主義から受け継いだ国民国家の栄光と、その継承から私たちが形作ろうとしている人工国家を拒絶する」

また、次世代に向けて、こう訴えました。

「**統合がなければアフリカの未来はない、という確固たる信念を持って、統合に向けて働きかけてほしい**」

● ニエレレの理想はたしかに息づいている

ニエレレが推し進めたパン＝アフリカの夢は失敗に終わったかもしれませんが、**彼が説いた「統合」の理想は、タンザニアに生き続けています。**この国は、部族・文化・宗教の垣根を越えて、国民が強く結束しています。その最たる例が、国家の言語の統一です。

独立時に、多くの異なる民族グループ（130以上）に共通の言語を提供するために採用されたのが**スワヒリ語**です。一つの国民、一つの国家、一つの言語を大切にしたのです。

今日でもタンザニアでは100以上の言語が話されていますが、スワヒリ語はニエレレが意図したように共通の言語になっています。さらに2015年には、スワヒリ語がタンザニアの教育システムの唯一の言語になることが発表されました（それ以前はスワヒリ語と英語のバイリンガルでした）。

言語のほかに、宗教の違いに対するタンザニアの取り組みは、「統合」が民族文化に深く組み込まれていることを示しています。世界の多くの地域では、宗教の祭りなどのイベントは、さまざまなグループに分かれて別々に行うものですが、タンザニアでは、宗教的なイベントや伝統を、はるかに多くの面で共有しています。

キリスト教徒も連帯してラマダンの時期に断食を行い、クリスチャンの

〈有名人〉歌手のフレディ・マーキュリーはザンジバル島のストーン・タウンで生まれた。その後インドに移るが、ザンジバルに戻り、やがてイギリスに渡った。**〈自然〉**キリマンジャロ…標高5,895mのアフリカ最高峰で、日本で人気のコーヒーの産地でもある。**〈歴史〉**北部のンゴロンゴロ保護区内、オルドバイ渓谷で、アウストラロピテクスの完全な頭骨と最も原始的な石器が、世界で初めて同一の場所で発見された。

女性がヒジャブを着用します。イスラム教徒もまた、クリスマスやイースターに参加します。宗教は、しばしば分裂と分離の原因になりますが、タンザニアでは一体となるために用いられているのです。

宗教の指導者も、「統合」の大切さを説いています。ダルエスサラームの大司教は、叙階式でこう述べました。

「私たちは国の統合を維持する必要性に重点を置く義務があります。血が流れることで、国の統合が破壊されるのは、許されません」

タンザニアの「統合」文化の真の実力は、この地域で最も平和な国の一つになったことに表れています。最大の都市ダルエスサラーム（「平和の故郷」）の名前の意味が実現されたのです。世界平和度指数はタンザニアを、東アフリカで最も平和な国、そして最も平和なアフリカの国のトップ10に位置づけました。

タンザニアは、「統合」が国家の任務になったときに何が達成できるかを教えてくれます。分断された世界に、タンザニアは一つの手本を見せてくれます。企業、国、コミュニティが、団結するというアプローチから、恩恵を受けられない例があったでしょうか？

分裂の橋渡しはできない、差異を和解することはできない、と言う人は、タンザニアの例に目を向けてみましょう。人と国と文化を統合することに意識を注ぐ意志があれば、必ずしもそうはならないとわかるはずです。

タンザニア最大の都市、ダルエスサラーム

Tibet

チベット

帰依

Devotion

● 歌声を追いかけて

私は僧院の中で迷子になりました。数ある僧院のなかでも迷路のような僧院で、通路があらゆる方向に蛇行していました。

永遠に階段を登り続ける罰を課せられたような気分になりましたが、私を救ってくれたのが音楽でした。どこから来るのかは見えないけれど、歌声が私のほうに流れてきたのです。最初に一定の高さで歌い、次に別の高さの声が響きわたり、音量と早さが増して、声が大きくなっていきました。

道に迷った私が、音楽を追いかけながら、ついに自分が行きたかった場所にたどりつくと、素晴らしい光景が出迎えてくれました。まるで集団でダンスをしているような動きで、本館の屋根全体の修復を行っているところで、一つのグループはブラシをかけ、もう一つのグループはセメントを張り、三番目のグループはタイルを敷き、全員が作業をしながらリズムに乗って歌を唱えていたのです。

彼らは作業に身を捧げていました――平凡な作業を、畏敬の念に満ちたスピリチュアルな仕事に変容させていたのです。

● ダライ・ラマへのインタビュー

「帰依」は、私が長い間夢見ていたチベットのいたるところにあります。でも、情報通の知人はこぞって「行かないほうがいい」と忠告しました。ダラムシャラの仏教徒コミュニティ内で私がよく知っているリンポチェ（チベット仏教の高僧）でさえ、反対しました。誰もが私に言いました。今のチベットは、あなたが思っているような国ではない、中国軍がいたるとこ

〈首都〉ラサ	〈言語〉チベット語、中国語（漢語）
〈人口〉600万人（うち344万人がチベット自治区）	〈GDP〉1698億元（チベット自治区）
〈面積〉250万㎢（うち120万㎢がチベット自治区）	〈時差〉マイナス1時間（北京時間）
〈民族〉チベット民族	

ろに駐在してすべてを見張っているのだから、と。

ダライ・ラマ14世

ダライ・ラマは、どのようにこの状況に耐えているのでしょうか。彼は1959年以来、インドのダラムシャラに亡命しており、決して「故郷」に帰ることができず、チベット人は国を離れる自由を欠いています。

それでも、ダライ・ラマに会うと、純粋な喜びが全存在からにじみだしているのが感じられます。幸福が人の形をしているのであれば、それはダライ・ラマでしょう。

私がインタビューでずばり質問すると、チベットの現在の状況の痛みは自分を含めて誰にとっても困難であるが、常に大きな視点、長期の視点を思い出すようにしている、と話してくれました。

ダライ・ラマは、今の状況を「**奉仕の機会**」と見なしています。 何百万人もの中国人が、自身の精神的なつながりと成長のためにチベットにやってくるので、この状況が何らかの形で、世界により多くの奉仕を与えることになるのです。最も厳しい状況のなかでさえ、献身と精神性の永続的な力を示すのです。

● 決して奪うことのできないもの

国境を越えた瞬間から、中国の占領の気配から逃れることはできません。入国する前に、警備員に荷物をチェックされ、チベットを国として認識している証拠となりそうなすべての資料（ガイドブック、地図、ダライ・ラマに関連するもの）は処分されました。

でも、チベットで時間を過ごすうちに――通常のような観光や散策はできませんが――たとえ見るものが制限されていても、ひときわ輝いている

〈文化〉ポタラ宮…チベット仏教の総本山で、第5代ダライ・ラマによって建造された荘厳な宮殿。富士山と同じくらいの標高に位置する。**〈ことわざ〉**「馬は逃げても捕まえられるが言葉は口から出たらおしまい」…人のうわさ話は止めることができないということ。馬の競技が盛んなチベットらしい言い回し。**〈生活〉**バター茶…茶とバター、牛乳、塩をよく混ぜ合わせた飲み物で、チベットでは一日に何杯も飲まれる。

ものが一つありました。それは、並外れた精神性と帰依の心です。

毛沢東の文化革命以降、**チベットの僧院の95%以上が破壊され**、残っている僧院ではコミュニティはほとんどゼロになりました。現在、中国はほんの一握りの若いチベット人男性にしか入信を許可しておらず、かつて全域に普及していた僧院の伝統をちっぽけな存在に変えてしまいました。1995年、**パンチェン・ラマ**（ダライ・ラマに次いでチベット仏教で2番目に重要な精神的指導者）と発表されたばかりの6歳の少年が中国に政治囚として拘束され、消息不明になっています。

でも、チベットが示しているのは、神殿を破壊し、完全な宗教の自由を否定し、信じていない思想を強制することはできても、深く守ってきた帰依の心を根本的に弱めることはできないということです。1300年以上前から存在するジョカン寺（大昭寺）への巡礼者を見ると、これは決して破壊したり奪ったりできないものだとわかります。

帰依の心はどこに行っても見られます。私は、香と音楽を伴った葬列のあとに続きました。ボン教とゾロアスター教の伝統にしたがって、遺体が山の頂上に安置されているのは、ハゲワシによって宇宙に循環されるためだそうです。

また、何よりも記憶に残ったのは、チベット仏教の聖地で、**世界で最も高い場所にある都市ラサ**への巡礼をする人々に加わったことです。ここにはジョカン寺とポタラ宮、14世紀以来の歴代のダライ・ラマの霊塔と埋葬地があります。数歩ごとに巡礼者はひざまずき、神聖な目的地に向かってひれ伏します。ひざに詰めものをし、額を黒くしながら、巡礼の旅のために何百マイルも歩く人もいます。

● 祈りよ、未来に届け

私たちのツアーガイドをしてくれた女性の夫は学者で、反体制派と見なされて、17年以上投獄されていました。息子のジンパは、チベット人が直面している不可能な選択について語ってくれました。故郷を離れることも、残ることも難しいのです。

「私はいつも家族を心配しています。状況が非常に不安定なので、私がここにいることが重要です。ここを『家』とは呼びませんが、信仰を生きるには最適な場所です。なぜなら、現在ここは、**私たちにとって地球上で最も試される場所だからです**」

男性の僧のグループは、同じ脈絡で、唯一の毎日の祈りは「いつかダライ・ラマ法王と会う機会がありますように」であると、私に語ってくれました。亡命した彼のあとを追うことはできません。いつか、自分たちの元に戻ることを祈るしかできないのです。

この祈りはおそらく、チベットの帰依の心の一番の真実であり、最も深い表現です。信心深い心を通じて、より良い未来が待っているかもしれないと考えるのです。

中国のチベット併合は間もなく80年目に入りますが、それは**1000年をはるかに超える歴史**をもつ宗教にとっては、ほんの短い時間です。

ダライ・ラマ自身が言ったように、人間は、あらゆる状況にどのように対応するかを選択することができます。怒りや憎しみなどの破壊的な感情なのか、落ち着いた明瞭な精神状態で、最も困難な状況であっても肯定的なものを救おうとするのか。この大局的な物の見方は、恐ろしい弾圧に直面してもなお、チベット人の信心を維持するために、欠かせないものです。

チベット人は、特定の思想や大義に身を投じることで、どんな反対も克服できることを示しています。たとえ強力で影響力がある人でも、誰かの信心を奪ったりお金で買ったりはできません。チベットが教えてくれるのは、どんなに困難で難しくても、大義に心を注ぎ続けることの力なのです。

歴代のダライ・ラマが暮らしてきた聖地、ポタラ宮

Wales

ウェールズ

パフォーマンス

Performance

● 次々と思い浮かぶ表現者たち

ウェールズについて考えてみると、まず思い浮かぶのは「声」ではないでしょうか。合唱団の盛り上がる歌声。首都カーディフのラグビーの試合に大声援を送る群衆の声。バラードを響かせるシャーリー・バッシーやトム・ジョーンズの歌声。オペラを歌うキャサリン・ジェンキンスやブリン・テルフェルのはずむような歌声。リチャード・バートンやアンソニー・ホプキンスが舞台で熱弁をふるう声。アナイリン・ベヴァンやニール・キノックが政治的レトリックの最高潮に達したときの声。ディラン・トマスが自作の詩をラジオの電波に乗せる声。

ウェールズの文化とアイデンティティは、「パフォーマンス」とそれを行う「**表現者（パフォーマー）**」に根ざしています。

カーディフのミレニアム・スタジアム

演劇の舞台やラグビー場の国際的なスーパースターであろうと、男性声合唱団や地元のラグビークラブであろうと、「寄り集まって、音楽・演劇・スポーツ・政治の場でパフォーマンスをすること」がこの国のアイデンティティの礎なのです。

ウェールズの国歌の歌詞には、この「参加して声を出す文化」を反映して、「詩人と歌手の国」「詩人の楽園」「祖国の琴の音」といった表現が含まれています。

● パフォーマンスで国民を率いる政治家たち

20世紀の最も影響力のあるイギリスの政治家の何人かはウェールズ出

〈首都〉カーディフ	〈言語〉英語、ウェールズ語
〈人口〉320万人	〈GDP〉2兆7,436億ドル（イギリス全体）
〈面積〉2.1万㎢（四国と同じくらい）	〈時差〉マイナス9時間（夏時間あり）
〈民族〉ウェールズ人	

身で、パフォーマンス精神を利用して忠実な支持者を引き付け、大義を推し進めました。戦時中の偉大な演説家ウィンストン・チャーチルと同時期に、その雄弁さで評価を集めたのが、第一次世界大戦の後半にイギリス首相を務めた**デビッド・ロイド・ジョージ**です。

首相になる前に、彼の数々の演説が、戦争を国民に訴える上で重要な役割を果たしました。彼はユーモアと大言壮語を上手に交え、兵役への参加を鼓舞する呼びかけを行いました。それはウェールズでの子ども時代に常に観客を手の上で転がしていた経験がものを言っています。

ある友人が、このように振り返っています。

「**ロイド・ジョージは、眉を上げるだけで、聴衆を笑い転げさせることができました**」

労働党の大臣であるアナイリン・ベヴァンもまたウェールズ出身で、労働組合のリーダーとしてイギリスの「国民保健サービス（NHS）」を創設し、その世代最高の演説家と名高い人物です。ベヴァンも、意のままに聴衆を笑わせ、泣かせ、元気づける才能を持っていました。

その後、ニール・キノックが10年にわたって労働党を率いましたが、彼もまたウェールズの偉大な伝統をくむ、記憶に残る演説家という評判を確立しました。キノックの演説は、ロイド・ジョージとベヴァンと同様、パフォーマンスと自分の生い立ちを織り交ぜたものでした。

「なぜ私が、何世代も続くキノック家で大学に進学した最初の人物になれたと思いますか？」

キノックは、イギリスの労働運動と個人の社会的地位の移動を結び付けた演説で、こう尋ねることで有名でした。

● ラグビーはウェールズの英雄を生み出す

パフォーマンスにウェールズの炎が明るく燃えるのは、政治の場だけではありません。この小さな国は、世界的に有名な俳優、歌手、表現者を輩

〈有名人〉アンソニー・ホプキンス（俳優）、キャサリン・ゼタ=ジョーンズ（女優）、ガレス・ベイル（サッカー選手）
〈文化〉13世紀にエドワード1世によって建てられた四つの城塞、ビューマリス城・カーナーヴォン城・コンウィ城・ハーレックス城は中世の面影を残す石造りの城で、世界遺産に指定されている。〈日本〉宮崎駿はウェールズ地方を取材し、映画『天空の城ラピュタ』のモデルにした。

出しています。彼らは遠い存在ではなく、世界的なスターでありながら、地元のファンと同じ**鉱山労働者のバックグラウンド**を持っているのです。

おそらく、ウェールズ人の伝統が最も輝く誇り高い場所は、ラグビー場でしょう。永久に称えられる国民的ヒーローたちと、記憶に刻まれる決定的な瞬間の数々が、ここから生まれました。数十年が経ってもなお、1972年にラネリがあの偉大なオールブラックスを打ち負かした試合は大切に記念されていて、地元のアイデンティティと誇りの基盤になっています。

ウェールズの暦には、毎年恒例のラグビーのイングランド戦以上に大切な日付はそうありません。一年間、国境を越えて自慢する権利を得るチャンスです。何万人ものサポーターが一丸となって、声を合わせて歌います。どんなラグビーファンでも歌いますが、ウェールズ人のように試合に貢献するパフォーマンスをする人はいません。

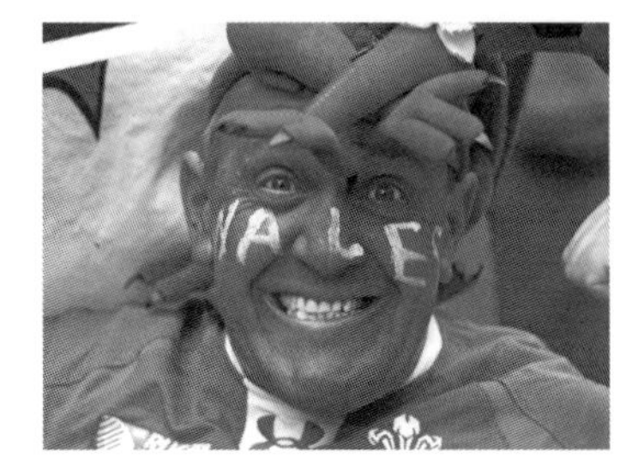

顔を真っ赤にペイントしたラグビーのサポーター

ウェールズのパフォーマンス文化は、ヨーロッパ最大の音楽と詩を競う祭典である毎年恒例のイベントにも彩られています。毎年8月に一週間にわたって開催される ナショナル・アイステズヴォッドは、12世紀の流れをくむ伝統的な祭典で、パフォーマンスと授賞式がすべてウェールズで行われ、数千人の競技者と約15万人の観客が参加します。

どんな分野であっても、ウェールズ人はおそらく、パフォーマンスの本質と重要さを誰よりも理解しています。パフォーマンスは情熱を生み出し、それが一体感と喜びをもたらすのです。

パフォーマンスは、ほぼすべての分野で――たとえ楽器を始めたり、公の場で歌ったりすることがないにしても――成功を収めるために欠かせないことです。どんな人でも、説得を試みたり、支持を得たり、影響を与えたりするために、パフォーマンスをする必要に迫られる状況があるのです。

ウェールズの優れた表現者は、人の心を変化させたり、人々を結集させたり、議論に勝つための方法を知っています。こういった技術はあらゆる場面で重要であり、誰もが学習でき、そして学ぶべきことなのです。

アルゼンチン
ベルギー
ブルガリア
チリ
コロンビア
チェコ
ドミニカ共和国
エジプト
イングランド
フィンランド
ギリシャ
インド
イラン
イスラエル
リトアニア
モンゴル
ミャンマー
ペルー
ロシア
スリランカ
シリア
ウルグアイ
ブータン

Part 5 核となる価値観

変化を達成する。他者と関わる。
コミュニティにおける自らの役割を果たす。
そのどれよりも、人格の本質を直接的に表す価値観があります。
それは、自分がどんな人間であり、どんな人生を送りたいのかという、自分自身の司令塔のような存在です。

最後のパートでは、国民に共有される価値観がきわめて明確で、不変で、際立って強烈な個性が「核」をつくっている国々をご紹介します。

Argentina

アルゼンチン

情熱

Passion

● 南米で最も騒々しい都市の日常

アルゼンチンに静寂はありません。ブエノスアイレスを歩いていると、五感のセンサーの感度が急上昇し、刺激を受け続けることになるでしょう。

聴覚——通りから聞こえてくる歌声や叫び声。叫んでいるのは、口論の場合もあれば、仲良く会話をしていることも。

嗅覚——世界で最も肉好きな国民が集う、無数のパリージャ・レストランからただよう肉料理の匂い。

視覚——街角のあちこちに見られる壁画やストリートアート、鮮やかな虹色にペイントされた建物。

アルゼンチンの首都は、誰もが認める「**南米で最も騒々しい都市**」です。抗議のデモ行進がしょっちゅう行われ、即興のタンゴダンスが披露され、あちこちの街角から感嘆の声が聞こえてきます。

ブエノスアイレスの街中で

アルゼンチンの人口の3分の1が住むブエノスアイレスは、国民がありとあらゆる「情熱」のはけ口を見つける場所です。サッカー、ダンス、牛肉、マルベックの赤ワインへの情熱。政治活動にかける情熱。友に、愛に、人生に捧げる情熱。中途半端にすませるお国柄ではありません。

信念をもっているなら、それを追求して、死ぬまで擁護します。最高か最悪かの二択です。勝つか負けるか。好きか嫌いか。そして何よりも大切なのは、海よりも深く、山よりも高く、情熱的であること！

〈首都〉ブエノスアイレス
〈人口〉4,494万人
〈面積〉278万㎢（日本の約7.5倍）
〈民族〉欧州系（97%）、先住民系（3%）
〈言語〉スペイン語
〈GDP〉4,497億ドル
〈時差〉マイナス12時間

● アルゼンチンサッカーの申し子、マラドーナ

アルゼンチンの情熱が最も純粋に表現されるのが、サッカーです。サッカーだけが、この国を一時停止させ、静まり返らせることができます。**ラ・アルビセレステ（サッカー・アルゼンチン代表）**がフィールドに立つとき、銀行は閉まり、学校は休校になり、仕事は放り出されます。アルゼンチン国民は、地球上で最もサッカー愛が強いことで知られています。

国民とサッカー選手の強い絆を見事に体現しているのが、アルゼンチンで最も有名なサッカーの申し子**ディエゴ・マラドーナ**です。

並外れた才能で尊敬を集め、予測不可能に感情を爆発させることで愛されるマラドーナは、史上最高の選手であるだけでなく、アルゼンチンのサッカー文化そのものでもあります。代表チームの監督として、ワールドカップ出場を祝福して濡れたピッチに腹でスライディングをしたり、一人のサポーターとして、ボックス席からライバルチームのファンを侮辱するジェスチャーをしたりと、アルゼンチン国民とサッカーとの熱い関係の根幹にある揺るぎない情熱を、体で表現しているからです。

2020年11月25日、サッカー界の英雄マラドーナの訃報が世界を駆け巡った

● 誇りと不安定さの激しいシェイク

政治的な抗議もまた、この国では常時行われるレクリエーションであり、そのために、広範囲な問題について膨大な数の人々が集結します。2018年に人工中絶に関する国民投票が行われ、最終的に合法化が阻止されましたが、賛成派と反対派の両方が激しい抗議デモを行い、全国で100万人以上が参加しました。同僚のパトリシオは、こう説明してくれました。

「職場に向かって歩いていても、朝食を食べていても、広場で抗議デモを見かけたら、とりあえず加わります。必要なら、到着してから目的を確

〈有名人〉リオネル・メッシ（サッカー選手）、マヌ・ジノビリ（元バスケットボール選手）、フランシスコ（第266代ローマ教皇）〈自然〉ロス・グラシアレス…サンタクルス州にある国立公園で、南極、グリーンランドに次ぐ世界第3位の面積の氷床が見られる。〈文化〉コロン劇場（テアトロ・コロン）…ブエノスアイレスにある劇場で、フランスのオペラ座、イタリアのスカラ座と並び世界三大劇場に数えられる。

かめます」

アルゼンチンの情熱は、「誇り」と「不安定さ」をシェイクした激しいカクテルから生まれます。ヨーロッパ諸国の流れを強くくむことで南米の他の地域とは一線を画していること、サッカー選手から牛肉、赤ワイン、ダンス、音楽まで、誇るべき産物を海外に輸出していることから、独自の国民性に誇りをもっています。

しかしアルゼンチンは、政治と経済の深刻な不安が蔓延(まんえん)する国でもあります――1970年代から80年代の「**汚い戦争**」では、国を統治した軍事政権が、反体制派の3万人のアルゼンチン人を「消滅」させ、2000年代初頭の激しい金融危機では、国の債務不履行により、経済は4分の1以上縮小し、数万人が貧困状態に見舞われました。

アルゼンチンは、情熱を受け入れることの大切さを教えてくれます。情熱を追いかける勇気があれば、そして周囲の期待に応えるのではなく、自分が本当に欲している道を追求すれば、人生はもっと良くなります。

党の方針に従うかわりに、信じることのために本気で立ち上がれば、組織はより強くなるでしょう。

情熱は個人に活力を与え、集団に刺激を与えます。情熱は、自分自身と信条を何よりも正直に表現してくれます。間違いもある人間らしさを表現するのが、情熱なのです。情熱を欠いた人生やビジネスやコミュニティは、さまざま点で貧しいものになるでしょう。

ブラジルとの国境にあるイグアスの滝

Belgium

ベルギー

謙虚さ

Modesty

● 行ってみたらそこは城―― 圧倒的謙虚の国

ベルギー人から、昼食や週末に家に招待された人は、ぜひ不測の事態を考えての準備（と服装）をお勧めします。私がEUの仕事でブリュッセルに住んでいたとき、新しい友人から招待を受けて、もらった住所に到着して初めて、**友人がお城に住んでいた**ことを知った、という経験が2回ありました。彼らはそんなことを話そうとは夢にも思わないのです。

中世の街並みが残る
歴史地区も多い

「謙虚さ」がベルギーの国民性です。見せびらかしになりそうなことは、すべて慎みます。私は、ベルギー人の行動や言葉から、自慢げなものを感じたことは一度もありませんでした。**この国では、自分自身と人生について、圧倒的に謙虚です。自分を卑下し、可能な限り目立つことを避けるのです。**一部の文化では自己宣伝と誇張が日常的に行われますが、ベルギー人は、たとえ専門分野で世界をリードしていたとしても、そのことをひけらかすぐらいなら死んだ方がましだと思うことでしょう。

例を挙げましょう。あなたはおそらく、ティム・バーナーズ=リーがインターネットの先駆けであるWorld Wide Web（WWW）の創設者であることはご存知でしょう。でも、共同開発者であるベルギー人のロバート・カイリューの名前は、聞いたことがないのでは？

フライドポテトの発祥の地がベルギーということをご存知ですか？

アメリカで最も売れているビール〈バドライト〉を、ベルギーの会社〈ア

〈首都〉ブリュッセル	〈言語〉オランダ語（フラマン語）、フランス語、ドイツ語
〈人口〉1,149.3万人	
〈面積〉3.1万㎢（九州の約85%）	〈GDP〉5,296.1億ドル
〈民族〉フラマン人（58%）、ワロン人（31%）	〈時差〉マイナス8時間（夏時間あり）

ンハイザー・ブッシュ・インベブ〉が所有していることは？

● 控えめな国の控えめとはいえない業績

正式な国とは呼べない、と部外者から軽視され、ドナルド・トランプが「美しい都市」と評したベルギーは、脚光から遠ざかることに安らぎを見出しています。ヨーロッパの大国に挟まれて、控えめな役割を担っているのです。オランダ、ドイツ、フランスといった歯に衣を着せない文化に囲まれたベルギーは、ソフトな語り口を好み、集団と個人の成果を隠そうとします。ベルギーの謙虚さは、オランダ語が主流のフランデレン地域とフランス語を話すワロン地域という異なる特徴をもつ二つの地域の格差を埋め、友好を促進するのにも役立ちます。

ベルギーの経済は、北欧の近隣諸国のように、他国が見習うべきモデルとまではいきませんが、OECDからは、**世界で最も生産性の高い国**の一つにランク付けされています。ベルギーのビジネスが大きな話題を呼ばないにせよ、この国の「謙虚さ」がかなりの企業資産を生み出しているのは確かで、〈**ボルボ**〉、〈**ハイネケン**〉、〈**ネスレ**〉の最近のCEOは、すべてベルギー出身です。

他の国々が自国の技術開発の自慢をしている間に、ベルギーは静かに目標を成し遂げます。例えば、ソーラーカーの最も効率的なプロトタイプを開発したときもそうでした。

謙虚であるからといって、ベルギーがヨーロッパの政治のなかで重要な役割を果たさないわけではありません。**ベルギーのアレクサンダー・デ・クロー副首相が私に語ったように、ベルギーに欧州連合の主要な本部が置かれているのは偶然ではなく、この国が政治的、経済的、地理的なクロスロードとして機能できるからなのです。**

● 謙虚すぎるのも困ったものと言うけれど

ベルギーはまた、「**世界一のビール**」と評され、トラピスト会修道院で醸

〈有名人〉『ローマの休日』で知られる大女優オードリー・ヘップバーンはブリュッセルで生まれ、幼少期を過ごした。〈有名企業〉チョコレートが世界的に有名で、ゴディバ、ヴィタメール、マリーなど日本でも広く知られるブランドが多数生まれた。〈都市〉アントウェルペンは日本で人気の『フランダースの犬』の舞台である。ラストシーンに登場する聖母大聖堂も実在し、巨匠ルーベンスの三連祭壇画が飾られている。

造される幻のビール〈ウェストフレテレン〉の産地です。これほどの評判をもちながら、利益を最大化するために工業規模で生産が行われているかといえば、まったくそうではありません。修道院で醸造を行うのは年に70日間だけで、自分たちの生活や運営に必要な量だけを限定生産するため、顧客は修道院まで足を運ばなければ手に入れることができないのです。

幻のビール〈ウェストフレテレン〉

「謙虚さ」という国民性のため、ステータスシンボルは敬遠され、不必要なプレゼンは冷ややかな目で見られます。ほとんどのベルギー人が目指すシンプルな目標は、地に足のついた快適な生活を送ることです。

「**すべてのベルギー人は、お腹にレンガを持って生まれてくる**」

この有名なことわざには、自分の家と小さな土地を所有したいという国民の願いが反映されています。控えめですが、本質的な野望だと言えるのではないでしょうか。

ベルギー人が謙虚すぎるために、信頼性が危ぶまれるという懸念もあります。アメリカの大学で奨学金を組織しているフルブライト委員会は、ベルギー人の志願者たちにこう告げました。

「みなさんは、謙虚さを捨て、競争の激しい米国の高等教育市場で、もっと自分を上手に売り込む必要があります」

謙虚さが障壁になることもありますが、ほとんどの場合、ベルギーはこの美徳から全員が利益を得られることを証明しています。

控えめであるということは、物質的な富と所有物にあまり重点を置かず、人間関係の本質に重点を置くことです。そのためには、議論よりも妥協が求められ、自分が優れていることを証明するよりも、共に働くことに集中することが求められるでしょう。

謙虚さは、気づかれにくいささやかな行為です。でもベルギー国民は、謙虚さが文化に組み込まれたときにどれほどの価値があるかを教えてくれます。**結局、自慢する人は得るものが少ないのです。**

Bulgaria

ブルガリア

健康

Health

● 口を開けば健康、健康、健康……

「お元気ですか？」

多くの国では、これは当たりさわりのない質問や会話のきっかけであり、次のような返事が期待されます。

「はい、元気です」

でもブルガリアでは、「お元気ですか？」は、国民が大好きなテーマである「健康」の話題へと会話を誘導するための誘い文句なのです。腰が痛いです。姿勢がおかしいの。鉄サプリメントに代わる自然食品を見つけたのよ……。

ブルガリア人は、イギリス人が天気を話題にするのと同じぐらい、医療についてしょっちゅう話します。最初の話題も、最後の手段も、この話題。老いも若きも、友人同士も、家族の食卓でも、誰とでもどこでも登場します。

● あなたの周りにはどこにでも健康情報

ブルガリアにいると、健康についての会話に取り囲まれることになります。人々は、ケーキではなく、自家製の「薬」や民間療法のレシピを交換します。ショッピングチャネルを見ると、健康関連の商品の紹介ばかり。初めてこの国を訪れたときには、健康がテレビとラジオの内容の大部分を占めているように感じました。

友人のダンの家に滞在していたときには、彼のおばあちゃんが食事のたびに薬の袋を取り出すのを見ました。膝の関節炎の薬。背中の痛みの薬。

〈首都〉ソフィア 〈人口〉698万人
〈面積〉11.1万㎢（日本の約3分の1）
〈民族〉ブルガリア人（80%）、トルコ系（10%）、ロマ（推定10%）
〈言語〉ブルガリア語
〈GDP〉679.3億ドル
〈時差〉マイナス7時間（夏時間あり）

ドライアイのための点眼薬を数種類。鼻のスプレー。何やら先日テレビで見て試してみたかったもの。ダンの友人たちも、まったく同じことをするでしょう。

ブルガリアの50歳以上の人のほとんどは、「**歩いておしゃべりする薬局**」です。毎日の娯楽のように薬を取り出し、治療法の情報交換をしています。

ブルガリア人は、他人の健康にも強い関心を持っています。くしゃみをすれば、たちまち専門的なアドバイスが飛んできます。人々はあなたを心配し、窓を閉めて冷気を遮断し、靴下を脱がせないようにし、作ったばかりの新しいドリンクを試してみなさい、と言います。

ブルガリア人がおせっかいで世話好きな性分なのではなく、国民が互いの健康に強くこだわっているため、世話をせずにはいられないのです。唯一の目的は、誰もができる限り健康な生活を送ること。ソビエト崩壊後は、あらゆることにお金を払わなければならなくなりましたが、健康だけは、お金を請求されずに自分で維持して守ることができるのです。

● 健康的でない食事の救世主、ヨーグルト

とはいえ、ブルガリアのライフスタイルのすべてが完全に「健康」というわけではありません。とりわけ国民の食事については、医師や栄養士のお墨付きをもらうのは難しいでしょう。

ブルガリア人の典型的な一日の食事を紹介すると、朝食は風味のいいペストリー、バニツァ（卵とチーズを詰めて焼いたキッシュのようなパン）または

できたてのバニツァ

グリル料理も名物

伝統料理スネジャンカサラダ

〈有名人〉琴欧洲勝紀（元大相撲大関・鳴門親方）〈文化〉レスリングの強豪国の一つとして知られ、オリンピックでは2016年大会までに70近くのメダルを獲得している。元大相撲大関・琴欧洲もレスリング出身である。
〈都市〉カザンラク…世界的なバラの一大産地「バラの谷」の東寄りに位置する都市。毎年6月の第一日曜日にバラ祭りが開かれ、民族舞踊などで収穫を祝う。観光客にも大人気のイベントである。

メキツァ（ヨーグルトを練りこんだパンを油で揚げたもの）、ランチタイムはサラダを食べ、夜は肉とポテトをたっぷりと食べます。

大晦日には、翌年の幸運を願って（多くの場合は健康祈願をこめて）特別なフラットブレッド（シンプルなパン）を作ります。これらはすべて、大量のお酒と一緒に流し込まれます。

必ず飲まれるのが、ブルガリアの国民的なお酒「ラキヤ」です。これはプラム、ブドウ、あんずなどから作られる蒸留酒で、自宅で作ることが多く、ダニーの家の地下室ではご両親が醸造していました。季節に応じて冷やしたり温めたりして飲みますが、量を控えることはめったにありません。

ブルガリアの食事のなかで、健康志向の人になじみ深いものといえば、**ヨーグルト**です。ヨーグルトは現代のブルガリアの食事に欠かせない存在であり、そもそもブルガリアが発祥だと主張する人もいます。

ブルガリア人の科学者スタメン・グリゴロフ博士が、牛乳をヨーグルトに変える細菌を発見したことは確かで、これは「**ブルガリア菌（ラクトバチルス・ブルガリカス）**」と名づけられました。**ブルガリアに100歳以上の長寿人口が非常に多いのは、ヨーグルトを基本にした食事が一因と考えられています。**

新鮮なヨーグルトを添えたムサカや、刻んだきゅうりとヨーグルトとディルソースのサラダである伝統料理スネジャンカサラダ（白雪姫サラダ）まで、ヨーグルトはブルガリア料理の定番の材料として使われています。

● 健康は幸福をもたらしてくれる

でも、注目すべきは、ブルガリアのライフスタイル全般が健康的かどうかよりも（アウトドアを好む文化や、食べ物の一部は確かに健康的ですが）、健康に強くこだわる国民性のほうです。

ブルガリアで完璧な健康志向の生活を送ることはできないかもしれませんが（世界的な統計でみると、健康、肥満、生活意識において優秀とは言えない成績です）、ここにいれば、間違いなく健康について話題にし、健康について考えることになります。

健康は、この国のセールスポイントでもあります。農場にいる血色の良い頬をした家族を描いた牧歌的な広告を見ると、健康と幸福がつながっていることを強調していることがわかるでしょう。

あなたが最近、深刻な病状に迫られたわけではなく、健康チェックのために医者にかかったのはいつでしょう？　最近、自分の心身の健康のために何か行動を起こしましたか？

現実には、こういったことに目をつぶり、多忙な生活に身を任せ、何か悪いことが起きないと健康について考えない人が多いのではないでしょうか。健康は何よりも大切であり、それなしでは何もできないことは明白な真実なのに、ほとんどの人は、それに値する優先順位を健康に与えていません。

ブルガリアでは、そんなことはあり得ません。親や祖父母があなたの様子をうかがい、治療薬を押しつけ、病気の最初の兆候に気づくからです。多くの人は、もっと健康に注意を払う必要があります。実際にブルガリア人のおばあちゃんがいない人は、もしもいたら、どんなアドバイスをするかを、時々考えてみてください。健康は財産です！

カザンラクのバラ祭り（データ欄参照）

Chile

チリ

広い視野

Perspective

● アタカマ砂漠の星空のように

これまで飛行機で世界中を旅してきましたが、アタカマ砂漠から空を見上げたときほど、空に近づいたように感じたことはありませんでした。静かで、乾燥していて大気が汚染されていないおかげで、おそらく世界一の星空を見ることができます（ここには世界最大の望遠鏡があります）。これほどまでに畏敬の念を感じさせる、どこまでも続く鮮やかな光景に直面すると、毎日の不平を新たな視点から見直す気持ちになれることでしょう。

アタカマ砂漠の風景（上）と星空（下）

ダイナミックな地理と気候に暮らすチリの人々は、その広い視野を生活に役立てています。アタカマの極上の夜空はその特徴のごく一部にすぎません。世界最長の大陸に沿った山脈と世界で2番目に長い**火山群**を有し、他のどの国よりも**地震が多い**チリは、あらゆる意味で地理によって形づくられています。

世界で最も乾燥した砂漠からパタゴニアの緑豊かな平原まで、極端なコントラストをもつことが、この国に哲学的な物の見方をもたらしました。**自然災害が日常生活の一部として受け入れられているため、チリ人は、何が重要で何が重要でないかについて、広い視野を持っているのです。**

〈首都〉サンティアゴ 〈人口〉1,873万人
〈面積〉75.6万㎢（日本の約2倍）
〈民族〉スペイン系（75%）、
その他の欧州系（20%）、先住民系（5%）

〈言語〉スペイン語 〈GDP〉2,803億ドル
〈時差〉主要部（マイナス13時間）、
マガジャネス地方（マイナス12時間）、
イースター島（マイナス15時間）

● 広い視野は動乱を経て

広い視野は、チリの政治的激変の歴史にも刻まれています。1973年に初めて民主的に選出されたマルクス主義者サルバドール・アジェンデを打倒した軍事クーデターと、その後に続くアウグスト・ピノチェトの弾圧的な17年間の独裁政権です。

同じ時期にはチリ経済が、アジェンデの社会主義プログラムから、ピノチェトの経済政策によるミルトン・フリードマンとシカゴ学派の顧問を招いてのマネタリズムのアプローチへと移行しました。そして、どちらの政策も傷跡を残しました。1970年代には高インフレになり、1980年代半ばに労働人口の3分の1が失業したのです。

こういったいざこざを経て、チリ人は広い視野をもつようになりました。ピノチェトは暴力的に追い出されませんでしたが、1988年の国民投票では、反対派が過半数を獲得して民主選挙が復活しました。ピノチェトの抑圧的で暴力的な軍事政権下で、行方不明または殺害されたチリ人は3万人以上と推定されています。しかし反ピノチェト派は、彼らに同様の罰を加えようとは望みませんでした。反対派の選挙活動の指導者ヘナーロ・アリアガーダは、数年後にこう振り返っています。

「私たちの信念は……もしもピノチェト派の人々を投獄や追放すれば、この国は終わってしまうということでした。**あらゆる人に居場所があるべきなのです**」

また、彼は米『アトランティック』誌にこう語りました。

「これは、昔の敵との間に寛容を生み出すという問題でした。〔すべての人に〕居場所がある国を作ることなのです」

この広い視野があったからこそ、チリはピノチェト時代から前進して民主的な政権を作り、今日のような経済の繁栄を見ることができたと考える人もいます。2000～2015年の間に、人口の25%以上だった貧困層は

〈有名人〉アレクシス・サンチェス（サッカー選手）、ニコラス・マスー（元テニス選手/2004年アテネ五輪で男子単・複で金メダル）〈日本〉1992年、日本のクレーン会社タダノが倒れているモアイの修復作業に名乗りをあげ、3年ほどかけて15体のモアイを立たせることに成功した。〈生活〉サンティアゴの巨大な商業施設「グラントーレ・サンティアゴ」は、南米で最も高い建物としても知られる。

7.9%にまで減りました（ピノチェト政権末期には40%を超えていたのです）。

● 課題解決に広い視野は欠かせない

広い視野を持つことで、チリは諸問題に組織的に取り組み、実績を上げています。たとえば「高度な警告システム」「厳格な建築規制」「精密な災害計画」を組み合わせることで、大地震の影響に歯止めをかけています。もっと開発が遅れている国では、大地震は人命とインフラに大きな打撃を与えることでしょう。

経済的には、一部の商品関連収入をソブリン・ウェルス・ファンド（政府が出資する投資ファンド）に転換するなど、銅の輸出に頼らないための措置を講じています。

チリは、極端な環境が過激主義を生み出す必要がないことを教えてくれます。この国は、課題を広い視野でとらえ続けることで、政治的不安定と気象の影響、そして先行きが不確実な経済を、上手にかじ取りしてきました――無傷とはいえませんが、アルゼンチンなど近隣諸国に影響を与えた極端な結果には至らずにすんだのです。

私たちは誰でも、日々の生活やキャリアの上で、不可能に思えることに直面します。その場合には、次に何をするかが方向性を決定づけます。圧倒されてパニックに陥るか、それとも広い視野を持ち続けて明確な意思決定ができるか。

「**世界一澄んだ空**」を誇るチリは、混沌（こんとん）とした状況に直面しては透明度を取り戻すという経験を何度もしてきました。「広い視野を持つこと」が国家の進歩の鍵であるなら、私たちの人生の鍵にもなるはずです。

首都サンティアゴを見渡して

Colombia

コロンビア

多様性

Diversity

● ノーベル賞作家を育んだ活気と多様性の国

コロンビアで一番印象に残った感覚的な記憶といえば、ジューシーで刺激的で、時には奇妙な果物の数々です。この国の果物は多様性に富んでいて、他のどこのものとも違います。それから、音楽のビート。ラテンアメリカの幻想文学、魔術的リアリズムも。

コロンビアは、日常的な状況にシュールな幻想を融合させる文学ジャンル「**魔術的リアリズム**」の発祥の地です。このジャンルの最も有名な作家**ガブリエル・ガルシア＝マルケス**は、先駆者であり、傑出した芸術の巨匠と考えられていて、名作『百年の孤独』は、「『創世記』以来の人類全体が読むべき最初の文学」とも評されています。

ガルシア＝マルケスのような作家が、コロンビアのような国から生まれたのは偶然ではありません。コロンビアは、色彩、風味、気候、自然に活気と多様性があふれる国で、ここにいると現実の一段階上のレベルにいるような気分にさせられます。

ここで過ごす時間には没入感があり、圧倒されます。まるで、一つの国のなかに、世界中の地理と生物、食べ物と飲み物が凝縮されているような感覚です。**絶え間なく過剰なまでの刺激を与えてくれるのが、この国のもつ並外れた多様性です。**

● 多様な人と、多様な生物が住まう国

コロンビアを理解するには、その独特の位置関係と地理を知る必要があります。カリブ海と太平洋の両方に面し、湿地帯と山岳地帯、海岸線と熱

〈首都〉ボゴタ〈人口〉4,965万人
〈面積〉113.9万㎢（日本の約3倍）
〈民族〉混血（75%）、ヨーロッパ系（20%）、アフリカ系（4%）、先住民（1%）
〈言語〉スペイン語
〈GDP〉3,331億ドル
〈時差〉マイナス14時間

帯雨林、巨大な都市と広大で無人の平原をあわせもつ国です。カリブ海、アマゾンの熱帯雨林、アンデスの山——これらすべてが、一つの国に無限の多様性を持つコロンビアの地理に含まれています。

実際、コロンビアは単一的な国ではなく、六つに分かれた地域にそれぞれはっきりした個性を持つ独自の地理、文化、伝統があります。

ハチドリ(上)やジャガー(下)などの
貴重な生息域にもなっている

地球上で最も生物多様性の高い国の一つで、ブラジルよりはるかに小さいにもかかわらず、二番手につけています。5万6343の登録種が生息しており、そのうち9000種以上は、この国でしか見られません。実に全世界の動植物種の10分の1がコロンビアに生息しているのです。

『ナショナルジオグラフィック』誌はこう書いています。

「もしも地球の生物多様性が一つの国だとしたら、それはコロンビアかもしれない」

ただし、たぐいまれな生物多様性は脅威にさらされています。コロンビアでは、鉱物採掘がさかんである一方で、約2700種が絶滅の危機に瀕しているのです。また、森林破壊が急速に進んでいて、毎年2300平方キロメートル以上の森林が破壊されています。

コロンビアは生物多様性を非常に重視しているため、こういった脅威を根本的に防ぐ対策を講じています。2010年から2018年の大統領でノーベル平和賞の受賞者フアン・マヌエル・サントスはこう述べました。

「私たちが母なる地球を破壊していることは、非常に明白です」

サントスは、気候破壊への対策として、自然保護区を数千平方キロメー

〈有名人〉ガブリエル・ガルシア＝マルケス(作家/1982年ノーベル文学賞)、シャキーラ(歌手)〈都市〉カルタヘナ…リゾートと歴史的建造物が同居する最大の観光都市。サン・フェリペ要塞をはじめとした遺跡は世界遺産に指定されている。〈自然〉キャノ・クリスタレス…シエラ・デ・ラ・マカレナ国立公園を流れる「世界一美しい川」。9～11月の数週間だけ苔や藻が鮮やかな彩りを見せる絶景スポットである。

トル追加することを決め、そのためにコロンビアの国立公園の総数を60に増やしました。また、アマゾンの保護地域と数十種の絶滅危惧種への影響を理由に、コロンビアを介してベネズエラとエクアドルをつなぐ予定だった新しい高速道路の計画をキャンセルしました。

● 世界で最も楽観的で幸福な国

コロンビアの多様性の保全への取り組みは、分裂した国を癒そうとする試みと密接に関係しています。2016年に半世紀にわたる内戦が休止した後、反政府グループであるコロンビア革命軍（FARC）のメンバーは、「**森林破壊との戦い**」に招集されました。1000人以上が、持続可能な農業と、違法伐採を追跡して対処するための訓練を受けているのです。

コロンビアの多様性は、国内の自然環境をはるかに超えて、食べ物、音楽、文化にも見られます。カリブ海沿岸のスパイシーな魚と米の料理、アマソナス県に見られるブラジルとペルーの味、ヨーロッパからインカに至る多様な影響まで、コロンビアの食文化には、多様な伝統が織り込まれています。

同じことは音楽にも言えます。コロンビアの六つの地域の音楽には、アフリカンダンスからヨーロッパのビッグバンド、南米のサルサまで、様々な伝統が映し出されています。

コロンビアに滞在すると、心が豊かになり胸が躍ることでしょう。人や動植物、音や味の多様性を体感することにのめり込み、喜びを感じずにはいられません。

コロンビアが頻繁に「世界で最も幸福で最も楽観的な国」の上位に入っているのは、意外ではありません。その根幹にあるのは「多様性」です。

多様性は、心を解放して新しい影響と経験へと導き、創造性を刺激し、共通理解を助けます。多様性がなければ、私たちは自分に制限をかけて、新しい世界を受け入れようとしなくなります。多様性があるから、私たちは発見し、探求し、発展するのです。

そして何よりも重要なのは、私たちが楽しみを持ち、未知の世界を味わって、真に生きる方法を学べることです。

Czech Republic

チェコ

職人技

Craftsmanship

● 「百の尖塔の都市」にきたらディテールに注目

チェコの家を訪ねると、細部のこだわりに驚かされることでしょう。丁寧に彫られた屋根瓦、庭のフェンスの美しさ、ハンドメイドの家具と装飾。通り抜ける玄関の扉から、座る椅子やソファに至るまで、細かい装飾はすべて慎重に検討され、細工されています。

国全体でも同じことが言えます——あなたが渡る橋にも、口をつけるグラスにも。この国は豊かな職人技にあふれています。

チェコの職人技は、プラハをヨーロッパで最も重要な観光地の一つに押し上げている高い建築物や、個人宅の設計や装飾の細かいこだわりなど、最大規模の記念建造物から日常生活の細部にまで広がっています。チェコの人々は、部屋に置く家具やソーセージの味付けなど、組み立てるプロセ

首都プラハの街並み

〈首都〉プラハ 〈人口〉1,069万人
〈面積〉7.9万㎢(日本の約5分の1)
〈民族〉チェコ人(69%)、スロバキア人、ウクライナ人、ベトナム人等
〈言語〉チェコ語
〈GDP〉2,470億ドル
〈時差〉マイナス8時間(夏時間あり)

スに深い誇りと満足を感じているのです。

もちろん、壮麗な大聖堂には職人技があり、そして「**百の尖塔の都市**」プラハには、見ごたえのある建造物が数多くあります。でも、職人の文化がいかに深く根付いているかを教えてくれるのは、小さなディテールです。

● ソーセージは職人技術のたまもの

首都では、いたるところにソーセージの屋台を見かけますが、これをニューヨークのホットドッグの屋台やイスタンブールのケスタン（砂糖漬けの栗）屋とさして変わらないと思うのは、残念な誤解です。

チェコの肉屋はソーセージを、謙虚な定番から芸術の域へとグレードアップさせています。プラハで適当に「ソーセージ」を頼むのは、フィレンツェのジェラテリアに入ってアイスクリームを頼んだり、ウィーンのカフェハウザーでアメリカーノを注文したりするようなものです。

チェコのソーセージ作りには、肉の選択から熟成の期間、風味の付け方まで、微妙なバリエーションがあるため、ソーセージには膨大な選択肢があるのです。たとえばパプリカとマジョラムで味付けした「クロバーサ」、ソーセージを酢漬けにして冷やした「ウトペネツ（"水死体"という意味）」、アメリカのホットドッグも顔負けの30センチもの長さの「パーレック」、リングの形をした内臓ベースの「ヤテルニツェ」……。

多彩なソーセージが店頭に並ぶ

● 手を動かすことの喜び

人生のスパイスがバリエーションの多さであるなら、チェコ文化は十分に味付けされていると言えそうです。大量生産やノーブランドの商品は、オリジナルで独特の手工芸を好む国民には避けられます。だから〈イケア〉よりも地元のDIYショップが増えるのです。

プラハでは街燈柱でさえ目を引く特徴的な形をしていて、世界で唯一と

〈都市〉チェスキー・クルムロフ…南ボヘミア州の小都市で、「世界一美しい町」。まるで時間が止まったかのような歴史的な景観と、森に囲まれた地理から「眠れる森の美女」と形容される。〈文化〉一人当たりのビール消費量が世界一で、ビールが水よりも安い国。〈日本〉1970年の大阪万博を機に大相撲優勝者への表彰を始めた。千秋楽で授与される外国からの賞のうち、最初に読み上げられるのはチェコである。

言われるキュビズム様式のものもあります。

色彩や形状が美しいボヘミアングラス

チェコの職人技には深いルーツがあります。伝統的なボヘミアン産業として、ガラス製品の生産が今でもさかんで、手作りの品質の世界的な代名詞となっています。

こういった文化が、共産主義時代に経験した「不足」によってさらに発展したと言う人もいます。でも、不足が過去のものになっても、古いものを手直ししたいという情熱は消えていないのです。

チェコの家庭に滞在すると、自宅で修理や改良の作業をしているため、早朝にドリルの音で目が覚めることは珍しくありません。お金や材料を無駄にしたくない倹約のためという理由もあるかもしれませんが、根本的な原動力は、自分の手で何かを作り出すことの誇りと満足です。チェコ人の手先の器用さを示す「**黄金の手 (zlaté ručičky)**」という表現には、職人や技術者としての能力に対する国民の誇りが反映されています。

チェコ共和国で時間を過ごすとはっきりとわかるのが、この国の人たちが、見た目の細部に気を配り、ものを組み立てるプロセスに汗をかくことに価値を置いていることです。

この価値観は、置物や建物に見られるだけではなく、人々の心の中にあります。小さいながらも大切な違いを褒めたたえ、商品の品質と同じぐらい生産過程の技術を尊重するお国柄なのです。

食事を作ること、手を使って何かを生み出すこと、絵を描くことなど、自分で何かを作ることには、深い満足感があります。とりわけ、そういったスキルや伝統から遠ざかってきた世界に住む人にとっては、自分で成し遂げることに大きな感激と満足感があることでしょう。

チェコの職人技を間近で見ると、小さな日常に存在する美しさに目が開かれます。新しい視点から、時間をかけてていねいに行うことの重要性が見えてくることでしょう。

Dominican Republic

ドミニカ共和国

活気

Enlivement

● ドミニカ共和国の会話は全身で

「ボディーランゲージ」について聞いたことがあっても、ドミニカ共和国を訪問しない限り、本物を目にしたことにならないでしょう。ここでは、人々が全身を使って話し、仕事をし、生活しています。会話のときに、静かにおしゃべりしたり、他の人に聞こえないようにつぶやいたりすることはありません。

ドミニカ人は、**動くことによって話します**。手を振り、前のめりになり、目をどんどん大きく見開きます。友人同士の日常的なやり取りなのに、声が大きく、高くなり、お互いに近づき合うので、激しい議論のように見えるかもしれません。それが午前6時にバルコニー越しに始まったときは、面白いとは言えませんが、コミュニケーションがまったくないよりは良いかもしれません。

ここには、静かでのんびりした、控えめな雰囲気はありません。カリブ海によくある「まったりした」ムードではないのです。

人々は、一定のペースと騒々しさとアクションを保ちながら、活気のある状態で生活します。そして音楽とダンスとファッションに囲まれています。**ラテンとアフリカとカリブ海と先住民の文化が融合してできた、めまいのするようなカクテルが、今日のドミニカ共和国なのです。**

● 踊るのに理由なんかいらない!

パチパチと音を立て、泡立つカクテルのように、生き生きとした活気

〈首都〉サントドミンゴ〈人口〉1,073万人	〈言語〉スペイン語
〈面積〉4.8万㎢(九州よりやや大きい)	〈GDP〉889.41億ドル
〈民族〉混血(73%)、ヨーロッパ系(16%)、アフリカ系(11%)	〈時差〉マイナス13時間

は、至るところに見られます。たとえば、この国には世界に誇るダンスの伝統があり、国民の血には踊りが流れています。速いステップを踏む「**メレンゲ**」には、そのための国民の日と毎年恒例のお祭りがあります。

また、かつて禁じられたことがある腰を激しく動かす「**バチャータ**」も大人気です。立ち上がって歩くことができた瞬間から、男の子は家族や親類の手ほどきを受けて伝統を学びます。

ドミニカ人が踊るのに、理由はいりません。ダンスは、どこでも、しょっちゅう行われています。あちこちから流れてくる音楽は、受動的に聴くものではなく、そこに身を投じるためのもの。音楽を体で表現し、音と一緒に体を揺さぶり、リズムを身振りで表します。

ボカチカのビーチで、カリビアン・カーニバルを祝う人々

踊りとその音楽には、ドミニカ共和国の複雑な歴史が反映されています。踊るときの伴奏は、アフリカンドラムと、スペインのアコーディオンと、カリブの先住民タイノ族のグイラ（こすって音を出す金属製の楽器）です。

中心街は音楽や大道芸でいつも賑う

ダンスの伝統はそれ自体が文化の融合であり、時代と共に進化を続けています。ポップ、ジャズ、ギターが伝統に取りこまれ、アレンジされ続けているのです。**1492年にクリストファー・コロンブスが島に上陸してスペインの支配を受けて以来、何世紀にもわたって外部の影響を受けてきたこの国では、伝統は固定されることなく、常に進化しています。**

● ドミニカ共和国に、きっとあなたも魅了される

音楽とダンスと同じことは、ドミニカ共和国で繁栄しているファッショ

〈有名人〉ペドロ・マルティネス、アルバート・プホルスをはじめメジャーリーガーが多数、日本プロ野球でも出身者が活躍している。〈都市〉サントドミンゴはコロンブスによって築かれた新大陸初の植民都市で、彼の遺体はコロンブス記念灯台に安置されている。〈地理〉イスパニョーラ島東部にあるのがドミニカ共和国、ドミニカ島にあるのがドミニカ国。混同しないように要注意。

ン産業にも言えます。ドミニカ共和国出身の有名デザイナー、オスカー・デ・ラ・レンタは、1960年代にジャッキー・ケネディのお気に入りのクチューリエとして世界的な名声を獲得し、その継承者として現在はレオネル・リリオが活躍しています。ドミニカ共和国で年に一度開催されるファッションウィークは、カリブ海のファッション界の中心的なイベントです。

食文化もまた、ドミニカの活気を物語る要素であり、とりわけチョコレートは世界的に有名です。この国は、**世界有数のオーガニックココアの輸出国**であり、この島の4万人の農家に雇用を生み出しています。

ドミニカ共和国で時間を過ごすと、独特なペースと豊かさを持つライフスタイルに魅了されずにはいられません――音、光景、風味に。「従順」「受け身」「用心」はすべて、窓の外に追い出しましょう。

この国の人は、どのように生きるべきかを知っています――スピーディに動き回り、鮮やかな色彩を放つのです。これほどの活気に囲まれていては、否が応でも心が躍り、刺激を受けます。

そして、こんな質問が心に浮かびます。もしも私たち全員が、これほどのエネルギーと情熱を注いで活気ある人生を送ろうとするなら、今よりどれほど多くのことが達成できるでしょう？

そして、どれほど楽しく生きられるでしょう！

コロンブスが眠るコロンブス記念灯台（左）、コロンブス広場のコロンブス像（右）ともにサントドミンゴにある

Egypt

エジプト

ユーモア

Humor

● 世界でただ一つの「笑う革命」

「**今すぐ去ってください、大統領。私の妻は妊娠していて、赤ちゃんはあなたに会いたくないのです**」

「今すぐ辞めてください、大統領。私のチームは、あなたが辞めるまで勝てないと言っています」

「大統領、どうかすぐに辞めてください。私の腕が痛いんです」

これらは、ムバラク大統領を追放した2011年の革命デモがタハリール広場で開催されたときに、世界中に出回った抗議バナーの一部です。大勢のエジプト人が、国家の一大事の瞬間に集い、エジプト人にしかできない方法で——機知とユーモアを使って——抗議をしていました。

2011年エジプト革命のときの、
カイロ、タハリール広場(2011年2月4日)

国営テレビが「抗議者は、金とアメリカのファーストフードで賄われた外国からの侵入者だ」と非難すると、人々は〈ケンタッキーフライドチキン〉を手に自撮りをしてみせました。

軍隊の攻撃から身を守るポーズのために、頭に鍋やフライパンをかぶせている人もいました。チュニジアにはジャスミン革命がありましたが、エジプトには「笑う革命」がありました。さすがエジプト人が「**イブン・ノク**

〈首都〉カイロ 〈人口〉9,842万人	〈言語〉アラビア語、英語(都市部で)
〈面積〉100万㎢(日本の約2.7倍)	〈GDP〉2,860億ドル
〈民族〉主にアラブ人、その他少数のヌビア人、アルメニア人、ギリシャ人等	〈時差〉マイナス7時間

タ（冗談の息子）」の異名をもつだけのことはあります。

「**ハフィーフト・イッダム（血が軽い）**」は、エジプト人が自分を指すときによく使うフレーズです。人生を深刻に受け止めるのを避け、深刻な状況でも常に冗談を言うのです。

笑顔でポーズをとって、
観光客の撮影に応じてくれる

エジプトのどこに行っても、何をしていても――知り合いの家族と一緒にいるときも、出勤のためにバスに乗っても、デモ行進に参加しても――必ずそこに、ジョークを言い合っている人がいます。おそらく大多数がそうでしょう。

● エジプトの政治風刺はもはや文化

2011年の革命で独裁者を追い払い、現在の大統領アブドゥルファッターハ・エルシーシという形で再び強権政治を招き入れた国では、ユーモアは、国民が一党独裁国家で政治的反対を表明するのに不可欠なのです。

政治風刺は昔からエジプトの文化の一部であり、厳しい検閲がしょっちゅう入るにもかかわらず、さかんに行われています。ガマール・アブドゥル・ナセル大統領は、自分をネタにしたジョークを報告させるために秘密警察を派遣したとも言われています。

また、ムバラク大統領は、知性の欠如を痛烈にからかわれる対象になりました。

たとえば、ジャーナリストのミーガン・デトリーは、2012年にこんな報道をしています。

「30年前、ムバラク氏が大統領に就任したとき、次のジョークが人気となりました。『歴代のエジプト大統領に、人生で最も厳しかった年を尋ねてみた。ナセル大統領は考えてからこう言った。1967年のナクサ（後退）

〈有名人〉モハメド・サラー（サッカー選手）、モハメド・ラシュワン（元柔道選手/1984年ロサンゼルス五輪銀メダリスト）〈生活〉モロヘイヤの原産地ともいわれており、クレオパトラも食したと伝わる。現在も特産の一つで、日常に欠かせない食材である。〈日本〉スフィンクスの前に武士が並んでいる写真が残っている。幕末の1864年にフランスへ派遣された使節が、経由地のエジプトで撮影したものである。

の年だ。サダト大統領は考えてから言った。1973年のラマダン戦争の年だ。しかしムバラク大統領は即答した。高校二年のときだ』」

● 喜劇の起源をさかのぼっていくと

エジプトのユーモアは単発的なものではなく、形式化されたパフォーマンスを起源としています。

たとえば演劇や人形劇、映画やテレビです。1869年に始まったエジプト国立劇場は、国の形式的な喜劇を活気づけると同時に、エジプトの最も重要な文化的ランドマークとして国民に愛され続けています。

エジプト国立劇場(カイロ・オペラハウス)は1971年に火災で全焼したが、日本の援助で1988年に開場した

エジプトの喜劇映画は、アリ・カサールの白黒映画やナギブ・リハーニの映画に起源があります。現在では、指導者や権力者をあざけりジョークのネタにする〈ジョー・ショー〉が放映されていて、最近までは、アメリカの風刺番組〈サタデーナイトライブ〉のスピンオフ版も放映されていました。アーデル・イマームなどの喜劇俳優は、人気のある国民的な人物です。

こういった現代版の喜劇のルーツは非常に深く、**紀元前24世紀**にエジプトのファラオペピ1世の宮廷に、史上初の宮廷道化師が出席したという記録が残されています。

● ユーモアがある暮らしの大切さ

エジプト人は、独裁政権という抑圧的な環境に置かれることが多いなか、自身や生活環境を笑いものにすることに安らぎを見出しています。

電気料金がしょっちゅう上がるので、「エアコンにお金を取られるぐらいなら裸で街を歩きたい」という冗談を聞くのも珍しくありませんでした。頻繁な値上げ、政治的公平性と自由の欠如、古い世代が政治権力を握って離さない——そんな悲惨な現状は、風刺を盛り上げるための土台とネタの両方になります。

この国の人々は、ユーモアによって対処し、自己表現をしているのです。ある人は、「**それが抵抗するための手段なんです**」と私に話してくれました。

エジプト人のユーモアは、政治的な表現だけにとどまりません。ユーモアは、知らない人同士の日常のやりとりの潤滑油であり、家族の結びつきを強めてくれるものです。私のアラビア語の能力では、食卓にのぼったジョークを正確に知ることはできませんでしたが、互いに冗談を楽しむ雰囲気は十分に伝わってきました。この国にいると、気がつけば他のみんなと一緒に笑っています。混雑したバスに乗り込むと、バスの運転手も笑顔で応じてくれます。

エジプト人のユーモアが教えてくれるのは、困難な状況でも、多くの場合、一筋の光が見つかるということです。

信じられないほど深刻なときでさえ、人生を軽やかにとらえるのが、エジプト流のアプローチです。笑い声を立てて身体を揺さぶり、気の利いたジョークでドーパミンをたっぷり出して、笑いをみんなで共有するのです。ユーモアは、友人から感謝されますし、自分の健康と気分にも効果があります。エジプトにいると、笑いが最高の薬だとわかるでしょう。

荘厳なギザのピラミッド

England

イングランド

不動

Steadfastness

● 偉大なる指導者は何を語ったか

「イングランドは各員がその義務を尽くすことを期待する」

「我々は海で、水際で戦う。我々は野で、街頭で、丘で戦う。我々は決して降伏しない」

「私は、弱くて脆い女性の体を持っています。しかし私は、国王の心と意志を持っています。それは、イングランド王の心と意志です」

これらは順番に、**ネルソン提督**、**ウィンストン・チャーチル**、**エリザベス1世**の言葉です。イギリス史上で最も有名かつ共感を呼んだ名言で、いずれも重要な軍事的対立――トラファルガーの戦い、ダンケルク撤退、スペイン無敵艦隊との戦い――の前夜に話されました（ネルソン提督の場合は信号文）。**これらの言葉は、イングランド文化を何千年にもわたり形作ってきた強力なエネルギーの本質をとらえています――外部からの脅威に直面した際の「不動の決意」です。**

島国という立地を持つイングランドは、ローマ人からバイキング、ノルマン人、ナチスに至るまで、侵略者の脅威に見せる対応力が、アイデンティティの要になってきました。古くはブーディカ女王から近代史におけるチャーチルまで、存続の危機に直面して民衆を結集させたリーダーたちが、歴史に名を刻んでいます。

また逆に、イングランド人は侵略されるよりも侵略者となることが多く、イギリス帝国の支配下にあった国々は、この国の「不動の決意」の別の側面――長期にわたり植民地の独立を許さなかった――を経験してきた

〈首都〉ロンドン
〈人口〉5,600万人
〈面積〉13.0万㎢（北海道と九州を合わせたくらい）
〈民族〉イングランド人
〈言語〉英語
〈GDP〉2兆7,436億ドル（イギリス全体）
〈時差〉マイナス9時間（夏時間あり）

と言えるでしょう。

● ネバー・サレンダー

「不動」は歴史の上でのイングランドの特徴です。それは現代のアイデンティティと文化にも引き継がれていて、その多くは、第二次世界大戦の経験と記憶に根ざしています。典型例が、ドイツ軍からの空襲（ブリッツ）を受けた際に冷静を保ち続けた不動の精神「**ブリッツ精神**」と、バトル・オブ・ブリテン（イギリス空中戦）でドイツ軍の侵略と戦ったイギリス空軍のパイロット「**ザ・フュー（The Few）**」の活躍です。

本当の真実が何であれ、あきらめたりおじけづいたりすることを本質的に拒否する（「決して降伏しない」）という概念は、この国を導く力強い国民神話として、現在の**ブレグジット（イギリスのEU離脱）**をめぐる議論と交渉にも反映されています。

1973年から加入していたEUから、
2020年1月31日で正式に離脱した

イングランドの「不動の精神」は、戦いの前夜に作られた感動的な文章だけの話ではありません。**それは、世界的に有名な、イングランド人独特の精神文化にも表れています。**

たとえば、辛抱強く列に並ぶ。雨が降ってきてもバーベキューを続行する。レストランで間違った食事が出てきても文句を言わない。紅茶を飲めばあらゆる病気が治ると主張する。

「不動の精神」は、日常的に存在するのです。唇をきりりと引きしめて動じない姿勢が、あらゆる場面での意思表示となります。

● 不動の精神は理想のストーリーを作りだす

この「不動の精神」には何かしらイングランド人の心を引きつけるもの

〈地理〉グレートブリテンの南部に位置し、人口は連合王国の8割強を占める。〈文化〉サッカーやラグビーではイギリス4国が分かれて代表チームを組織する。フットボールの母国イギリスでは国際組織よりも前に各国に協会が成立し、国際化にあたって個別に加入したためである。〈ことわざ〉「友情は時には恋愛になるが、恋愛が友情になることはまれだ」…18〜19世紀の作家コルトンによる『ラコン』から。

があり、支持するために喜んで身を投じようという動きをもたらします。マーガレット・サッチャーやジェレミー・コービンといった、イデオロギー的には様々に異なる数々の政治家が成功をおさめたのは、激しい批判と変化への（しばしば自身の政党内の）圧力に直面してもなお、主義を貫き通したからでした。

やり方は異なりますが、彼らが風向きに流されて変化したり折れたりするのを拒否したことが、何よりのセールスポイントになったのです。

深刻な状況でも、取るに足らないことであっても、「不動の精神」は、数千年の歴史のなかで、イングランドの理想とされてきました。**史実であれ伝説であれ、問題が発生したときに、リーダーが戻ってきて国民の心を一つにする、というのが、国民的な物語なのです。**

そして、これは他人事ではありません。誰の人生にも「あきらめたい瞬間」があります。ビジネスを構築しているさなかや、子育て、作品を制作しているときなどに、「もう無理だ！　やめたい！」と心と体が悲鳴を上げる瞬間が訪れるものです。

市民ランナーが多数参加するロンドンマラソンは、世界的なスポーツの祭典としても知られる

まさしくそれは、私がロンドンで初めてロンドンマラソンを走ったときの感覚です。多くのランナーがそうであるように、私はそのとき、観衆の応援のおかげで救われました。マラソンコースの周りに集まった人たちは、ランナーに「あきらめて」とは言いません。疲れた足がゴールにたどりつくまでの一歩一歩を応援するのです。

こういった瞬間に「不動の精神」を維持する能力、そして短期的な苦痛と長期的な目標を切り分けて考える能力は、とてつもなく貴重です。「**冷静を保ち、引き続きがんばろう（keep calm and carry on）**」というフレーズは、イングランドでは日用品に印字されるくらい有名です。私たちも、必要に応じて見習ってもよいのではないでしょうか。

Finland

フィンランド

沈黙

Silence

● 魔法のような静けさを愛する国

知性がある人は、意見をまとめて話すより先に、注意深く話に耳を傾けて考えます。目を見開いているだけでは、無意識のうちに話を決めつけてしまったり、絵の全体を見たような気分になったりするからです。

一般的に、すべてのコミュニケーションの70～90%は非言語だと考えられています。ペンシルベニア大学によるコミュニケーションの研究によると、実際にはそれは93%で、コミュニケーションの70%はボディーランゲージ、23%は口調と語尾だそうです。だから「**語られない部分**」が重要なのですが、フィンランドは、「沈黙」のパワーを活用している典型的な例だと言えます。沈黙することで、当事者同士で発言について考え、聞き、吸収することができるのです。

フィンランドは魔法のような静けさを持つ国です。**欧州連合で最も人口が少なく**、ヨーロッパで8番目に大きい国ですが550万人しか住んでいません。その4分の1がヘルシンキに住み、残りは13万平方マイル（およそ33万8000平方キロメートル）を超える広大な国土のあちこちに散らばっています。

人の数は多くはありませんが、興味深い生き方をしています。田舎の家は一軒ずつ離れて建っていて、人々は集落を作るよりも、広々とした空間を好みます。

さらに驚いたのは、学生がこの傾向を踏襲していること。大学生になって、他の国なら寮で寄り添い合って暮らす時期に、フィンランド人は20メートル四方の単身用の部屋を借りて、一人で過ごします。

〈首都〉ヘルシンキ〈人口〉551万人
〈面積〉33.8万㎢（日本よりやや小さい）
〈民族〉フィンランド人（フィン族）
〈GDP〉2,753億ドル
〈言語〉フィンランド語、スウェーデン語（全人口の5%ほど）
〈時差〉マイナス7時間（夏時間あり）

● 沈黙の国のコミュニケーションとレクリエーション

この国では、静寂、孤独、空間が大切にされている——私は、まだ誰とも出会っていないうちから、最初の印象としてそう感じました。

ヘルシンキの街を歩いていると、ピンが落ちるような小さな音が、昼夜を問わず聞き取れました。車の交通量はほとんどなく（人々は街中では徒歩か自転車を好む）、**人々は集団ではなく、一人で歩いていました**。

フィンランド人は、地下鉄やバス、路面電車の中で、不思議なほど静かにしています。奇妙なことに、音楽を聴きながら一緒に食事をしたり飲んだりできるカフェやレストランやバーが、なかなか見つかりません。

フィンランドは人や自分自身との、質の高いコミュニケーションを大切にする国です。フィンランド人は、会話が途切れても緊張しません。沈黙はコミュニケーションの一部と見なされていて、多くのフィンランド人は複数の外国語が使えますが、通常は急がずに話します。

そういった性分から、フィンランド人は言葉や発言を丁寧な態度で扱います。言葉が真剣に受け止められるので、話す内容にこだわるのです。「**男は言葉で選び、雄牛は角で選べ**」ということわざもあります。

沈黙の時間はレクリエーションにも及びます。この国では一人で長距離を走ったり、一人で散歩したりするのが好まれます。

定番のリラックス方法は、**サウナ**です。人口550万の国に150万ものサウナがあり、その中では「自分の心臓の音しか聞こえない」のです。

フィンランドでは自宅に
サウナ室を設けていることが多い

また、観光客の数が最も多いスポットの一つが、らせん階段のある高い屋上です。一度に一人しか上ることができず、フィンランド人いわ

〈有名人〉ムーミンの原作者トーベ・ヤンソンはヘルシンキの出身で、ムーミン美術館やムーミンワールド（6～8月だけオープン）などが観光客にも大人気である。〈文化〉マリメッコ…1951年に生まれた国民的ファブリックブランド。独創的なプリントが特徴で、日本でも人気がある。〈自然〉森林が国土の73%を占め、割合でいえば世界一の森林国である。また湖が10%を占めるため「森と湖の国」といわれる。

く「一人になる自由」が味わえるのです。

● 自然と生きる、テクノロジーと生きる

私は、フィンランド人が自分や自然と調和していることを素晴らしく感じました。国土の10分の1以上が湖で、残りの大部分は森林です。

美しい森と湖を抜けて道路が続いていく

自然との結びつきは、フィンランド人の忍耐と落ち着きにも反映されています。人々は従順で、他人に敬意を払い、たとえば信号が緑に変わるのを静かに待ちます。地に足のついたフィンランド人は、地味で控えめで合理的であり、地位に固執せず、見事なほどに自立しています。

社会の仕組みは、日中の保育サービスを利用して仕事を続けられるようにできています。ムーミンママのあだ名で呼ばれたフィンランドの女性大統領（タルヤ・ハロネン）でさえ、自分で家事をしています。

フィンランド人の「深く考え、他者を認識し、細部にこだわる」という価値観が、テクノロジーとデザインの地道な革新につながっています。フィンランドから米国特許庁への特許出願件数は、一貫して世界の上位20位に入っています（ちなみに人口の順位は117位です）。

〈**ノキア**〉と〈**ネステ**〉はどちらもフィンランドの会社です。全盛期のノキアは、世界の携帯電話市場の41%を占めるまでになりました。フィンランドの欧州・外国貿易相アレクサンデル・ストゥブによると、フィンランドの成功のほとんどは〈ノキア〉によるものです。

「かつて私たちは、世界200国でトップ30の国でしたが、教育、競争力、一人当たりのGDPの国際基準を見ると、今ではトップ3です。〈ノキア〉の隆盛により、私たちは非常に豊かな国になりました」

このような国が、コミュニケーション・テクノロジーの分野を牽引（けんいん）するのは興味深いことです。現代の日本に似て、沈黙に敬意が払われ、理由が

なければ口を開かなくてもいい文化をもつ国なのですから。

おそらくそれが、携帯電話がこの国で重宝される理由かもしれません。フィンランド人が携帯電話で話すときは、たいていは用件だけで短く切り上げます。また、携帯電話は危険または迷惑になる場所では使用しないという大まかなエチケットがあり、飛行機や病院、会議中、コンサートや教会、レストランなどでは禁じられています。社会学者のシェリー・タークルの言葉を借りれば、会話中にテーブルに携帯電話が置いてあるだけで、共有できる話のスピードや深さが変わり、内容が表面的になるのです。

● フィンランドの沈黙を見直してみよう

フィンランドは、1950年代までは比較的工業化が遅れていて、大部分は農民でしたが、高度な経済を急速に発展させました。100億ユーロ規模の四つの企業を有し、1939年以来4人のノーベル賞受賞者を輩出しています。教育に関しては国際基準で世界のトップ10に入り、**一人当たりのGDPは世界14位**です。小さな国土にしては上出来ではないでしょうか。

「でも、少し陰気で憂鬱な感じがしない？」と、懐疑的なアメリカ人の知り合いにきかれました。私はそうは思いませんし、もちろんフィンランド人もそうです。フィンランドは、国連の「持続可能な開発ソリューション・ネットワーク（SDSN）」が発行した報告書で、常に世界で最も幸せな国のトップ10に入っています。

また、すべての市民に投票を許可した最初の国の一つ（1906年）であり、2010年に『ニューズウィーク』誌によって「**世界で最も優れた国**」に選出され、2015年5月に世界経済フォーラムに、世界人的資本指数の第1位にランク付けされました。つまり、**世界で最も生産的な人口を抱えている**ということです。

あなたはこうした情報を知らないかもしれません。なぜならフィンランド人は控えめで、こうした功績のことを黙っているからです。

マインドフルネスや瞑想が熱心に支持される時代に、フィンランドは沈黙が本当に「黄金」であることを証明してくれるのではないでしょうか。

Greece
ギリシャ

Goodness

● 古代から受け継がれるフィロティモの歴史

ギリシャは、非常に歴史が長く、対象とする範囲が広いので、古代から近現代まで数々の著名人が――ピンダロスからプラトン、聖パウロ、バラク・オバマまで――この国を形作る価値観について語ってきました。

その価値観とは「**フィロティモ（philotimo）**」です。世界最古の文明に深いルーツを持ち、この国では誰もが知っている概念ですが、正確に翻訳することが難しい言葉です。

「フィロティモ」をそのまま翻訳すると「**名誉の友**」になりますが、語源からは、文字通りの意味と重要性までしかわかりません。しばしば引用されるのが、修行僧パイシオスが書いた説明です。

「フィロティモは、『善』を、敬意をもって純化したものであり、謙虚な人々が示す愛であり、それを通すと、自己のあらゆる痕跡が取り除かれる。彼らの心は、神と仲間の人々への感謝に満ち、精神性が高いことから、他人に受けたわずかな善を返礼しようとする」

私は彼に続いて、「フィロティモ」を「善」と定義しようと思います。**フィロティモとは、人間の善を見ることであり、自分のために善いことや役に立つことをし、友人や家族やコミュニティに積極的に貢献する善良な人間になろうとすること。**個人ではなく、周りの世界にとっての善を大切にし、今だけでなく、長期的なことに考えるのです。

フィロティモの下では、常に正しいことを行い、全体像を見ます。またギリシャ人のように善を志すことで、他の多くの尊い価値観を実践することができます――尊敬、無私無欲、謙虚さ、共感、寛大さ、感謝。これら

〈首都〉アテネ
〈人口〉1,074万人
〈面積〉13.2万㎢（日本の約3分の1）
〈民族〉ギリシャ人
〈言語〉現代ギリシャ語
〈GDP〉1,944億ユーロ
〈時差〉マイナス7時間（夏時間あり）

はすべて、フィロティモに含まれるものです。

● 経済危機のさなかに示されたフィロティモ

フィロティモの核心は、手助けが必要な人を助けることです。ギリシャのこの精神を浮き彫りにしたのが、シリア内戦による難民危機でした。

2015年に反緊縮財政を掲げるチプラス政権が誕生から発生した経済危機は、ギリシャのEU離脱も起こりうる状況だった

2015年と2016年のピーク時には、100万人を超える難民がギリシャの海岸に到着しました。しかもそれは、金融危機の影響で債務が膨らみ、経済が破綻して以来、失業と貧困が急増し、その救済の一環としてEUに厳格な緊縮措置を課せられたさなかの出来事だったのです。

ギリシャが甚大な経済的苦痛に耐えていたまさにその瞬間に、多くの人が、不安定な船に乗って必死に助けを求める難民に、フィロティモの精神を示しました。水辺に足を踏み入れて難民を助けた人、宿を提供した家族、不足した日用品を寄付した店舗など、援助したギリシャ人のエピソードは数多くあります。

国家としてのギリシャは、大量の移民の要求に対処するのに骨折り、いくつかの難民キャンプでの悲惨な状況が報告されました。しかしギリシャの人々は国民として、「**ギリシャ人にとってフィロティモは呼吸のようなものだ。それなしではギリシャ人はギリシャ人ではない**」という古代ギリシャの哲学者タレスの言葉を証明しました。フィロティモは時代を超越した価値観であり、文脈や状況に関係なく実践されることを示したのです。

● デルフォイの神殿、ソクラテスとシェイクスピアが語る真理

彼らは、結果がどうなるかを考えずに「正しいこと」を行います――**史**

〈有名人〉ヤニス・アデトクンボ(バスケットボール選手)〈文化〉オリンピックの聖火は古代オリンピック発祥の地、オリンピアのヘラ神殿で太陽光から採火される。最初に聖火リレーが行われたのは1936年のベルリン大会である。〈ことわざ〉「一羽のつばめで春にはならぬ」…つばめ一羽を見たからといって春になったといえないように、一つの例だけで一般化はできないということ。アリストテレスの言葉。

上初のマラソン走者としてその名を歴史に刻んだ古代の伝令**フィリッピデス**が、マラトンの戦いの戦場からアテネまで、ギリシャの勝利を伝えるために26.2マイル（=42.195キロ）を走った後に、息が絶えたように。

ギリシャは、自分自身や価値観について深く考えずにはいられない場所です。とりわけ私は、デルフォイのアポロン神殿を訪れ、有名な碑文「**汝**（なんじ）**自身を知れ**」を見たときに、そんな気持ちになりました。

この言葉は、同じように有名なソクラテスの格言「吟味されざる生に生きる価値なし」と、シェイクスピアの『ハムレット』の台詞である「自分自身に誠実にあれ」にインスピレーションを与えた言葉です。

ギリシャの善、つまりフィロティモによる行為がおよぼす力を目撃すると、わが身をふり返り、内省したいという強い気持ちがわき上がってきます。

たとえば、善良すぎるぐらいの道を選び、自分の利益に関係なく「正しいことをする」と決めると、自分のなかのあらゆることが変化し、**世界の見方が変わる**ことでしょう。もっと寛大に、思いやり深くなり、他人に心を開き、人が何を求めているかを意識するようになります。自分の関心事や短期的な責務を超えて、もっと大きな全体像を見る能力が得られるのです。

フィロティモは、それ自体が重要な価値観であるだけではなく、この本で書いた多くの価値観への玄関口でもあるように思います。

かつてアポロン神殿があったデルフォイ遺跡。アポロン神殿には
「汝自身を知れ」「度を越すなかれ」という碑文が奉納されたといわれている

India

インド

信仰

Faith

● ターバンがもつ真の力

実際に身に着けてみるまで、頭に巻いた布にこんなに強い意味があることを理解するのは難しいかもしれません。

私は初めてインドに住み、伝統的なシク教徒のターバン「**ダスタール(dastaar)**」を着けて、初めてその力を思い知りました。髪を包むという単純な行為が、私を「傷つきやすく見られる対象である少女」から「軽く見ないで」というメッセージをたたえた戦士へと変えてくれたのです。

さらに、信仰者であると表明できるため、「安全で信頼できる人」だという目印になってくれました。鉄道の駅では年配の女性が近づいてきてそばに座り、電車が間違っていないかと尋ねてきました。

男性からは、敬意をこめて対等またはそれ以上の人間として扱われました。人々から性別とは無関係の目で見られるようになり、さらに手首につけているカラ（鉄の腕輪）のおかげで、自分が強くて守られていてへこたれない存在のように感じられました。まるで冠をかぶっているように、私は頭を高くして背筋を伸ばして立ち、堂々と振舞いました。

また、ターバンの色が光のように輝く白であれば、「**奉仕と規律と専心**」というメッセージを伝えることができました。それは私にとって、**信仰のパワーを初めて認識した瞬間でした**。

● シク教徒の私がインドで初めて知った信仰の力

私は1か月間、ハマンディル・サーヒブに滞在しました。「**アムリトサル**

〈首都〉ニューデリー〈人口〉13億6,641万人
〈面積〉328.7万㎢（日本の約8.7倍）
〈民族〉インド・アーリヤ族、ドラビダ族、モンゴロイド族等
〈言語〉ヒンディー語（連邦公用語）、他に憲法で公認されている州の言語が21
〈GDP〉2兆8,751億ドル
〈時差〉マイナス3.5時間

の黄金寺院」として有名なシク教徒の聖地です。イングランド国教会の学校で育ったシク教徒の私にとって、改めて自分の信仰を理解すると同時に、人々の生活に信仰が与える力を思い知る経験となりました。

黄金に輝くハマンディル・サーヒブ

寺院を囲む「聖なる池(サロヴァル)」のそばに座ると、はるばるこの地を訪れた人々を目にすることができました。この水が癒してくれると信じて、深刻な悩みや恐れを分かち合うためにやってきた人々です。**私は、人々が信仰によって、力と安らぎと目的を引き出すことができるのだと教えられました。**

祈りや儀式を厳しく守ることだけが、信仰ではありません。さまざまな行動のなかにも存在し、目立たない形のこともあります。「**ナマステ**」のような単純な挨拶——「**私の神性があなたの神性を認めています**」という意味——でさえも信仰を共有するという深い意味を持っています。

インドで車や人力車のハンドルを握ったことがある人なら誰でも、この人口が世界で2番目に多い国で、信仰が日常生活のなかで非常に大切にされていることが理解できるでしょう。信じていなければ、無秩序なことで有名なインドの道路は走れません。インドの乗り物のフロントガラスには、必ずお守りの花飾りがついています。

● 信仰は生活のすみずみに根付いている

信仰は、インドの危険な道路をうまく乗り切るためだけに必要なのではありません。この国の重要な特徴でもあります。

というのもインドは、世界の主要な宗教(ヒンドゥー教、シク教、仏教、ジャイナ教)の発祥の地であり、**ヒンドゥー教徒が10億人を超え、シク教徒の数が世界で最も多く、イスラム教徒が世界に2番目に多い国なのです。**

〈有名人〉シンドゥ・プサルラ(バドミントン選手/2016年リオ五輪銀メダル)〈都市〉ムンバイ…首都ニューデリーに次ぐ都市で、世界的な金融都市。また年間製作本数世界一を誇るインド映画の中心地であり、ハリウッドとボンベイ(ムンバイの旧称)をかけた「ボリウッド」という言葉も生まれた。〈文化〉最も人気があるスポーツはクリケットで、テレビでの視聴率が80%を超えることもある。

現代のインドは多宗教社会で、ほかに相当数のキリスト教徒とユダヤ人のコミュニティも有しています。宗教の種類や実践方法について、ほぼ無限のバリエーションがありますが、一つ共通する要素があります——それは、信仰が重要だということです。

子どもの名前の選び方から結婚相手まで、**重要な決定の多くは、自分が選んだ、または生まれついた信仰に従って行われます**。

信仰は、新しい仕事を始めるとき、引っ越しのとき、子どもをもつときなど、人生のほぼすべての重要な瞬間についてまわります。人々は信仰を頼みにして、祈りを捧げ、慣習を守り（子どもの誕生を願って小さな紙のゆりかごを作るなど）、神に水や食べ物、花やお香を捧げます。

信仰は、仕事にも不可欠です。アユダ・プジャ（毎年恒例のナヴラトリ祭の一環として行われる、道具への感謝の祭）では、職人の道具や人力車その他の機械が、特別に掃除され、一日だけ（手を触れずに）花輪をつけられて奉られます。

これは重要な儀式です。なぜなら道具は単なる商売のためのツールではなく、使う人を、魂と心、そして仕事の神様へとつなげるツールだから。著名な写真家で、私のメンターであるラグー・ライは、カメラを使って観察し撮影するだけではなく、自分が捉える人々、場所、瞬間がもつ「魂」を切り取ります。**こういった祭りがあることが、信仰がインドの日常生活にいかに浸透しているかを表しています。あらゆることが、信仰や宗教的な崇拝の影響を受けているのです。**

周囲のどこを見ても、宗教の儀式や祈りの気配があります。部屋であったり、祭壇であったり、部屋の隅に専用の場所を設けたりと、形は様々ですが、ほとんどすべてのインド人家庭に、日々の祈りを捧げる神様の空間があります。精霊が宿っていると認められている場所では、人々が願いを込めてカラフルな布を結んだ木々を目にすることができます。

● 信仰を求めるものはインドに至る

ビートルズ、ジュリア・ロバーツ、スティーブ・ジョブズ、マーク・ザッ

カーバーグなどの著名人を始め、スピリチュアルや信仰の力を補おうと決めた人は、誰もがインドを目指します。

巡礼のための山や聖地は非常に多く、世界最大の宗教的な集い「**クンブ・メーラ**」は四つの神聖な川を中心に3年毎に場所を変えて（12年で一周）開催され、ピーク時には3000万から4000万もの人々が一か所に集結します。

東洋の信仰に根差す概念は、自分の人生を生き、理解する上で決定的な役割を果たします。たとえばカルマとは、善行は報いられ悪行は罰せられる（それゆえに自分の運命をコントロールできる信仰を与えられる）という概念であり、ダルマとは、人間の営みを支配する神が定めた法則であり、自然の秩序に敬意を払うという概念です。

イラーハーバード（ガンジス川とヤムナ川の合流地点）で行われたクンブ・メーラ

多くの点で、信仰は、昔も今も、インドという国に刻み込まれた特徴です。**信仰があるからこそ、私たちは困難な時代を乗り越え、互いを支え合い、「最高の自分」を目指すことができます。**

信仰は、証明することも、反証することもできません。でも、信仰をもっていれば、闇に落ちたときにも慰めを見つけることができ、理解を超越した何かを信頼できるという思いが、力を与えてくれます。

信仰は、他のものでは埋まらない隙間を埋めてくれます。そして、未知や不可能といった、自分を超越した境地にも手を届かせてくれるのです。

信仰は世界の見方を変えてくれます。無関心の場所に驚異を発見し、疑念ではなく信念を受け取ることができます。

信仰は、世俗的であれ宗教的であれ、人生で最も重要なものの一つ。論理や理由や期待にも打ち勝つ、信念の力なのです。

Iran

イラン

専心

Commitment

● スーフィーが発していたまばゆいエネルギー

それは長い旅でした。シリア、イラン、イラク、トルコにまたがるクルディスタンの山の中心部へと分け入っていくと、神聖な谷に隠れるように、まるで別世界のエネルギーで脈動しているような空き地に、一軒の家がありました。靴を脱いで中に入ると、音楽と詩が体に流れ込んできました。圧倒的でリズミカルで、この世を超越したような響きです。

回廊に次ぐ回廊を通り抜け、奉られた1000人もの遺体の横を過ぎ、ようやく迷宮の中心にある中庭が現れました。香が強く匂い立ち、光が薄暗く、歌のリズムがさらに速くなりました。歌っている人々は目を閉じ、腕を組み、くるくると回っています。目元が脈打ち、興奮した声は人間には出せないほどの高さになっています。こんなことが可能なのだろうか、と思うようなスピードとエネルギーです。

これは**スーフィー（イスラム神秘主義スーフィズムの実践者）**の礼拝です。彼らは「完全な崇拝」を意味する「イシャーン」のために努力し、目撃者には、熱心なイスラム教徒の行いのように見えます。

スピリチュアルで、感情的で、何よりもエネルギッシュ――すべてをパワー全開で行うというイランの文化全体を示すような動作には、全身全霊で臨む姿勢が感じられました。

クルディスタン地方で
出会ったスーフィー

〈首都〉テヘラン〈人口〉8,280万人	〈言語〉ペルシャ語、トルコ語、クルド語等
〈面積〉164.8万㎢（日本の約4.4倍）	〈GDP〉3,480億ドル
〈民族〉ペルシャ人、他にアゼリ系トルコ人、クルド人、アラブ人等	〈時差〉マイナス5.5時間（夏時間あり）

● I love youではまだ足りない！

イラン人はドラマチックで情熱的で、何ごとも熱心に取り組みます。自分の発言や信条や望みに、完全に身を投じるのです。

このことが、非常に多くの優れた詩人、建築家、ミュージシャンを生み出したと言えます。イラン系イギリス人コメディアンのオミディ・ジャリリが冗談で言っているように、**腕を切って自分の血で書くのが、イラン流のラブレターの書き方**なのです。イラン語は「専心」の言語です。「私はあなたを愛しています」という表現は、多くの言語で意味のある貴重な言葉ですが、イラン人にとってはまだまだ足りません。愛や専心を表明したいイラン人は「あなたのために自分を犠牲にする」と言うでしょう。

恋人や家族に対しては、冗談まじりに「**あなたの肝臓を食べたい**」と言います。驚きや欲求不満を表明するときは、「神は私に死を与えます」と言います。

● 次元が違うイランの専心

私がイラン人の専心を目撃したのは、数々のイベントや祝典に出席したときでした。**宗教的な行事であってもそうでなくても、ここでは、礼拝や式典の次元が違います。**

イランの新年の直前に行われる屋外の祭りチャハールシャンベ・スーリー（「赤い水曜日」）では、焚火の上を飛び越えながら、「私たちの黄色はあなたのもの　あなたの赤色は私たちのもの（古くくたびれた黄色い年が去り、生気にあふれた新たな赤い年を与えよ）」という意味の**ゾロアスター教**のまじないを唱えます。

イランで生まれたゾロアスター教信仰の神聖な火の熱と純度は、去りゆく年の問題を浄化するシンボルなのです。現在イラン政府によって禁止されているにもかかわらず、この伝統は続いています。

〈有名人〉ルーホッラー・ホメイニ（宗教指導者）〈日本〉レスリングが国技で、男子では世界的な強豪である。近年、女子競技の普及にも力を入れ始め、五輪4連覇の伊調馨が指導者育成の特別コーチとして招かれている。〈文化〉9つのペルシャ式庭園が世界遺産に指定されている。庭内に樹々が生い茂り、水路が張り巡らされた楽園のような庭園様式は、インドのタージ・マハルやスペインのアルハンブラ宮殿にも影響を与えた。

預言者ムハンマドの孫であり、シーア派イスラム教の創始者であるフサイン・イブン・アリーを記念する1か月にわたる「**アーシューラー**」では、**自分の体に鞭を打つ**ことが一般的に行われています。

イスファハーンで行われた「アーシューラー」の様子

鎖で鞭打つ人もいれば（ただし少数派だそうです）、鋭い刃を使って血を流す人（現在は公式には禁じられています）までいました。これは680年10月のカルバラの戦いで首をはねられたフサインが負った痛みを共有するためのものです。かなり年配の女性が自分自身を痛めつけている姿は恐ろしくもあり、伝統と信念に対する専心の深さが感じられました。

とはいえ、イラン人を、伝統的な狭義での信仰が厚いと特徴づけるのは間違っているかもしれません。私が頻繁に遭遇したのは、伝統的な宗教というよりもスピリチュアリズムに近いものでした。人々は音楽、歌、ダンスを通して、アッラーを崇拝し、アッラーとつながります。

イランには正式な礼拝所がいたるところにありますが、礼拝の多くは家の中で非公式に行われます。それは、宗教的慣習というよりも、献身的な性格の表れなのです。

私たちは誰でも、信念や人や責任といった、身を捧げることができる対象を必要としています。専心は、私たちが人間である証拠であり、生活の拠りどころであり、重要なことを思い出させてくれるのです。

全身全霊で取り組まずして、卓越した詩人や建築家や音楽家、アスリートになった人はいません。イラン文化が持つ美しさと深みと豊かさは、まさにこの専心を反映しています。**疑念や自意識のかけらもなく物ごとに専心するイラン人には、刺激を受けずにはいられないでしょう。**

何かを叶えるためには、重要なものを選びとり、体と心と魂を、そこに捧げなければならないのです。

Israel

イスラエル

大胆不敵

Chutzpah

● 現代は大胆不敵が賞賛される時代

「大胆不敵（フッパー）」がイスラエルの本質である理由を知りたいなら、まず国の名前の意味を知ることから始めましょう。

イスラエルは「**神と闘（たたか）う者**」という意味——これだけ知っていれば十分です。神の力と戦おうとする以上に大胆不敵なことがあるでしょうか（多くのイスラエル人が組織化された宗教をばかにする傾向があることが、この印象を強めています）。

「**フツパー（chutzpah）**」は、善い意味と悪い意味の両方をあわせもつ価値観です。「**他人に無理だと言われても成し遂げようとする決意と内面の強さ**」でもあり、「頑固さ、冷酷さ、荒っぽさ」でもあります。コインの裏と表のようなものです。

「フツパー」は元々のイディッシュ語では、賞賛される大胆さよりも、マナーの悪さと傲慢の意味合いが強いのですが、規則違反者が敬遠されるどころか賞賛される現代社会においては、フツパーが前向きな意味合いを帯びるようになりました。それは、達成できないはずのことを執拗に追求することであり、意志の純粋な力がなければできません。

フツパーとは、自分のアイデアとそれを実現する能力を揺るぎなく信じること。確立された大企業のライバルを打ち負かそうとする新興企業はフツパーをもっていますし、制度に反対する政治の部外者にはフツパーがあります。**現状を覆すことや破壊者を支持することが増えてきた現代社会のなかで、フツパーは、とがめられる特性から賞賛され真似される特性へと**

〈首都〉エルサレム（日本含め世界の大多数が未承認）
〈人口〉923万人
〈面積〉2.2万㎢（四国と同じくらい）
〈民族〉ユダヤ人（75%）、アラブ人その他（25%）
〈言語〉ヘブライ語、アラビア語
〈GDP〉3,951億ドル
〈時差〉マイナス7時間（夏時間あり）

変化をとげたのです。

● イスラエルは存在自体が大胆不敵

そして、実際のフツパーの実践例を探すなら、イスラエルを見るに限ります。イスラエルのありとあらゆる部分に、歴史に、現在に、人々の行動に、フツパーがあります。

そもそも大胆不敵さがイスラエルの近代国家を作り上げ、大胆不敵さのおかげで至る所からの暴力的な反対に逆らって70年以上生き延びてきたのです。国土の60%が砂漠でありながら農業大国になるためには、大胆不敵でなければ無理です。

大胆さがあるからこそ、イスラエルのような小さな国が、世界有数の革新的で起業家精神に富んだ国になったのです。

砂漠地帯の砂丘（上）と
アヤロン渓谷のぶどう畑（下）

私はイスラエルに足を踏み入れる前に、たくさんのイスラエル人に会いましたし、その大半が、意欲が高くきわめて非常に成功した人々でした。でも、実際にイスラエルという国を訪れて、このような小国がこれほどまでの発展を遂げているさまを自分の目で見て初めて、その成功のスケールの大きさと、「フツパー」の真の意味を理解できました。

最初私は、この言葉は「とにかく頑張ってやってみる」というだけの意味だと思っていたのですが、イスラエルの安息日とセーデル・テーブルを経験して、この言葉にもっと深い意味と動機があることがわかってきました。**語られるこの国の物語と歴史——大きな困難のなかで苦闘し、生き残ってきたこと——が、「フツパー」を本当の意味で支えているのです。**

定期的に儀式のなかで歴史の記憶が語られることから、最大の力が引き

〈有名人〉ナタリー・ポートマン（女優）、ガル・ガドット（女優）〈有名企業〉Google、Microsoft、Facebook、Appleなどが開発拠点を置いており、「中東のシリコンバレー」と呼ばれる。また、年間に数百のスタートアップが立ち上がる「スタートアップ大国」として知られる。〈自然〉ヨルダン国境にある死海は、イスラエルにとっても重要な観光地である。有名化粧品メーカーSABONは死海の塩を商品開発に生かしている。

出されます。ここを生き延びれば、どんなことでも乗り切れる。**ただ生き残るだけでなく、繁栄できるのだ、と**。

過去とのつながりが、何千年もの経験からここまで導かれてきた現在のイスラエルを特徴づける「大胆不敵さ」の土台になっています。

イスラエルの企業が未来を創り出すためのフツパーは、そもそも自国を創造して存続させてきた価値観なのです。それは、どんな状況であろうとも困難を打ち負かし、勝利への内なる力を見つけることです。

エルサレムにある「嘆きの壁」はソロモン神殿の城壁といわれ、ユダヤ教徒の聖地である

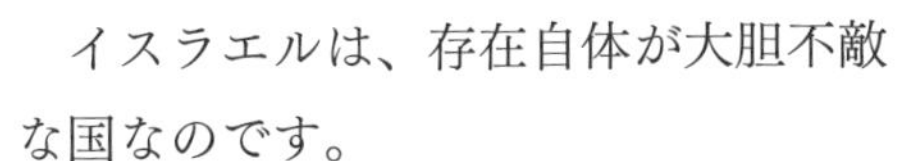

イスラエルは、存在自体が大胆不敵な国なのです。

もしも問題に直面したときは、その大小にかかわらず、大胆不敵に（ただし適度な節度と思いやりを持って）対処すれば、もっと扱いやすく、乗り越えやすくなることでしょう。

イスラエル第二の都市で、中東屈指の世界都市テルアビブ。国際社会の大半はエルサレムを首都と認めていないので、テルアビブが事実上の首都とみなされている

Lithuania
リトアニア

労働

Work

● リトアニアはミツバチの国！

リトアニアではどこに行っても——湖や森やラベンダー畑から、ロシアにつながるクルシュー砂洲まで、意外性に富んだ素晴らしい自然環境のあちこちで——あなたの後をつけまわすものがいます。ひっきりなしに聞こえてくるブーンという羽音。それはリトアニアの重要なシンボル、**ミツバチ**です。

この国の長年にわたる自然崇拝の文化にルーツがあるのですが、ミツバチは、リトアニアで古くから特別に大切にされてきました。古代リトアニアのハチの女神である「**オーステヤ**」は、現在でも女の子の名前として人気があります。

アウシュタイティヤ国立公園に
展示されている伝統的な養蜂箱

はちみつはリトアニアの重要な輸出品であると同時に、この国の料理に欠かせない食材です。また、ミツバチの死を表す言葉には、人間が亡くなるときと同じ言葉を使います（他の動物の死を表す言葉とは異なっています）。至る所にミツバチの巣があり、リトアニア人は、ハチの家族について、人間の家族と同じように語ります。

ミツバチは、リトアニア人の崇拝の対象というだけではなく、この国の価値観の象徴でもあります——「労働」です。リトアニア人は、怠けたり、プライベートな理由で仕事を休んだりしません。ここでは、一生懸命働くことが実践され、教え込まれています。「働きバチ」以上に、リトアニア

〈首都〉ビリニュス〈人口〉279万人
〈面積〉6.5万㎢（北海道の約80%）
〈民族〉リトアニア人（84%）、ポーランド人（6%）、ロシア人（5%）
〈言語〉リトアニア語
〈GDP〉541億ドル
〈時差〉マイナス7時間（夏時間あり）

の価値観の適切な表現はないでしょう。

● リトアニア人への最高の褒め言葉

とりわけソビエト時代の体験がある年配の人たちは、一般的に、労働を人生で何よりも重要だととらえています。**大切なのは仕事をもつこと、称賛に値するのは、仕事を素早く能率的に行うことなのです。**

複数の仕事をもつことを、一つの収入源で生計を立てる能力がないとして、否定的にとらえる国もありますが、リトアニアでは仕事のかけもちは誇らしいことです。二つか三つの職がある人は、仕事熱心でリトアニア人が尊敬する労働観をもっていると見なされます。

この国の人は、一つのことに特化するのではなく、運転や料理、高齢者の世話など、さまざまな職種の肩書をもつ傾向にあります。**また、職種によるヒエラルキーは実質的に存在しません。医師や教師は、ごみ収集人や庭師と同じような生活をします。**

リトアニア人に対する最高の誉め言葉は、「魅力的」「見栄えがいいね」「いい親ですね」ではなく、「一生懸命働いているね」なのです。

この価値観はリトアニア語のことわざにも強く表れていて、たとえば「仕事が完了する前に楽しんではいけない」「働かない人は食べてはいけない」といった意味のものがあります。

ロンドンに移り住んだリトアニア人の友人は、同僚が病気で仕事を休んだことに驚きました。そんなことを考えたこともなかったそうです。彼女は「私の国では夢にも考えられない」と言っていました。

労働観は、リトアニア人に幼い頃から植えつけられています。親の職業がなんであっても、子どもは幼い頃から手伝うのです。

そのことがおそらく、著名なリトアニア人に、専門分野の早期教育を受けた人が目立つ理由です。受賞歴のある女優インゲボルガ・ダクネイトは、

〈歴史〉1989年、バルト三国の主権回復を訴えるデモ「バルトの道」が行われた。600kmにわたって200万人が手をつないで人間の鎖をつくった。〈文化〉十字架の手工芸の伝統があり、シャウリャイ市郊外の「十字架の丘」は大小さまざまの十字架で埋め尽くされている。〈日本〉第2次世界大戦時、カウナスの日本領事館に赴任した杉原千畝が、難民に「命のビザ」を発給した。旧領事館は現在、杉原記念館になっている。

4歳のときに『蝶々夫人』で舞台デビューを果たしました。水泳選手のルータ・メイルティーテは、わずか15歳で2012年のロンドンオリンピックで金メダルを獲得しました。その数年前に、自国よりも優れた施設でトレーニングをするために、父親と一緒にイギリスに移住しています。世界的に有名なアコーディオン奏者のマルティナス・レヴィキスが初めてこの楽器を手にしたのは、3歳の時でした。

● 働き者の国が直面する課題

リトアニアは誇り高い国です。15世紀には**ヨーロッパ最大かつ最も影響力のある国**の一つであり、1990～1991年の選挙とその後の抗議活動を通じて、ソビエト連邦を打倒する上で重要な役割を果たしました。

しかし、これまでの歴史のなかで、外部の規則が課せられることがしばしばで、厳しい経済状況に直面してきたことから、生き残りのために一生懸命に仕事をする必要があったのです。18世紀末以降は、二度の世界大戦中と1991年以降以外は独立した国ではありませんでした。

今日では、非常に多くの国が大規模な移民流入の問題に揺れていますが、リトアニアは逆の問題に直面しています。2005年から2017年の間に、人口がほぼ15％減少し、とりわけ他国で経済的機会を求める（加えて、縁故主義の雇用システムから逃れるため、と言う人もいました）若者の流出が顕著に見られます。

労働力の減少と低賃金の問題に政治の焦点が当たったことを追い風に、2016年には初めて「リトアニア農民・緑の連合」が第一党になりました。労働が何よりも重要な国で、頭脳流出による労働力の空洞化を食い止めることは、最も急を要する政策課題の一つです。

リトアニアの労働を大切にする価値観は、誰の人生にとっても働くことが大切であることを教えてくれます。仕事をすることは、心身の健康にも、目的意識と自己価値を生み出すためにも欠かせない営みです。

仕事の本質が急速に変化する時代ですが、その本質的な価値は変わりません。労働は、私たちの生活を支え、何かを達成して向上させる機会を与え、愛する人を養う糧なのです。

Mongolia

モンゴル

自主性

Autonomy

● チンギス・ハンの名に込められたスピリット

妊娠6か月だった私は、モンゴルで何日も馬に乗っていました。ずいぶん長いこと赤ちゃんがお腹を蹴らないように思えて、病院に行きたいと頼みましたが、あと何日もたどり着けないと言われました。

これは自主性が招いた結果です。私はあらゆる警告を無視して、自分のしたいように行動したのです。私は自分が望むことを正確に実行し、すべての警告を無視しました。赤ちゃんに何かあったら、どうすればいいのでしょうか。

でも、モンゴルのライフスタイルに慣れるにつれて――ゲル（円形の移動式住居）で寝泊まりし、動物に囲まれ、移動を繰り返す――お腹の息子がこれまで以上に強く蹴るのを感じました。野外の土地で、自分で道を決めて進んでいることが、赤ちゃんに活気を与えたのでしょうか――私にとってもそうでした。

これは、**チンギス・ハン**とその子孫の時代にまでさかのぼる生活様式です。当時、モンゴル帝国は世界最大の国で、遊牧民は**世界の陸地の16%以上**にまで広がっていました。最盛期のロシア帝国よりも広範囲です。

現代のモンゴルの領土は、かつてのほんの一部になりましたが、帝国を築き上げる力となった遊牧民の自律的で自己決定的なライフスタイルは、モンゴルの広大な土地や草原に広がっているのです。

この概念を最も集約しているのが、チンギス・ハンの幼名テムジンの元となった「テムル」という言葉です。歴史家のジャック・ウェザーフォード

〈首都〉ウランバートル	〈言語〉モンゴル語（国家公用語）、カザフ語
〈人口〉330万人	〈GDP〉139億ドル
〈面積〉156.4万㎢（日本の約4倍）	〈時差〉主要部はマイナス1時間、西部はマイナス2時間
〈民族〉モンゴル人（95%）、カザフ人等	

によると、「テムル」はいくつかのモンゴル語に含まれていて、「まっしぐらに進む」「インスピレーションを得る」「創造的な思考を持つ」さらには「空想の翼を広げる」という意味があるそうです。

モンゴル人の学生が私に説明してくれました。この単語を最もよく言い表している例は「**騎手の希望に関係なく、行きたい場所を目指して走っている馬の目の様子**」だと。

● 馬は文化と生き方の象徴

馬を連れた民族衣装の女性

馬は、モンゴル人の自主性を表すのにふさわしいシンボルです。チンギス後の時代には、オオカミが国のシンボルに掲げられることが多いですが、馬はモンゴル人の文化と生き方を象徴する動物だと言えるでしょう。

ことわざにあるように、「**馬のいないモンゴルは、翼のない鳥のようなもの**」なのです。

モンゴル人は馬に乗って広大な帝国を築きました。馬は、遊牧民文化——狩猟、レジャーや競技——の中心的存在であり、ステータスシンボルです。国民的な飲み物の**アイラグ**は、馬乳を発酵させたものですし、子どもにとって馬に乗る練習は歩く練習と同じぐらい大切な通過儀礼です。

また、モンゴルの民俗文化では、馬が霊的な意味を持つと考えられていて、かつてモンゴルの戦士は馬と一緒に埋葬され、戦の前には馬乳が地面に振りかけられました。現代では、馬はモンゴルを訪れる政治家や世界的な指導者への外交上の贈り物に使われています。

● モンゴル人は今も思うままに生きる

モンゴル人は馬と同じように、他人が導く場所ではなく、自分の望む場

〈有名人〉朝青龍明徳、白鵬翔、日馬富士公平、鶴竜力三郎といった大相撲横綱を輩出し、他にもモンゴル出身力士が角界で活躍している。〈自然〉ゴビ砂漠…世界第3位の砂漠で、貴重な野生のフタコブラクダが生息している。また恐竜の化石が発掘されたことでも有名。〈ことわざ〉「天をラクダに見張らせ大地を豚に見張らせる」…その道の人に任せるのがよい、という適材適所の大切さを表したことわざ。

所に行きます。モンゴルの遊牧民は、自主性を持って、テントを張る場所を選んだり、動物を放牧する場所を決めたりするのです。

急速に拡大する首都ウランバートルを含む多くの場所で、人々は何世紀も前から使われているのと同じゲルに暮らしています。内側と外側の両方に開かれた、移動可能な空間であるゲルは、モンゴル人の自主性を象徴しています——動き回る自由と、自分の人生の進路を決める自由意志です。

また、**モンゴルの草原の多くは、政府によって無料で人々に提供されており、すべてのモンゴル市民は、土地の一区画を無料で私有地化できる権利を与えられています**。

モンゴルの環境に身を置くと、自立の精神が呼び起こされます——地平線全体を見る能力、四方に広がる開放性、そして、どの方向にどこまで遠くに行くかを縛られません。

モンゴル政府にも、この精神があふれています。私がお会いした当時の首相のスフバータル・バトボルドは、急速に成長する経済（「ウルフエコノミー」）を独自のモデルで構築する決意について語ってくれました。アジアの「タイガーエコノミー」に対比して、オオカミのように、強くて賢く、過酷な条件でも生き残ることができる経済です。

著者とスフバータル・バトボルド首相（右）

この国に滞在した人は、モンゴル人が期待や締め切りや慣習に縛られない人々であることに、すぐに気づかされるでしょう。未知のものを探求し、予想外のことをするのが、モンゴル人の文化なのです。

この国では、自主性に任せて、意志が導くままに人生を追求します。ここでいう自主性とは、自分の人生のコースを設定し、独自の道を進む能力なのです。

多くの人は、構造化され、くり返される日常を生き、キャリアを追求しています。でも、ほんの少し「テムル」を取り入れて、モンゴル流の自由を受け入れることで、何らかの恩恵を受けられないはずがありません。

Myanmar

ミャンマー

服従

Obedience

● お茶の申し出はどうする？―― アデナの精神

「お茶をいかがですか？」

そう尋ねられたら、ミャンマーでは答えは常にイエスです。実際に温かい飲み物が欲しいかどうかはさておき、申し出があれば、受け入れます。

これは「**アデナ**」の精神で、他者の感情に深く共感し、恥をかかせてはいけないという強い気持ちのことです。飲み物やおかわりを断るだけでも、相手が面子を失う可能性があると見なされます。だから、たとえ相手を困らせるのを回避するだけのためでも、イエスと言います。

個人の意向を抑えてでも、社会の調和という善を優先させるのです。この社会の調和を保つのが、ミャンマーの「服従」という価値観です。

日常生活のあらゆる面においての考え方に、「アデナ」が反映されています。ちょっとした決定を下すときにも、他の人を当惑させたり、トラブルに巻き込んだりする状況を避けるにはどうすればいいか、と考えます。

この基準が一度だけ完全に放り出されるのが、新年前の「**水かけ祭り**」です。人々は4日間にわたって、お互いに水をかけあい、過去一年の罪を洗い流します。この伝統に従うことが、恥の感覚よりも優先されるのです。

「水かけ祭り」の際のヤンゴン市街

〈首都〉ネーピードー
〈人口〉5,141万人
〈面積〉68万㎢（日本の約1.8倍）
〈民族〉ビルマ族（70%）、その他多くの少数民族
〈言語〉ミャンマー語
〈GDP〉772億ドル
〈時差〉マイナス2.5時間

● 年功序列の考え方——ガドーの精神

ミャンマーの文化は、年齢と社会階級を尊重する「**ガドー**」の精神に支えられています。**高齢者や社会的地位の高い人には、状況に関係なく、自動的に敬意が払われます。**

私のミャンマーの友人の父親は大学教授なのですが、学生たちが親愛の情を寄せ、彼の話す一語一語に耳を傾け、決して議論に疑問を抱かない様子が見て取れました。

職場でも同じです。この国には「360度評価」(上司だけではなく、同僚や部下も含めた多面的な視点から評価を集めること)はありません。たとえ年齢や組織内の階級の差がわずかであっても、上司が言っていることが必ず通ります。自分の意見や批判を出すより先に、年長者の階級と知恵に服従するのです。

● ミャンマー文化の根底に流れるシーラ

「服従」はミャンマーの文化に深く根付いていますが、これに少なからず影響を与えているのが、仏教徒の悟りの道に不可欠なシーラ(戒、仏教徒が守るべき道徳規範)です。

世界遺産に登録された仏教遺跡群バガン

ミャンマーは**人口の90%が仏教徒**という国であり、カルマの重要性——善行を最大限に行い、悪を減じる——に人々の意識が注がれています。仏教徒として、ほとんどのミャンマー人は「プンナ」(功徳)を積むことに深い関心をもっています。このことは、ミャンマーが、慈善寄付とボランティアと見知らぬ人や困っている人を助ける意欲の組み合わせを測定する**「世界寄付指数」のトップ**に頻繁にランク付けされている理由の

〈有名人〉アウンサンスーチー(政治家/1991年ノーベル平和賞)〈文化〉バガン…2019年に世界遺産に登録された仏教遺跡群で、建造物の多くは11〜13世紀に建てられた。カンボジアのアンコール・ワット、インドネシアのボロブドゥールと並び世界三大仏教遺跡に数えられる。〈日本〉日本では竹山道雄の『ビルマの竪琴』の舞台として有名で、市川崑監督によって2度映画化されている。

説明になるかもしれません。

さらに言うと、この国では、サービスと引き換えにチップを受け取る人はいません。それは自分が受け取るお金ではない、という考え方なのです。「服従」は、自分が善人であるため、そして善いカルマを維持するための行為とみなされます。人々は仏の道を生きようとします——善い言葉遣い、善い行い、善い考えを選び、できる限り従順に生きるのです。

● 抑圧の歴史から服従の真価を問い直す

この国の「服従」の文化のもう一つのルーツが、長い抑圧の歴史——イギリスの植民地支配から1962年～2011年まで統治した軍事政権まで——と、その後の**イスラム教少数民族ロヒンギャ**に対する残虐行為です。

指導者アウンサンスーチーや当局のロヒンギャ問題への対応に注目が集まる

異議と抗議が、きわめて暴力的な方法で繰り返し抑制されてきました。ミャンマーに「服従」が見つからないところには、「押しつけ」があり、それは多くの場合、残酷なやり方で課されています。

1988年の民主化運動の際には、数千人が軍と治安部隊によって殺されました。2007年の軍事政権に反対するサフラン革命では、何百人もの僧侶が暴行を受けて逮捕されました。

ミャンマーの近史のなかで、「服従」は基本的な価値観として、実践され要求されてきました。その意味は広範囲に及びますが、基本的な教訓はシンプルです——**自分のことを考える前に、他人のことを考えるのです。**

つまり階級、慣習、伝統を尊重し、それによって他人が面子を失うリスクを回避する。階級を偏重する必要はありません。自分の行動がもたらす結果をしっかりと考え、他人の立場に身を置くことで、誰もが、善い友人、善い従業員や雇用主、そして善き家族の一員になることができます。

「服従」自体の善し悪しをどう考えるかに関係なく、他人を優先するという基本原則は、誰にでも応用することができるはずです。

Peru

ペルー

ポジティブ

Positivity

● 悲願のワールドカップ出場

2018年のサッカーワールドカップは、ペルーにとって36年ぶりの出場でした。でも、長く失望が続いたことで、ペルーのファン層の期待が薄らぐことはなく、たちまち「**大会中に最も情熱的で前向きなサポーター**」という地位を確立しました。ペルーがワールドカップの出場権を獲得するまで、人生の半分ほどの歳月がかかりましたが、ペルー人はそれでも優勝できると信じていました。

YouTubeには、ポジティブでやる気を高める動画があふれていました。そして、1万5000人以上のペルー人がロシアに殺到し、その多くは相当の犠牲を払って、特別な瞬間を体験するために、とんでもない長距離旅行を実現させたのです。

2018年、ロシアワールドカップの開催地モスクワに結集したペルー人サポーター

仕事を融通した人、飛行機を5回乗り継いだ人、行くために持ち物を売った人のストーリーが共有されました。前回ペルーが出場した1982年に観戦し、今度は孫も一緒に家族総出で現地に向かった人もいました。**こうした代表チームへのあふれんばかりのサポートは、ペルーの国民性である「ポジティブ」さの表れと言ってもいいでしょう。**

友人や家族が受験や就職の面接に行くなどの重要な場面で、ペルー

〈首都〉リマ	〈民族〉先住民(45%)、混血(37%)、欧州系(15%)、その他(3%)
〈人口〉3,199万人	
〈面積〉129万㎢(日本の約3.4倍)	〈GDP〉2,252億ドル
〈言語〉スペイン語、他にケチュア語、アイマラ語等	〈時差〉マイナス14時間

人は幸運を願いません。代わりに「buenas vibras（良い感じ）」や「energia positiva（ポジティブなエネルギー）」を送り、成功を祈ります。**言外の意味は、運に頼る必要はないこと、結果は自分の手の中にあること。心の状態が十分にポジティブであれば、望む結果が得られるのです。**

テレビのニュース速報でも同様に、アスリートや政治家がもっと努力していれば結果は違ったであろう、という論説を耳にします。

● ペルーのスーパーシェフ

ペルーでは、シェフは単なるシェフではなく、アスリートは単なるアスリートではありません。モチベーションを高める著名人として、ペルーの文化と国民性であるポジティブな精神を守ろうとします。

最も有名なペルー人シェフの**ガストン・アクリオ**は、国民の食文化を再構築し、魚介マリネのセビーチェなどのペルー料理を世界地図に載せたという評価を得ています。レストランを経営するだけではなく、ペルー料理の世界的な大使になったのです。『ワシントン・ポスト』紙の記者ニック・ミロフはこう書いています。

「アクリオを有名シェフと呼ぶことは、オプラ・ウィンフリーをトークショーのホストと言うようなものです。**彼はむしろ、現代の食べ物のシャーマンなのです**。芸術家であり、通訳者であり、ヒーラー、興行主、国の宣伝マンです」

アクリオ本人は、こう言っています。

「私たちは、料理を変化の武器として使うことができます」

ペルーが昔ながらの食品だけではなく、健康に良いとして広まっているキヌアやルクマなどのスーパーフードも輸出しているのも、意外なことではなさそうです。

● ポジティブのルーツを探っていくと

このポジティブな性分は、どこから来たのでしょうか？

〈歴史〉1939年にアメリカの考古学者ポール・コソックが、飛行中に偶然発見したのがナスカの地上絵である。誰がどんな目的で描いたのか、人類最大の謎の一つである。〈日本〉かつて日本人の加藤明が女子バレーボールの代表監督を務め、1968年メキシコ五輪で4位に入賞した。〈生活〉インカ・コーラ…コカ・コーラをおさえてトップシェアのコーラで、鮮やかな黄色が特徴。炭酸は弱め、甘味が強めといわれる。

一部は、ペルーの先住民族から受け継いだ文化です。現在も、人口の4分の1以上が先住民族で構成されています。料理からマチュ・ピチュなどの世界的に有名な遺産に至るまで、あらゆるものに表れている力強いルーツが、ペルー独自の文化を世界に提供できるという誇りと信念を支えているのです。

また、ペルーが南米の近隣諸国と戦った数々の戦争の記憶と、1980年から2000年までに7万人の命を奪った残酷な内戦を現在から引き離す必要性からも、前向きな姿勢が生まれたのかもしれません。

現在、ペルー人は自信をもって未来に目を向けています。経済はラテンアメリカで最も急速に成長しており、その文化は、世界的に重要で影響力があるという認識がますます高まっています。

インカ・トレイルの**チチカカ湖**の周辺で、私は感動のあまり「**100万個のダイヤモンドの湖**」だと日記に記録をつけました。客観的に見ると、単なる水面のさざ波と塩の平地の結晶なのですが、ペルーの「ポジティブ」な空気に囲まれているうちに、私には新しい光が当たったように見えていました。

ポジティブな姿勢は、生活のあらゆる面に同じ効果を与えてくれます。新しい仕事を始めるときや一大事のとき、問題に対処するとき、自己改善を求めるときに、ポジティブな心の状態でいることが、成功の礎となります。ペルーは、自分がなりたい姿を現実にするときに、意志の力が大切なことを教えてくれるのです。

世界で最も有名な遺跡の一つ、マチュ・ピチュ。15世紀インカ帝国の遺跡で、標高約2,450mに位置する

Russia

ロシア

不屈

Fortitude

● 私の「おそロシア」体験

「**今すぐ画像を削除しろ**」

サンクトペテルブルクの街の真ん中に立っている私に、ポン引きの男が叫んでいます。思いがけず人目を引く光景に出くわした私は、反射的に撮影したのです——肌もあらわな女の子たちが、列をなして街を練り歩いている姿を。

カメラは私の手から取り上げられました。抵抗しようという考えは、もう一人、体格のいい仲間が視界に入ってきたときに消えました。体が震えました。でも、男たちは余計な手出しはせずに、写真の消去だけをしました。

私はこの小さな事件から、ロシアについての大きな教訓を学びました。**ここが厳しく容赦のない場所であること**、そして、生き残るためには不屈の精神が不可欠だということです。

● 断固たる意志で屈強に生き抜かねばならぬ国

ほとんどのロシア人は、自分自身や家族が、苦難の中を生き抜いた経験をしています——不屈の精神の物語をもっているのです。ロシアでは、不屈の精神は単なる価値観ではなく、生き方です。屈強であることは、生き残りに必要な要素でもあるのです。

そして、ロシアの政治と外交政策にどんな見解をもつかに関係なく、この国に滞在すると、国民たちの意志の固さを称賛せずにはいられません。**ロシアでは、「困難な時期」に直面すると、屈服を検討するのではなく、**

〈首都〉モスクワ 〈人口〉1億4,680万人
〈面積〉1,710万㎢(日本の約45倍)
〈民族〉ロシア人(80%)、他に多民族
〈言語〉ロシア語(公用語)
〈GDP〉1兆2,807億ドル
〈時差〉11のタイムゾーン
(マイナス7時間～プラス3時間)
なおモスクワはマイナス6時間である。

自分の中の不屈の精神と自衛本能をさらに掘り下げるのです。

人々は、まるで国民である証のように、不屈の精神という「名誉のバッジ」を身に着けています。私のホストのオルガが話してくれたのですが、大学教授である母親は、ソ連崩壊後の9か月間、システムが故障して大学の給料が未払いになったため、一日分の仕事をしてから国境を越えて、お金のためにロシアの雑貨を売りに行きました（同時に、故郷で売れそうな商品を持ち帰りました）。マフィアにあとをつけられて、大変だったそうです。

● 軍事力は不屈の精神を「振りかざす」

このような過酷さが、この国独自の文化を育ててきました。この国では、不屈の精神が固く保持されると同時に振りかざされるのです。**それゆえに、軍事力の誇示がロシア文化の中心的な位置を占めています。**

第二次世界大戦の終結とナチスドイツへの勝利を祝う5月9日の「**勝利の日**」は、ロシアできわめて重要な祝日で、全国で軍事パレードが開催されます。2015年の70周年記念式典では、1万6000人を超える兵士がモスクワを行進しました。

過去の勝利の物語、なかでも偉大な不屈の精神を象徴する物語もまた、集団的記憶として大切にされています。たとえば、スターリングラード攻防戦の象徴となっている「**パヴロフの家**」は、ドイツの猛攻撃に直面しながら60日間持ちこたえたアパートの建物です。

スターリングラードの司令官だったワシリー・チェイコフは、ドイツ人がこの建物を奪うためにパリの街全体を奪おうとしたときよりも多くの兵士を失った、と自慢していたと言われています。部外者と侵略者に直面し、屈強に戦う——これがロシアの民間伝承の

「パヴロフの家」はアパートに再築されたが、瓦礫を集めた記念碑が建っている

〈有名人〉アリーナ・ザギトワ（フィギュアスケート選手）、アレクサンドル・オベチキン（アイスホッケー選手）、マリア・シャラポワ（元テニス選手）〈都市〉サンクトペテルブルク…かつてロシア帝国の首都であったロシア随一の文化都市。エルミタージュ美術館などの建造物が世界遺産に指定されている。〈ことわざ〉「フィーリャの家に呼ばれて飲んで、フィーリャを殺した」…恩知らず、恩を仇で返すことのたとえ。

一番の聞かせどころです。

同じ精神は、現在でも称賛されています。2018年初め、シリアで撃墜されたロシア人パイロットが、捕まるのを避けるために手榴弾で自爆しました。「これは我々の仲間のためだ」と最後に叫んだと報道されています。この物語は、クレムリンとロシアのメディアによって、危機に直面したロシア人の「不屈の精神」の典型的な例と受け止められました。

● 国際的緊張において不屈は際立つ

今日、一般的なロシア人の多くが直面している困難は、軍事行動ではなく経済制裁によるものです。ロシアの2014年のクリミア侵攻によって、EUとアメリカが資産の凍結と貿易制限の制裁を加えたことから、経済は深刻な不況に陥り、**貧困層の数は2000万人近くに達しています**(かなりの急増ですが、それでも2000年の半数です)。

それでも、ロシア人に彼らの現在の窮状についての話をすると、大半の人はふてぶてしい反応を見せるでしょう。ある人は私にこう言いました。

「食べ物は必要ありません。**我々が恐れられていると知ることが、栄養になるのです**」

また、あなたが外国人なら、外部からの見解を尋ねられるでしょう——「我々は、どう思われている?」と。絶えず攻撃を受けているような強迫観念があるのです。

多くの人は、極端な苦難を経験することがないでしょう。だからといって、ロシアの不屈の精神からヒントを得られないわけではありません。

私たちも、それなりの規模での困難と挫折を経験します。誰もが、不利な状況で戦う方法を見つけなければなりません。そんなとき、自分の中の「不屈の精神」が頼りになります。

それは前進を続け目標を達成するための、意志と自信と決意を与えてくれます。不屈の精神がなければ、最高のアイデアや最上級のキャリア、きわめて有能な人々でさえ、最終的に行き詰まります。困難を乗り越えて成功するためには、ロシア人の不屈の精神を少しばかり自分の中に取りこむことが必要なのです。

Sri Lanka
スリランカ

喜び
Joy

●「笑顔の島」の体験

私は熱いお茶と温かい笑顔に迎えられて、朝早くに目を覚ましました。私たちは、スリランカで最も標高が高く神聖な場所の一つである**スリー・パーダ（「聖なる足跡」の意味。別名アダムス・ピーク）**を目指していました。2243メートルの山頂の近くに、足跡のような形をした岩穴があり、自分が信じる宗教によって、仏教徒はブッダ、ヒンドゥー教徒はシヴァ神、イスラム教徒はアダムの足跡に見立てるのです。トレッキングには4時間ほどかかるため、山頂で日の出を見るためには、早めに出発します。

真夜中に起こされて、誰もが笑顔になれるわけではありません。積極的に話をしたいと思わない人も多いでしょう。でも、夜明け前の山登りの間ずっと、私は「喜び」に囲まれていました――人々は言葉を交わし、互いを元気づけて励まし合っていました。まるで周囲の人のエネルギーと善意が、私を山の上まで運んでくれたような感覚でした。

標高2,243mのスリー・パーダ（アダムス・ピーク）

〈首都〉スリ・ジャヤワルダナプラ・コッテ
〈人口〉2,103万人
〈面積〉6.6万㎢（北海道の約80%）
〈GDP〉840億ドル〈時差〉マイナス3.5時間
〈民族〉シンハラ人（74.9%）、タミル人（15.3%）、スリランカ・ムーア人（9.3%）
〈言語〉シンハラ語（公用語）、タミル語（公用語）、英語（連結語）

スリランカを訪れた人がよく言うのは、スリランカ人が親しみやすく、いつも微笑んでいるということです。ある旅行ライターはスリランカを「**笑顔の島**」と書きました。また、インド人ジャーナリストのジャグ・スライヤは、インドとスリランカを対比して次のように書いています。

「インドでは公共の場で笑顔はあまり見られないが……**スリランカには、あり余るほどの笑顔がある**」

スリランカのスポーツ界で最も有名で成功したクリケット選手のムティア・ムラリタランは、長年にわたって「笑顔の暗殺者」のニックネームで知られていました。

● 笑顔をもたらすもの、笑顔がもたらすもの

スリランカではどこに行っても、笑顔がついてきて、あなたを取り囲むことでしょう。私にはこれが、単なる陽気さ以上の、深く浸透しているこの国の価値観のように思えました。

スリランカ人は、生活の様々な場面に——政治的な意見交換や、国のあちこちにあるクリケット場で試合をするとき、毎月のポヤデー（満月祭）のような宗教的な行事を祝うとき、この国の素晴らしい自然を得意がるだけでも——楽しそうに、上機嫌で取り組むのです。

この国では、人生への基本的なアプローチに「喜び」があります。その大部分の源泉になっているのが、スリランカの素晴らしい自然環境です。山と森と海に囲まれ、**象やチーターやイルカやクジラに出会えます**。

水浴びをする象の群れ

全方位を圧倒されるような荘厳な美しさに囲まれていると、いやでも気持ちが高まり、心配の一部が消えてしまうことでしょう。気が付けば、仏教の教えが示すように、今の瞬間に集中して生きているのです。そし

〈有名人〉スサンティカ・ジャヤシンゲ（陸上競技選手/2000年シドニー五輪で52年ぶりのメダルを獲得）**〈文化〉**スリランカ産の紅茶「セイロンティー」は世界的に人気である。また世界三大銘茶の一つ「ウバ」はウバ州で作られている銘柄である。**〈日本〉**サンフランシスコ講和会議において、スリランカのジャヤワルダナ代表は対日賠償請求権の放棄を明言した。また日本が戦後初めて正式な国交を結んだ国である。

て、自分が何か大きなものの一部だという意識が――社会的、環境的、精神的に――強く感じられます。

喜びはまた、困難な状況を最大限に活用する助けになり、誰もが果たすべき役割を持っているという考えに結び付いています。ジャグ・スライヤの文章は、これを的確にまとめています。

「スリランカの笑顔は、根底にある社会的な約束を肯定しています。それは、自分の幸福は、他人の幸福と密接に結びついているという認識、そして、それが存続できるよう、お互いを必然的に認め合うことなのです」

● いくつもの不幸を乗り越えて

壊滅的な自然災害を経験し、長く血なまぐさい内戦（1万人を超える死者を出した）を経験した国民の中には、苦しみを超えて前進するという意識があるようです。決して終わらないとまで言われた戦いがついに終結し、かつて不可能だった非武装化の見通しを期待できるようになりました。

3万人以上が死亡し、150万人が家を追われた2004年の津波被害の後、スリランカの大部分が再建されました。

問題と進歩の両方が長期にわたって続く国では、すぐに得られる満足感はほとんど重視されません。人々の集いや、居場所を得る、仕事に全力を尽くすなど、喜びはもっと深いところからやってきます。今の瞬間に集中し、他人の力になることです。

2004年12月26日のスマトラ沖地震によって津波の被害を受けた

私はスリランカから、「前向きな態度」の真価を教えてもらいました。そこには、単なる個人的な人生観以上の価値があります。

たとえ平凡なことでも、自分がしていることを楽しむ。他人に数えきれない小さな親切を差し出し、寛容に接し、そのことに価値と充足感を見出す。喜びを探し、それを他者へと広めることで、自分のための喜びも見つけることができるかもしれません。

Syria

シリア

尊厳

Dignity

● ただ、市民は尊厳を求めた

「**あなたのパンは欲しくない。欲しいのは尊厳だ**」

シリア南部の街ダーラで、秘密警察によって殺害された抗議者の葬儀で、こう叫ぶ声が聞こえました。葬儀が大勢の参列者を呼び、さらなる抗議の声が上がり、葬儀の数はますます増えました。

2011年春、革命がシリア全体に広がったとき、明確な争点となったのが「尊厳の要求」でした。職が見つかりにくく不安定さを抱える国で働く尊厳。一つの一族に30年間支配されていた国における、政治的自由と民主主義の尊厳。腐敗したシステムによって富が吸い上げられない公正な社会に生きる尊厳。そして、秘密警察を気にしながら通りを歩かずにすむ、自由な社会に生きる尊厳。

革命が始まって間もなくの3月に、アサド政権に対する大規模な抗議運動「尊厳の金曜日」が行われ、軍隊が複数の抗議者グループに発砲し、推定38人が死亡しました。同年11月、全国的な「**尊厳のストライキ**」が組織され、市民によるスト活動に対して、さらなる弾圧が起こりました。

残忍な政府への抗議が、死をもたらす結果を生むと知ってもなお、シリア人は尊厳のために戦おうと立ち上がりました。

「**私は殺人者となるよりは、殺されたい**」

非暴力活動家の青年ヤヒヤ・シュルバージの言葉です。彼は、平和の贈り物を持って治安部隊に近づき、「**バラの男**」として有名になりました。

シュルバージの物語は、一般市民の尊厳が政権によって侵害された衝撃

〈首都〉ダマスカス〈人口〉1,939万人
〈面積〉18.5万㎢(日本の約半分)
〈民族〉アラブ人(75%)、クルド人(10%)、アルメニア人等その他(15%)
〈言語〉アラビア語
〈GDP〉502.8億ドル
〈時差〉マイナス7時間(夏時間あり)

的な一例です。彼は2011年9月に逮捕され、家族が釈放を求めて何年も活動を行いましたが、結局2018年に、5年ほど前に刑務所で殺害されたと知らされました。

革命から生じた血なまぐさい内戦が、多くの悲惨な悲劇を生みました。その一つは、2011年に尊厳の名の下に抗議した人々が、その後の数年間であまりにも多くのものを奪い去られたことです。

● 美しき古代都市ダマスカスの面影

内戦が起きる前のシリアという国を考えると、この悲劇の色合いがさらに強まります。以前のシリアには、別の形での尊厳がありました。宗教の自由と寛容があり、世界最古の重要な文明の一つの流れをくむ歴史をもち、街の通りで輝くように美しい文化を見たり体験したりできる国だったのです。

ニューヨークやロンドンを人種のるつぼだと思っている人は、革命前のダマスカスを見るべきでした。私は新婚旅行でこの街を訪れましたが、**世界最古の都市**の歴史が息づくのを、中庭や通りから感じることができました。「**ジャスミンの街**」と呼ばれた街でジャスミンの花のにおいをかぎ、数千年の間にここを訪れた移民や侵略者や商人たちが滋味深くした食べ物を味わうことができました。

ダマスカスには、帝国と宗教と貿易の歴史が交差しています。世界で最も古い居住都市である尊厳を持ち、世界の主要な文化と宗教のほぼすべてが刻まれているのです。

ダマスカスの香辛料市場

ダマスカス旧市街のウマイヤ・モスクは
世界最古のイスラーム礼拝所の一つ

〈都市〉ダマスカス…シリアの首都で現存する世界最古の都市の一つ。旧市街にはイスラーム第四の聖地であり、世界最古・最大のモスク、ウマイヤ・モスクがある。〈文化〉古都ダマスカス、古都アレッポなど6つの世界文化遺産が登録されているが、内戦の影響ですべて危機遺産に指定されている。〈歴史〉1996年アトランタ五輪で、七種競技のガーダ・シュアーがシリア初の金メダルを獲得した。

● いつか新たな未来を築くために

シリアは歴史的、文化的、宗教的な尊厳のある国でした。しかしその多くは、恐ろしい内戦によって攻撃され、破壊されたのです。数十万人が殺され、数百万人が家を追われ、国を離れることを余儀なくされ、数々の都市ががれきに変わりました。

シリア国民に対して、独裁政権は尊厳のかけらさえ見せていません。何の罰も受けないまま、市民を拷問し、殺害し、化学兵器の標的にしています。抑圧され住む場所を失ったシリア人は、依然として尊厳を強く求めています。

2018年、7年間におよぶ内戦が終わりに近づく気配のなか、国を追われた数百万人の帰国の実現と、その時期と手段に意識が向けられるようになりました。多くの人にとって、国と文化と生活を再建するための出発点は、残酷すぎる形で盗まれた尊厳を取り戻すことです。

BBCの取材を受けた難民の一人は、こう言いました。

「私たちが求めるのは、尊厳を取り戻す解決策です――それ以上でもそれ以下でもありません」

シリアの過去は、尊厳という価値観によって形作られてきました。尊厳のない未来はありえないのです。

内戦によって破壊されたアレッポ市街(2019年撮影)

Uruguay

ウルグアイ

謙虚

Humility

● ホストファミリーと大統領

「謙虚に！」

私のウルグアイのホストファミリーの娘のカロライナは、ハンドボールの試合でコートに入るたびに、この言葉が耳に鳴り響くと話してくれました。それは、ごく幼い頃から母から繰り返し聞かされ、自分の一部になっている最も重要な戒めだと言います。

才能のある選手であっても、自分のスキルを自慢したり、実績を勝ち誇ったり、チームの能力の劣る選手を除外したりしてはいけない。この話を聞いた私は、「うぬぼれてはいけない」とよく言っていた自分の母のことを少し思い出しました。

これはウルグアイの「謙虚」な国民性の小さな一例です。この価値観は、国民から政治指導者にまで浸透しています。

「世界一貧しい大統領」
として知られたホセ・ムヒカ

2010 ～ 15年の**大統領ホセ・ムヒカ**は、国民に尊敬されると共に、世界一謙虚な首相として世界的に認められており、その取り組み方は、ほとんどの人が考える政治指導者のイメージとまったく異なっています。

彼の政治哲学は「**権力が上から来ると考えるのは間違いだ。それは、人々の心の中から生まれる**」。これは、政治家としては驚くほど謙虚な信念です。自分の地位を上げるよりも、自分を選んだ人々に仕えることに優先順位を置いて

〈首都〉モンテビデオ 〈人口〉346万人
〈面積〉17.6万㎢（日本の約半分）
〈民族〉欧州系（90%）、欧州系と先住民の混血（8%）、アフリカ系（2%）
〈言語〉スペイン語
〈GDP〉560.5億ドル
〈時差〉マイナス12時間

いるのです。

そしてムヒカは、自分の言葉と同じぐらい謙虚な生き方をしています。**若い頃はゲリラ革命家で、ウルグアイの軍事独裁政権下では14年間を刑務所で過ごし、大統領に就任してからは、地位相応の贅沢な住まいや派手な国家行事からかけ離れた生活を送っていました。**

当時70代だったムヒカは、それまで通りに妻の農場で暮らし続け、仕事もそこで行いました。また、収入を一般市民の平均収入（月額約775ドル）に合わせるために、給料の90%以上を慈善目的に寄付しました。

公務での移動は着色ガラス窓のリムジンではなく、1987年製のフォルクスワーゲンビートルです。富や名声を誇示する意志のなさを象徴するような、色あせた青色のぼろぼろの車でした。

海外への飛行機移動はすべてエコノミークラスでした。部屋数が三つの農家を訪問する人は、ムヒカの有名な「ボディーガード」である3本足の愛犬マヌエラに迎えられました。

● 野心と競争から離れてウルグアイから学ぶ

地理と人口統計の両方が、ウルグアイの謙虚なお国柄を説明するのに役立ちます。巨大なブラジルとアルゼンチンに挟まれた小国は、人口わずか300万人、スリナムに次いで**南アメリカで2番目に小さい国**です。陸地面積では、近隣のブラジルにウルグアイが47個収まる計算です。その少ない人口の大部分は、19世紀以降のスペイン人とイタリア人の移民で、ほとんど何も持たずにこの国にやってきて、寄り添いながら生きてきた人たちでした。

この国を訪れると、人々のちょっとした日常的な振る舞いに、思いやりと謙虚さを見てとることができます。バスに乗るときに先に行かせてくれたり、席を譲ってくれたりするでしょう。

謙虚とは、物理的にも比喩的にも、「決して自分が前に出ない」ことなのです。見せびらかしたり、自分を大きく見せたりすることは嫌悪されま

〈歴史〉1930年に第一回サッカー・ワールドカップの開催国として各国を招致するとともに、優勝を果たした。〈生活〉一人当たりの牛肉消費量がトップクラスでおよそ60kgといわれる。近年、日本でもウルグアイ産牛肉の輸入が解禁された。〈都市〉コロニア・デル・サクラメント…アルゼンチンのブエノスアイレス対岸に位置し、スペインとポルトガルによって争われた城塞都市。ウルグアイ初の世界遺産である。

す。才能や富や成功を誇示しないという「慎み深さ」は、求められると同時に、広く実践されています。

謙虚という価値観は、野心を追い求めたり、ステータスシンボルを獲得したりすることを急ぐあまり、見落とされがちです。騒々しく、競争の激しい世界では、謙虚とは、自分をごまかすことであり、注目されるチャンスを失うことだと感じる人もいます。

でも、謙虚になれば、そうでなければ得られなかった、別の見方に気づけるかもしれません――成功が得られたことへの感謝と、それを助けてくれたさまざまな要因と人々への感謝が増すのです。謙虚さは社会的な契約であり、均衡と共感とコミュニティを大切にすることなのです。

謙虚であることは、必ずしも「負けること」ではありません。ホセ・ムヒカはしばしば「**世界で最も貧しい大統領**」と評されていますが、彼自身は否定しています。在任期間の終わりに、ムヒカは、今や有名になった農家の庭の「錆びたガーデンチェア」に座って『ガーディアン』紙にこう語りました。

「**荷物を軽くして生きることは、私にとって何の犠牲でもなく、自由を肯定することです。**やりたいことに最大限の時間を使うことができますから。それは、私が個人の自由を持つことの代価です。このほうが私は豊かなんですよ」

首都モンテビデオ、中心地である独立広場を望む

Bhutan

ブータン

幸福

Happiness

● 幸福を追求するブータン国王の言葉

ここまで、101か国の価値観についてご紹介しましたが、もう一つ、抜かすわけにはいけない国がありました——「幸せ」の国、ブータンです。

「幸福」は、価値観というよりも基本的な権利のように感じられるかもしれませんが、私が開催するワークショップで何度も上がってくる言葉です。そこで、ボーナスとしてこの章を用意しましたので、「幸福」があなたの大切な価値観になるかどうかを、ご自分で決めてください。

幸福とポジティブ心理学の研究が注目されるようになったのはごく最近ですが、そのことについて、ある国に感謝しなくてはいけません。幸福の追求というテーマを国連と学者に持ちかけたブータン王国です。

ほとんどの人が、幸福について、気分がよいので「何よりも大切」だと考えています。また研究から、幸せなときは健康が増進し、生産性と創造力が増し、争いが少ないことがわかっています。

でも、幸福を手に入れるのは難しいことです。なぜなら、そのためには多数の要求が、より広いシステムによって、満たされ、バランスが取れ、合意される必要があるからです。

私がお会いしたとき、**ジグミ・ケサル・**

著者とワンチュク国王（左）

〈首都〉ティンプー〈人口〉75万人	〈言語〉ゾンカ語（公用語）等
〈面積〉3.8万㎢（九州とほぼ同じ）	〈GDP〉24.5億ドル
〈民族〉チベット系、東ブータン先住民、ネパール系等	〈時差〉マイナス3時間

ナムゲル・ワンチュク国王——国内では「K5（第五代国王）」として知られる——が説明してくれたのは、国民が幸福を追求できる環境を創るのが政府の責任であること、その門戸が世界に開かれたのは1974年であり、以来、幸福度の調査が可能になったことでした。

ブータンは新興国の経済を持つアジアの小国です。しかし経済発展を追い求めることには、自国の文化と環境と社会システムの損失という代価があると考えました。これを理由に、ブータンは、国内総生産（GDP）指標が人間のニーズに対応するには不十分であり、もっと包括的な指標が必要だと判断しました——**国民総幸福量（GNH）**です。

「**私たちは、幸福の源は自己の中にあり、満足は外部から得られるものではないと信じています。**速い車や大きな家やファッショナブルな服は、束の間の喜びをもたらすかもしれませんが、それは充足感ではありません」

● 幸福を満たすための取り組み

この取り組みの一環として、王国は「農村化」を積極的に奨励してきました。田舎に住む人に、都市への移動よりも滞在を促すための設備を整えるのです。都市化の減少の影響を見ることができる**ティンプーは、世界で唯一、信号機のない首都です。**

首都ティンプーの市街

また、国民総幸福量の重要性は、水力発電の完全活用を拒否する決定にも見ることができます。商業的に利益を生むかもしれませんが、谷を氾濫させ、住民を強制的に移住させるという犠牲を払うことになるのです。

〈日本〉民間人に贈られる最高の爵位「ダショー」を授けられた日本人がいる。1964年から28年に及ぶ農業技術指導を行った西岡京治である。1992年に亡くなると、国葬が行われ、パロに埋葬された。**〈文化〉**ダツェ…ブータンの弓術で国技でもあるスポーツ。100m以上先の的を狙い、数名1組で、2組が競い合う。**〈生活〉**ブータン料理はたくさんの唐辛子が使われ、「世界一辛い料理」といわれることもある。

ブータンはまた、宗教、精神性、人生哲学といった面で、崇高な目的をもつことを大切にしています。ブータンは依然として仏教を深く信仰する国なので、人々は、自分だけではなく全員の幸福に関心を持つのです。

ブータンの山には約7000人の僧侶がいて、個人の精進だけではなく社会の幸福のためにも祈りを捧げています。長男は、僧院に5歳で修行に出されることが多く、そのことが家族に大きな名誉をもたらします。

● 私たちが幸福の国から学べること

「**地上の最後の楽園**」であるブータンは、ヒマラヤ山脈の麓に位置し、中国とインドという大国にはさまれながら、脅威を受けることなく独自の規範に従って生活していて、植民地化されたことのない数少ないアジアの国の一つです。

国家のシンボルは**龍（ドク）**で、国旗には龍が、異なる種類の「価値」を意味する宝石を抱える姿が描かれています。この国は、人間が幸福になるためには、モノだけではなく、多くの人間の要求を満たす必要があると知っているのです。同様に、ポジティブ心理学者の研究者は、自分の強みと能力を使い、面白くて楽しく取り組める目標を通じて、充実感を見出すことを推奨しています。

「善き統治（グッド・ガバナンス）」は非常に重要です。だからこそ、世界最年少の国家元首であるジグミ・ケサル・ナムゲル・ワンチュク国王は、2006年に26歳で父から王位を譲り受けました。立憲君主制国家の国王として、政府与党に欠如しがちな長期的な視点を持ち続けなければなりません。

国王はこう話しました。

「私は小さなヒマラヤの国の王として、この世界のすべての人の幸福を促進するために、多くのことができるように祈る」

最大の教訓は、幸福は、個人レベルで追い求めてもうまくいかないということです。人同士がつながり、互いに助け合う。個人ではなく全体で、みんなが一緒に行う。身の丈よりも大きな社会的大義を持って、私たちが住む世界をより良く変えていくことが大切なのです。

「鷹の巣」の別名をもつタクツァン僧院は観光地としても一番人気

謝辞

この本を、私の両親であるGurpal KaurとResham Singh、兄弟であるRajdeepとManreshpalに捧げます。あらゆる面でのパートナーで、私の夢に耳を傾け、私を前進させ続けてくれるGavin Dhillonに。SurinderとSucha Dhillonをはじめとする愛情深い両家の親族の皆さまに。祖父母のNarajanとAmar Rai、MohinderとHarbajan Atwal、SwaranとGurmail Dhillon、PiaraとNaranjan Sher-Gillに。UdamとPiara Mann(Nanke)、MahaとBhago Rai(Dadke)、祖先たちに。大切なわが子NaryanとSaiyanに。グルであるSri Guru Granth Sahib Ji、メンターであるBhai Sahib Mohinder Singh Ahluwaliaに。そして旅の途中で出会ったすべての人々に。私が通ったグロスターのデンマークロード高校と、そこで出会った最高に献身的な先生方に。7歳で最初の仕事をして以来、最初のメンターであるAerosのRoger Poolmanをはじめとする方々に。マンチェスター大学とメルボルン大学のRalph Young教授をはじめとする快活な教授陣、Kiran SinghとCoといった永遠の友人たち。大学訪問中にJPモルガンに導いてくれ、私を絶えず信頼して可能性をサポートしてくれたJo Ryanに。私の「魔法使い」であり、出会った瞬間から完全に信頼してくれ、常に私の最善を見て、刺激をくれたKathy Eldonに。家族のようなCreative Visionsの皆さんに。私に修士号を与え、現在もなお情報を提供し、関わり続けてくれるロンドン・スクール・オブ・エコノミクスの開発マネージメントに。Keith Bowers、Jasper Bouverie、Richard Collings、Lamine Konkoboに。Chad Ruble、Nathan King、欧州連合と国連とロイターの常に希望に満ちた仲間達に。私の輝きを見出し、アブダビでtwofour54の2人目の従業員として雇用し、中東で最初のメディアベンチャーキャピタル・ファンドを設立したTony Orstenに。UAEのNoura Al KaabiとKhaldoon Al Mubarakに。ロンドンビジネススクール、MIT（ボストン）、ハーバードビジネススクールとの生涯にわたる関係に感謝します。特に、Madeleine Tjon Pian GiとNatalia Dondeの理解とサポート、MBAとGlobal Business Oathの取り組みを通じて、本書のコンセプトの種まきを助けてくれたNitin Nohria学部長の人生を変えるご指導に。

私の可能性を完全に理解し、（無限の）可能性を現実に変えてくれたDeepak Chopraに。Trident、Robert Gottlieb、Amanda Annisに。私より先にすべてを見越してくれたDeepakには、感謝してもしきれません。ビジョンを明確かつパワフルに見てくれたNorth Star Way社のMichele Martinに心から感謝します。魅力を見出して、私をJosh Davisに導いてくれたRichard Hallに。Simon Trewinに。サイモン&シュスター社の素晴らしい担当編集者のJulianna Haubnerに。Nick Daviesに。アシェット社のHolly Bennion、Emily Frisella、Ellie Wheeldon、Rosie Gailer、Charlotte Hutchinson、Emma Petfieldに。Cathryn Summerhayes、Katie McGowan、Callum MollisonをはじめとするCurtis Brownの皆さんに。写真を提供してくれたRaghu Raiと、Angela Fisher、Carol Beckwithに感謝します。価値観の研究が長くなり、博士号の歩みが遅くても動じなかったDr. Kapoorに。Dav PanesarとMalini Vishwakaramに。日々の支援者と世界中の仲間に。すべてのことは、さまざまな国の、さまざまな背景を持ち、さまざまな人生を歩んできた人々が、思いを共有して、正直に心を開き、インタビューを許してくれなければ、不可能でした。

人々に影響を与えてきた価値観、彼らが共有してくれた心からの優しさ、世界中で目にすることができた人間性の美しさに感謝しています。堅い友情で結ばれたAndy Taylorは、最初にこの本のアイデアとして「これから生まれる我が子への手紙」と提案してくれ、以来私の創造的なアドバイザーです。何よりも、私を信じて前に進ませてくれる最愛の友人たちに。皆さんが私の光です。私たちが開催する家族と子どもの価値観の授業、私たちが提供する組織と企業のワークショップ、幸運にも一緒に働くことができるひとりひとりに深く感謝しています。そして誰よりも、親愛なる読者の皆さんには、たいへんな恩義があります。あなたが自分史上最高の自己に進化するにつれて、この世界全体がより良い場所になるからです。私たちは、常に一緒に強くなれますので、どうか連絡を取り合いましょう。あなたに感謝します。

訳者あとがき

『世界を知る１０１の言葉』は、世界１０１か国について、その国を動かしている「価値観」を「単語ひとつ」の言葉で表し、解説した本です。

たとえばマレーシアは「調和」、アルゼンチンは「情熱」、ブルガリアは「健康」、ケニアは「連帯感」。日本は「敬意」です。

いかがですか？　たったひとつの単語から、それぞれの国のイメージが立体的に浮かんできませんか？

ぜひ、気になる国からページを開いてみてください。その国の歴史、地理、宗教、文化、人々の生活が織りなす、何世紀にもわたるさまざまなストーリーが、著者が厳選した「単語ひとつ」に凝縮されているのが、おわかりになることでしょう。

著者であるＤｒ．マンディープ・ライは、世界１５０か国を旅した経験を持ち、「世界の価値観」の研究で博士号を取得しています。ここで紹介する１０１か国すべての国を訪れて、そのほとんどで報道に携わっているというから驚きです。深いリサーチを行った上で、自分の足で歩き、指導者や著名人に取材をし、その土地に暮らすさまざまな人とじかに交流した経験をもとに、地図やデータからではわからない、「その国の肌ざわり」を文章にのせることに見事に成功されています。海外旅行をした気分が味わえるのも、この本の魅力です。いつか行ってみたい国が見つかったり、以前訪れた国についての理解が深まったりするかもしれません。

「旅に出かけたくなった・・・」というのが、この本を手掛ける訳者と編集者とデザインオペレーターの共通の感想です。

私の話になりますが、ジャマイカ（ｐ２１９）の価値観が「規律」であることが、今更ながら、非常に腑に落ちています。学生の頃、ペンパル（文通友達）を訪ねて、手紙での約束と１枚の写真を頼りに（彼女の家には電話がなく、まだメールがない時代です）たったひとりでジャマイカの空港に降り立ちました。当時日本は「レゲエ」ブームで、そういったエネルギッシュなイメージの情報があふれていましたが、一週間おうちに泊めてもらって私が体験したジャマイカはというと……。夜明けとともに起床し、子どもたちは手分けをして鶏の卵を取り、洗濯・掃除・朝食づくり。同じ時間に散歩に出かけ、夜は早めに就寝。アルコールさえ一切なし。まさにこの本に書いてあった「規律」そのものの生活。それがずっと謎だったのです。この本をもっと早くに読みたかった、と思っています。

ページを開くと、それぞれの国の根底にある大切なものが浮かび上がってきます。たとえばそれは、その国で暮らす人々が、幸福に向かおうとするときに選び取る選択肢であったり、守ろうとする信念であったりします。国をつくるのは人であり、人を動かすのは価値観です。著者は、価値観に焦点を当てることで、世界は、人と人が、過去と未来が、自然と人が、つながりあって進化していく場所であることを、私たちに思い出させてくれます。

価値観という無形のものが及ぼす多大な影響に目を向けると、世界をより広い視野でとらえることができます。ニュースを観るときや、スポーツ観戦のときに、この本を開いてみると、それぞれの国を新たな切り口から理解することができるのではないでしょうか。この本を「読んで旅する」うちに、「一生に一度は行きたい場所」が見つかるかもしれません。価値観を知ることで、その国に暮らす人々の息づかいが見えてきます。いつかその国を訪れて、価値観を体感してみたい、という思いが、明日への希望につながるように思います。

著者は、この本の使い方として、紹介する１０１の価値観のうち、自分に根本的に欠かせない価値観を５つ選ぶことを勧めています。それを自分の「羅針盤（コンパス）」にして、人生の大切な選択をするときの基準として活用するのです。著者は、母親と「価値観」が天地ほどに違うと気づいたことから、自分の人生を大きく飛躍させました。自分の価値観を知ることで、自分の行きたい方向をしっかりと目指すことができる。他者の価値観を知ることで、思いやりや敬意が生まれる……。互いを尊重し、互いの成長を称え合うことで、よりよい世界が形作られていくとしたら、それは何よりも素晴らしいことだと思います。

日本語版の編集にあたり、写真を追加し、下部にデータ欄を加えるなどの様々な工夫をしてくださったご担当の三宅隆史さん、伊藤和史さんには大変お世話になりました。このたびようやく日本の読者の皆様にお届けすることができ、たいへん嬉しく思っています。この本を、楽しく活用していただけますことを、心より願っております。

鹿田昌美

原書参照資料

- Anon, (1997). Of Memory and Forgiveness. The Economist (online). 30 October. Available from: https://www.economist.com/special/1997/10/30/of-memory-and-forgiveness
- Dryenfurth, N. (2015). Mateship: A Very Australian History. Melbourne: Scribe Publications.
- Ellis-Petersen, H., (2014). 20 years after apartheid, South Africa is still finding forgiveness, The Guardian, 11 June. Available at: https://www.theguardian.com/world/2014/jun/11/20-years-after-apartheid-south-africa-forgiveness-tutu
- Goldman, F., (1987). Poetry and Power in Nicaragua. The New York Times. 29 March. Section 6, p. 44.
- Goñi, U., (2014). Uruguay's beloved Pepe bows out to spend time with his Beetle and three-legged dog. The Guardian (online) 16 November. Available from: https://www.theguardian.com/world/2014/nov/16/uruguay-jose-mujica-humble-president
- Hyun-kyung, K., (2013). When Park spoke, everybody cried. The Korea Times (online). 8 December. Available from: http://www.koreatimes.co.kr/www/news/nation/2013/12/116_147609.html
- Khazan, O., (2013). 4 Things the Movie 'NO' Left Out About Real-Life Chile. The Atlantic (online). 29 March. Available from: https://www.theatlantic.com/international/archive/2013/03/4-things-the-movie-no-left-out-about-real-life-chile/274491/673ZZ_tx.indd 355 13/12/2019 11:45
- Lendavi, P., (2002). The Hungarians: A Thousand Years of Victory in Defeat. London: C Hurst & Co.
- Miroff, N., (2014). Gaston Acurio, South America's Super Chef. The Washington Post (online). 23 July. Available from: https://www.washingtonpost.com/world/gaston-acurio-south-americas-super-chef/2014/07/23/2f7f05bd-a50b-4142-a5c3-b3206f216eac_story.html
- Msimang, S., (2016). You may free apartheid killers but you can't force their victims to forgive. The Guardian (online). 11 March. Available from: https://www.theguardian.com/world/2016/mar/11/chris-hani-apartheid-killers-cant-force-victims-to-forgive

- OECD (2017). OECD Environmental Performance Reviews (online). New Zealand 2017. OECD Environmental Performance Reviews, OECD Publishing, Paris. Available at: https://www.oecd-ilibrary.org/environment/oecd-environmental-performance-reviews-new-zealand-2017_9789264268203-en
- Peters, P., (2002). Survival Story: Cuba's Economy in the Post-Soviet Decade (online). Lexington Institute. Available from: https://www.lexingtoninstitute.org/wp-content/uploads/Cuba/survival-story.pdf
- Suaiya, J., (2012). A Smile from Lanka, The Times of India (online). 15 March. Available from: https://timesofindia.indiatimes.com/blogs/jugglebandhi/a-smile-from-lanka/
- TEDx Talks, (2013). The Latvian Identity: Vaira Vike Freiberga at TEDxRiga (online). 28 August. YouTube. Available from: https://www.youtube.com/watch?v=JT26gr3I1Vc&feature=emb_title
- Tutu, D., (2014). Tutu: 'Unfinished business' of the TRC's healing. Mail & Gaurdian (online). 25 April. Available from: https://mg.co.za/article/2014-04-24-unfinished-business-of-the-trc-healing/
- van Son, B., (2011). Concepcion, Paraguay—Taking Laid Back Travel to a Whole New Level (online). Brendan's Adventures. 31 March. Available from: https://www.brendansadventures.com/concepcion-paraguayWeatherford, J. (2005). Genghis Khan and the Making of the Modern World. New York: Three Rivers Press.

写真クレジット

P.023 Katya Tsvetkova / Shutterstock.com
P.026 EvijaF / Shutterstock.com（演奏）
P.027 Lesinka372 / Shutterstock.com
P.029 Tobias Arhelger / Shutterstock.com
P.030 Peter Helge Petersen / Shutterstock.com（レゴハウス）
P.030 Ingus Kruklitis / Shutterstock.com（クリスチャニア）
P.037 Alexandros Michailidis / Shutterstock.com（黄色いベスト運動）
P.037 Hadrian / Shutterstock.com（働き方改革へのデモ）
P.040 James Dalrymple / Shutterstock.com（女性）
P.040 Truba7113 / Shutterstock.com)（劇場）
P.045 Harry Beugelink / Shutterstock.com
P.046 nitpicker / Shutterstock.com
P.050 The Visual Explorer / Shutterstock.com
P.051 Santos Akhilele Aburime / Shutterstock.com
P.052 Tayvay / Shutterstock.com（街並み）
P.053 ariyo olasunkanmi / Shutterstock.com（大聖堂）
P.058 WhiteLife / Shutterstock.com
P.061 Artoholic / Shutterstock.com（マララの日）
P.061 Patrick Poendl / Shutterstock.com（マンゴー）
P.063 TalaZeitawi / Shutterstock.com（男子児童）
P.063 abu adel - photo / Shutterstock.com（女子児童）
P.066 Zoran Karapancev / Shutterstock.com
P.069 Tyler W. Stipp / Shutterstock.com
P.070 Nick Fox / Shutterstock.com（高架橋）
P.072 diyben / Shutterstock.com
P.077 mark reinstein / Shutterstock.com
P.078 Gil.K / Shutterstock.com（博物館）
P.086 amnat30 / Shutterstock.com
P.088 Photobank gallery / Shutterstock.com（写真上）
P.088 Drop of Light / Shutterstock.com（写真下）
P.093 Tomasz Czajkowski / Shutterstock.com
P.096 Ingus Kruklitis / Shutterstock.com
P.101 Lisa Stelzel / Shutterstock.com
P.102 Mojmir Fotografie / Shutterstock.com
P.106 Hairem / Shutterstock.com（写真左）
P.106 Andrei Bortnikau / Shutterstock.com（写真右）
P.108 Karol Moraes / Shutterstock.com
P.109 Curioso.Photography / Shutterstock.com
P.119 nito / Shutterstock.com
P.120 Noppasin Wongchum / Shutterstock.com
P.122 clayton harrison / Shutterstock.com（ジョイス像）
P.125 Grzegorz Petrykowski / Shutterstock.com
P.131 Lefteris Papaulakis / Shutterstock.com
P.138 Yulia Moiseeva / Shutterstock.com
P.139 Gasper Furman / Shutterstock.com（教皇）
P.141 Balakate / Shutterstock.com
P.145 The Road Provides / Shutterstock.com
P.152 Marco Gallo / Shutterstock.com（台風被害）
P.160 Anton_Ivanov / Shutterstock.com
P.165 Iurii Dzivinskyi / Shutterstock.com
P.168 Roman Yanushevsky / Shutterstock.com
P.173 Aleksandr Simonov / Shutterstock.com
P.176 Alexander Denisenko / Shutterstock.com
P.177 Ehab Othman / Shutterstock.com
P.179 Izlan Somai / Shutterstock.com
P.180 Ahmad Fairuzazli / Shutterstock.com
P.182 Robert Mullan / Shutterstock.com（フィリップス）
P.185 yuzu2020 / Shutterstock.com（写真上）
P.185 Oleg Znamenskiy / Shutterstock.com（写真下）
P.190 hanohiki / Shutterstock.com
P.193 M101Studio / Shutterstock.com（カタール航空）
P.194 BestPhotoPlus / Shutterstock.com（ビル群）
P.195 A. Aleksandravicius / Shutterstock.com（Spotify）
P.195 IB Photography / Shutterstock.com（Skype）
P.196 Tupungato / Shutterstock.com（図書館）
P.204 Photographer RM / Shutterstock.com
P.205 GODONG-PHOTO / Shutterstock.com（ロメ港）
P.208 Prometheus72 / Shutterstock.com
P.213 GTS Productions / Shutterstock.com
P.216 tristan tan / Shutterstock.com
P.217 Eko Hariyono / Shutterstock.com（モスク）
P.220 Danita Delimont / Shutterstock.com
P.221 Debbie Ann Powell / Shutterstock.com
P.222 ESB Professional / Shutterstock.com
P.229 Khwanchai_s / Shutterstock.com
P.232 Arnis Griskovs / Shutterstock.com
P.234 Ingus Kruklitis / Shutterstock.com
P.236 Vladislav Belchenko / Shutterstock.com（写真上）
P.236 Vladislav Belchenko / Shutterstock.com（写真下）
P.239 ZGPhotography / Shutterstock.com
P.241 Aurora Angeles / Shutterstock.com
P.242 Antonio Tanaka / Shutterstock.com
P.246 Fotos593 / Shutterstock.com
P.252 Aleksandar Todorovic / Shutterstock.com
P.254 Jennifer Sophie / Shutterstock.com
P.255 Oscar Espinosa / Shutterstock.com
P.256 Alexandros Michailidis / Shutterstock.com
P.258 Nowaczyk / Shutterstock.com
P.259 criben / Shutterstock.com
P.261 Iakov Filimonov / Shutterstock.com
P.263 neftali / Shutterstock.com
P.267 Nadezda Murmakova / Shutterstock.com
P.270 DeymosHR / Shutterstock.com

P.272 MA PHOTOGRAPY / Shutterstock.com
P.274 Alexandr Vorobev / Shutterstock.com
P.275 Oksana Bokhonok / Shutterstock.com
P.279 Annavee / Shutterstock.com
P.281 Plamen Galabov / Shutterstock.com（写真中央）
P.283 Max Bukovski / Shutterstock.com
P.290 Kirk Fisher / Shutterstock.com
P.294 Solarisys / Shutterstock.com（写真上）
P.294 GiuseppeCrimeni / Shutterstock.com（写真下）
P.295 Maciej Czekajewski / Shutterstock.com（写真左）
P.296 Tarek Ezzat / Shutterstock.com
P.297 Senderistas / Shutterstock.com
P.301 Ink Drop / Shutterstock.com
P.302 Bikeworldtravel / Shutterstock.com
P.308 Alexandros Michailidis / Shutterstock.com
P.313 Vladimir Melnik / Shutterstock.com
P.316 Lukiyanova Natalia frenta / Shutterstock.com
P.320 Algimantas Barzdzius / Shutterstock.com
P.326 darrenleejw / Shutterstock.com
P.328 360b / Shutterstock.com
P.329 Ekaterina Kupeeva / Shutterstock.com
P.333 Vladislav Sinelnikov / Shutterstock.com
P.337 Stefano Ember / Shutterstock.com
P.339 John Wreford / Shutterstock.com（市場）
P.341 1961 Federico Gutierrez / Shutterstock.com
P.345 Nutkerdphoksap / Shutterstock.com

参考文献

- 『アフリカのことわざ』
  アフリカのことわざ研究会 編（東邦出版）
- 『世界ことわざ名言辞典』
  モーリス・マルー 編、田辺貞之助 監修、島津智 編訳（講談社）
- 『世界ことわざ比較辞典』
  日本ことわざ文化学会 編、時田昌瑞・山口政信 監修（岩波書店）
- 『世界のことわざ100』遠越段 著（総合法令出版）
- 『なるほど知図帳世界2020　ニュースと合わせて読みたい世界地図』
  （昭文社）

[著 者]
Dr.マンディープ・ライ

150か国以上を旅し、BBCワールドサービスやロイターなどで放送ジャーナリストとしてレポーターを務める。JPモルガンでプライベートバンキングを担当した後、国連、欧州委員会、草の根NGOの仕事を経て、起業家と協力してUAE初のメディアベンチャーキャピタル・ファンドを設立。多くの企業、新興企業、社会的企業の取締役を務める。
哲学、政治、経済学（PPE）を学び、ロンドン・スクール・オブ・エコノミクスで修士号を取得、ロンドンビジネススクールでMBAを取得、ハーバードビジネススクールとMITで1年間学ぶ。「世界の価値観」の研究で博士号を取得。現在は「価値観」に関する世界的な権威であり、世界中の企業、機関、個人と関わる仕事をしている。さらに詳しい業績についてはwww.mandeep-rai.comを参照。

[訳 者]
鹿田昌美（しかた・まさみ）

翻訳家。国際基督教大学卒。小説、ビジネス本、絵本、子育て本など、70冊以上の翻訳を手掛ける。訳書に『ダントツになりたいなら、「たったひとつの確実な技術」を教えよう』（飛鳥新社）、『いまの科学で「絶対にいい！」と断言できる最高の子育てベスト５５』（ダイヤモンド社）、『フランスの子どもは夜泣きをしない』（集英社）、『超速』（サンマーク出版）、『すごいぞ！進化　はじめて学ぶ生命の旅』（NHK出版）、『朝時間が自分に革命をおこす　人生を変えるモーニングメソッド』（大和書房）などがある。
訳書リストはhttps://mamin.biz/ を参照。

世界を知る101の言葉

「単語ひとつ」で国際標準の教養がザックリと身につく

2021年5月31日　第1刷発行
2022年4月9日　第4刷発行

著　者　　Dr.マンディープ・ライ
訳　者　　鹿田昌美

発行者　　大山邦興
発行所　　株式会社 飛鳥新社
〒101-0003
東京都千代田区一ツ橋 2-4-3 光文恒産ビル
電話　03-3263-7770（営業）　03-3263-7773（編集）
http://www.asukashinsha.co.jp

ブックデザイン　小口翔平＋畑中茜＋三沢綾（tobufune）
校　正　　東京出版サービスセンター
印刷・製本　中央精版印刷株式会社

ISBN978-4-86410-760-0